Un Romance Imperdonable

MARY BALOGH

UN ROMANCE IMPERDONABLE

Titania Editores

ARGENTINA — CHILE — COLOMBIA — ESPAÑA
ESTADOS UNIDOS — MÉXICO — PERÚ — URUGUAY — VENEZUELA

Título original: *Unforgiven*
Editor original: Jove Books, The Berkley Publishing Group, New York
Traducción: Camila Batlles Vinn

1.ª edición Septiembre 2013

ISBN: 978-84-92916-49-8
E-ISBN: 978-84-9944-609-7
Depósito legal: B-16.487- 2013

Fotocomposición: Jorge Campos Nieto
Impreso por: Romanyà Valls, S.A. — Verdaguer, 1 — 08786 Capellades (Barcelona)

Impreso en España — *Printed in Spain*

Capítulo 1

*M*e voy a la cama —dijo Nathaniel Gascoigne, emitiendo un enorme bostezo mientras alzaba su copa de brandy y observaba con ligero disgusto que estaba vacía—. Ahora, si mis piernas fueran ca... capaces de sacarme de aquí y llevarme a casa...

—Y si fueras capaz de recordar dónde está tu casa —comentó secamente Eden Wendell, barón de Pelham—. Estás borracho, Nat. Todos estamos borrachos. Tómate otra copa.

Kenneth Woodfall, conde de Haverford, alzó su copa, que aún contenía un dedo de brandy, y miró a los otros dos, que estaban despatarrados de forma poco elegante en dos butacas a cada lado del fuego. Él estaba apoyado contra la repisa de la chimenea, junto a ésta.

—Un brindis —dijo.

—Un brindis —repitió el señor Gascoigne, soltando una blasfemia al alzar de nuevo su copa a la altura de los ojos—. No tengo nada con que brindar, Ken.

Kenneth esperó cortésmente mientras su amigo se levantaba tambaleándose, se dirigía con paso vacilante hacia el aparador y regresaba con una licorera de brandy prácticamente vacía. Escanció un poco de brandy en cada copa, logrando con prodigiosa habilidad no derramar una gota fuera de las mismas.

—Un brindis —dijo de nuevo Kenneth—. Por estar borrachos.

—Por estar borrachos —repitieron los otros dos solemnemente, y bebieron un largo trago por su embriaguez.

—Y por ser libres y felices —dijo lord Pelham, levantando de nuevo su copa—, y estar vivos.

—Y estar vivos —repitió Kenneth.

—A pesar del viejo Bonaparte —añadió Gascoigne—. Que el diablo le confunda —dijo. Brindaron por la libertad que todos habían conseguido después de Waterloo con la venta de sus nombramientos militares en un regimiento de caballería. Brindaron por lo que se habían divertido tras su llegada a Londres. Y brindaron por haber sobrevivido a los años de combate contra Napoleón Bonaparte, primero en España y Portugal y luego en Bélgica. El señor Gascoigne apostilló—. No es lo mismo sin tener al viejo Rex junto a nosotros.

—Que en paz descanse —dijo lord Pelham, y todos guardaron un respetuoso silencio.

Kenneth se habría sentado si la butaca vacía más cercana no hubiera estado a cierta distancia del fuego o si hubiera estado seguro de que sus piernas eran capaces de conducirlo hasta allí. Había pasado más allá del grato estado de embriaguez. Probablemente había llegado a ese punto hacía horas. Habían bebido más de la cuenta durante la cena en White´s. Habían bebido en el teatro, durante los entreactos, y posteriormente en el camerino. Habían bebido en el local de Louise antes de subir la escalera con tres de las chicas de ésta que se habían sentado con ellos en el salón. Habían bebido durante la partida de cartas en casa de Sandford, a la que se habían incorporado después de abandonar el local de Louise. Y habían estado bebiendo aquí, en los aposentos de Eden, porque era demasiado temprano para irse a casa y acostarse, como habían convenido todos.

—Rex fue el más sensato —dijo Kenneth, depositando con cuidado su copa medio vacía sobre la repisa. Torció el gesto para sus adentros al intuir la magnitud de la jaqueca que padecería cuando se despertara sobre el mediodía o más tarde. Era algo que él —y sus amigos— llevaban haciendo con progresiva regularidad desde hacía semanas. Todo por la causa de la libertad y la alegría.

—¿Qué? —El señor Gascoigne bostezó sonoramente—. ¿Por largarse a Stratton Park cuando había jurado pasar el invierno con nosotros aquí y disfrutar de la vida?

—En Stratton sólo le espera la respetabilidad, el trabajo y un infinito aburrimiento —dijo lord Pelham aflojándose la corbata, cuyo nudo estaba medio deshecho—. Nos prometimos un invierno de placeres.

En efecto, se lo habían prometido. Y habían pasado el otoño entregándose a todas las diversiones, excesos y libertinajes que se les habían presentado. Confiaban que el invierno fuera aún mejor: fiestas y bailes, unas diversiones respetables para contrarrestar las menos respetables. Damas a las que contemplar con deleite y con las que flirtear, además de pelanduscas con las que acostarse. Evitar a toda costa la trampa del matrimonio.

Kenneth hipó.

—Rex fue el más sensato —repitió—. El placer en estado puro puede llegar a aburrir.

—Necesitas otra copa, Ken —observó el señor Gascoigne con cierta preocupación, tomando la licorera que había dejado junto a su butaca—. Empiezas a decir herejías.

Pero Kenneth meneó la cabeza. Por más que era inútil reflexionar cuando uno estaba borracho, él lo estaba haciendo. Los cuatro habían hablado sin cesar sobre lo que harían cuando las guerras hubieran terminado. Habían hablado de ello en unos momentos en que parecía muy probable que no consiguieran sobrevivir. Eran amigos íntimos desde hacía años. De hecho, un oficial colega suyo les había apodado los Cuatro Jinetes del Apocalipsis por su arrojo y sus temerarias proezas en el campo de batalla. Habían soñado con regresar a Inglaterra, vender sus nombramientos militares, ir a Londres y dedicarse a pasarlo bien. Dedicarse única y exclusivamente a pasarlo bien, entregarse al placer desenfrenado en estado puro.

Rex había sido el primero en comprender que el placer en sí mismo no satisfacía eternamente, ni siquiera durante mucho tiempo, y menos durante todo un otoño e invierno. Rex Adams, vizconde de Rawleigh, había regresado a su propiedad en Kent. Se conformaba con vivir la vida después de la guerra, después de haber sobrevivido.

—Ken empieza a expresarse como Rex —comentó lord Pelham, sujetándose la cabeza con una mano—. ¡Maldita sea, alguien debería impedir que la habitación diera vueltas! Y alguien debería detener a Ken. Dentro de poco empezará a hablar de regresar a su casa en Cornualles. Un lugar donde Sansón perdió el flequillo. No lo hagas, Ken, amigo mío. Te morirás de aburrimiento a los quince días.

—No le des ideas —dijo el señor Gascoigne—. Te necesitamos, Ken, viejo amigo. Aunque no necesitamos tu condenada apostura con la que consigues alejar de nosotros incluso a las putas. ¿Verdad, Ede? Bien pensado, deberíamos dejar que te fueras. Vete a casa, Ken. ¡Anda, lárgate! Regresa a Cornualles. Te escribiremos hablándote sobre las maravillosas mujeres que vienen a la ciudad por Navidad.

—Y que caen rendidas en nuestros brazos —apostilló lord Pelham, sonriendo y torciendo luego el gesto—. Somos héroes, por si no lo sabías.

Kenneth también sonrió. Sus amigos tampoco eran feos, aunque en estos momentos tenían un aspecto horrible, despatarrados en sus butacas, borrachos como cubas. En España siempre le habían acusado de tener la injusta ventaja de ser rubio y por consiguiente más atractivo que ellos a las mujeres españolas.

No había pensado seriamente en regresar a casa, aunque suponía que más pronto o más tarde tendría que hacerlo. La finca de Dunbarton Hall en Cornualles era suya desde hacía siete años, desde la muerte de su padre, aunque él no había pasado más de ocho años allí. Incluso cuando sus heridas le habían obligado a regresar a Inglaterra, hacía seis años, había evitado ir a casa. Al partir se había jurado que jamás volvería.

—Deberíamos ir todos allí —dijo—. Venid conmigo. Navidad en el campo y todo eso... —añadió y se llevó su copa a los labios y arrugó el ceño al comprobar que tenía la mano vacía.

El señor Gascoigne emitió un gemido.

—¿Jóvenes campesinas y todo eso...? —preguntó lord Pelham, moviendo las cejas.

—Y terratenientes y matronas campesinas —terció el señor Gascoigne—. Y moral pueblerina. No lo hagas, Ken. Retiro lo dicho. Soportaremos tu maldito atractivo físico, ¿no es así, Ede? Competiremos por conquistar a las mujeres con nuestro infinito encanto, y los ojos azules de Ede. Un hombre puede parecer una gárgola y las mujeres ni siquiera darse cuenta si tiene los ojos azules.

No había motivo para que no regresara, pensó Kenneth. Ocho años era mucho tiempo. Todo habría cambiado. Todo el mundo habría cambiado. Él mismo era una persona distinta. Ya no era el joven apasionado e idealista con sueños románticos. La mera idea le parecía cómica. Dios, ojalá no hubiera bebido tanto. Y ojalá no hubiera vuelto al local de Louise. Empezaba a hartarse de encuentros sexuales de una noche. Y de beber y jugar a las cartas sin cesar. Era curioso, durante años la vida que había llevado en los últimos meses había sido su sueño del paraíso en la Tierra.

—Lo digo en serio —dijo—. Venid a pasar las Navidades en Dunbarton.

Recordaba que la Navidad era la época más alegre en Dunbarton, con la casa atestada de invitados, los días repletos de fiestas..., y el gran baile del día siguiente.

El señor Gascoigne gimió de nuevo.

Su madre estaría encantada, pensó Kenneth. Actualmente pasaba buena parte del tiempo en Norfolk, en casa de Ainsleigh. El vizconde de Ainsleigh estaba casado con Helen, la hermana de Kenneth. A su madre le encantaría venir a Dunbarton. Le había escrito en más de una ocasión preguntándole cuándo pensaba regresar allí, y cuándo pensaba elegir esposa. Ainsleigh, Helen y sus hijos también vendrían, aunque quizás a su hermana no le entusiasmara la idea. Seguramente vendrían legiones de parientes. Él se invitaría a sí mismo. Daría a su madre carta blanca para invitar a quien quisiera.

No, no tenía por qué evitar regresar a Dunbarton. ¿O sí? Kenneth arrugó el ceño y pensó en un motivo. Pero ella tendría ahora ocho años más que dieciocho. Maldita sea, volvió a arrugar el ceño mientras trataba de concentrarse en el cálculo aritmético. ¿Veintiséis? Era difícil imaginárselo. Estaría casada y tendría una caterva de hijos. Eso también era difícil imaginárselo. Alargó la mano para tomar su copa de la repisa —por supuesto, él mismo la había dejado allí—, apuró su contenido e hizo una mueca.

—Lo dice en serio, Nat —dijo lord Pelham—. Está decidido a ir.

—Lo dice en serio, Ede —convino el señor Gascoigne—. Esta noche lo dice en serio..., ¿o es ya por la mañana? Maldita sea, ¿qué hora es? Mañana, ¿o quiero decir hoy?, cambiará de parecer. Con la sobriedad viene la lucidez. Imaginaos todo lo que echará de menos si se va a Cornualles.

—Resacas —apuntó Kenneth.

—Echará de menos las resacas —dijo lord Pelham—. En Cornualles no tienen resacas, Nat.

—En Cornualles no tienen licor, Ede —dijo el señor Gascoigne.

—Contrabandistas —dijo Kenneth—. ¿Dónde creéis que aterriza el mejor licor? Yo os lo diré. En Cornualles, amigos míos. —Pero no quería pensar en contrabandistas. Ni en resacas—. Estoy decidido a ir. Para Navidad. ¿Vendréis conmigo?

—No cuentes conmigo, Ken —respondió lord Pelham—. Aún quiero correrme algunas juergas.

—Y yo tengo que localizar una cama —murmuró el señor Gascoigne—. Preferiblemente la mía. Cornualles está demasiado lejos, Ken.

Entonces iría solo, decidió Kenneth. A fin de cuentas, Rex había ido solo a Stratton cuando los otros se habían negado a acompañarlo. Había llegado el momento de regresar a casa. Hacía tiempo que debía de haber regresado. Sin embargo, era muy propio de él tomar esa decisión de forma impetuosa, cuando estaba demasiado borracho para pensar con claridad. Había numerosas razones por las que no debía ir. No, mentira. Dunbarton le pertenecía. Era su hogar. Y ella tenía veintiséis años, estaría casada y tendría una caterva de hijos. ¿Se lo había contado alguien?

—Vamos, Nat —dijo, arriesgándose a apartar el hombro de la repisa de la chimenea—. Veamos si somos capaces de regresar a casa juntos. Rex probablemente hace horas que se ha acostado y se despertará al amanecer, y con la cabeza despejada, el condenado.

Sus dos amigos se estremecieron visiblemente. El señor Gascoigne se levantó, sorprendido de que sus piernas le sostuvieran, aunque no parecían apoyarse con firmeza en el suelo.

Sí, Rex era el más sensato, pensó Kenneth. Era hora de irse a casa. De irse a la cama y de regresar a Dunbarton.

Hacía un día espléndido para principios de diciembre: de un frío seco, pero alegre y soleado. El sol brillaba sobre la superficie del mar cual miles de diamantes, y el viento que a menudo soplaba sobre el agua azotando tierra firme y dejando a sus habitantes ateridos de frío hoy era tan sólo una suave brisa.

La mujer que estaba sentada en la cima del abrupto acantilado, casi en el borde de éste, en una pequeña hondonada cubierta de hierba que la ocultaba de la carretera a su espalda, rodeó sus rodillas con los brazos mientras aspiraba profundas bocanadas de aire salado. Se sentía a la vez relajada y pletórica de vitalidad.

Todo estaba a punto de cambiar, pero sin duda para bien. ¿Cómo podía no ser así cuando hacía sólo dos días pensaba que era demasiado mayor para casarse —tenía veintiséis años— y en estos momentos aguardaba la llegada de su futuro esposo? Durante los últimos años se había dicho que no tenía ningún deseo de casarse, que era feliz viviendo en Penwith Manor con su madre viuda, gozando de una libertad que la mayoría de mujeres nunca llegaban a conocer. Pero era una libertad ilusoria, y ella siempre lo había sabido. Durante más de un año había convivido con una sensación de inseguridad sin prestarle atención porque no podía hacer nada al respecto. A fin de cuentas, no era más que una mujer.

Penwith Manor había pertenecido a su padre y al padre de éste y así sucesivamente a través de seis generaciones. Pero al morir su padre, la mansión —y su título de baronet— había pasado a manos de un primo lejano. Durante los catorce meses transcurridos desde la muerte de su padre, ella había seguido viviendo allí con su madre, pero ambas sabían que sir Edwin Baillie podía decidir en cualquier momento fijar allí su residencia, venderla o alquilarla. ¿Qué sería entonces de ellas? ¿Adónde irían? ¿Qué harían? Sir Edwin probablemente no las echaría a la calle sin un céntimo, pero quizá tuvieran que mudarse a una casa muy pequeña con una renta no menos pequeña. La perspectiva no era agradable.

Pero sir Edwin había tomado ahora una decisión y había escrito una larga carta a lady Hayes para anunciarle su intención de casarse y tener hijos que aseguraran su herencia y cuidaran de su anciana madre y sus tres hermanas en caso de que él muriera prematuramente. Su intención era solventar dos problemas al mismo tiempo contrayendo matrimonio con su prima tercera, la señorita Moira Hayes. Asimismo, le comunicaba que iría a Penwith Manor dentro de una semana para declararse y organizar la boda en primavera.

Al parecer sir Edwin suponía que la señorita Moira Hayes se mostraría más que encantada de aceptar su ofrecimiento. Y después de la sorpresa inicial, la indignación inicial por haber dado éste por sentado que ella aceptaría dócilmente, Moira tenía que reconocer que se sentía feliz. Si no exactamente feliz, al menos satisfecha. Lo sensato era aceptar su ofrecimiento. Tenía veintiséis años y vivía en circunstancias precarias. Había visto a sir Edwin Baillie en una ocasión, poco después de la muerte de su padre, cuando él había acudido con su madre para inspeccionar su nueva propiedad. Le había parecido aburrido y un tanto pomposo, pero era joven —ella calculaba que tenía poco más de treinta y cinco años—, respetable y pasablemente bien parecido, aunque no era guapo. Por lo demás, se había dicho Moira, el aspecto físico carecía de importancia, especialmente para una solterona que hacía tiempo había renunciado a todo sueño de vivir una historia apasionada o un amor romántico.

Moira apoyó la barbilla en las rodillas y sonrió con tristeza mientras contemplaba el mar a los pies del acantilado. Sí, había renunciado a sus sueños. Pero lo cierto era que todo había cambiado de forma radical desde su infancia, desde su adolescencia. Habían cambiado muchas cosas ajenas a ella, dentro de ella. Ahora era una mujer corriente y normal, muy aburrida, muy respetable, pensó riéndose por lo bajinis. Pero no había renunciado a la costumbre de salir sola, aunque no era decoroso que una mujer respetable saliera sola de su casa. Éste siempre había sido uno de sus lugares favoritos. Aunque hacía mucho tiempo que no venía. No estaba segura por qué había venido hoy. ¿Había venido para despedirse de sus sueños? Era un pensamiento sombrío.

Pero no tenía por qué ser un pensamiento deprimente. El matrimonio con sir Edwin no le aportaría auténtica felicidad, pero tampoco una profunda desdicha. El matrimonio sería lo que ella quisiera que fuera. Sir Edwin quería hijos varones. Ella también. Hacía sólo dos días, le parecía un sueño imposible.

De pronto se tensó al oír a un perro ladrar cerca, a su espalda. Se abrazó las rodillas con fuerza y encogió los dedos de los pies dentro de sus botines. Pero no era un perro callejero. Alguien le dio una orden con voz firme y el animal dejó de ladrar. Ella aguzó el oído durante unos momentos, pero no oyó nada salvo el mar, la brisa y las gaviotas que volaban en lo alto. El hombre y el perro habían desaparecido. Moira se relajó de nuevo.

Pero en ese momento captó un movimiento por el rabillo del ojo, y comprendió que la habían descubierto, que otra persona había encontrado este lugar, que habían destruido su paz. Se sintió abochornada de que la descubrieran sentada aquí sobre la hierba, como una niña, abrazándose las rodillas. Se volvió bruscamente.

Él estaba de espaldas al sol. Ella tuvo la impresión de un hombre alto, de anchos hombros, vestido elegantemente con un gabán de varias capas, un sombrero alto de castor y unas botas altas de color negro. Había llegado antes de lo previsto, pensó ella. Seguramente le disgustaría hallar a su futura esposa aquí, sola, sin una carabina. ¿Cómo sabía que ella estaba aquí? Se hallaba a unos cinco kilómetros de su casa. Quizá le había alertado su perro. Por cierto, ¿dónde se había metido el perro?

Esos fueron los pensamientos que le pasaron por la mente en una fracción de segundo, disipándose con la misma rapidez. Ella comprendió casi al instante que no se trataba de sir Edwin Baillie. Y en ese mismo instante supo quién era, aunque no podía verle el rostro con claridad y hacía más de ocho años que no le veía.

Más tarde no estaba segura de cuánto tiempo habían permanecido así, mirándose, ella sentada sobre la hierba abrazándose las rodillas, él de pie junto a la hondonada, su silueta recortándose contra el cielo. Podían haber sido diez minutos, pero probablemente sólo fueron unos segundos.

—Hola, Moira —dijo él por fin.

Kenneth había venido a Cornualles solo, aparte de su ayuda de cámara, su cochero y su perro. No había logrado convencer a Eden y a Nat de que le acompañaran. Ellos no habían logrado convencerlo a él de que desistiera de su empeño, pese a haber tomado la decisión de venir cuando estaba muy borracho. Pero a menudo obraba de forma impulsiva. Había una inquietud en él que no había conseguido aplacar desde su repentina decisión de marcharse de casa y comprar un nombramiento militar en un regimiento de caballería.

Había venido para pasar la Navidad en casa. Su madre, Ainsleigh y Helen, y muchos otros miembros de la familia, aparte de algunas amistades de su madre, llegarían después que él. Eden y Nat quizá vinieran en primavera, según habían dicho, suponiendo que él siguiera allí en primavera. Puede que Rex viniera también.

Había sido una decisión disparatada. El invierno no era la mejor época para viajar a una zona tan remota del país. Pero mientras se dirigía hacia el oeste había gozado de buen tiempo, y, mal que le pesara, conforme el paisaje se tornaba más familiar se había sentido más animado. Durante los dos últimos días había cabalgado con *Nelson* como última compañía, dejando que su carruaje con sus sirvientes y su equipaje le siguieran a un paso más lento. Se preguntó en cuántos días le habría precedido su carta a la señora Whiteman, el ama de llaves de Dunbarton. Calculaba que no serían muchos. Imaginaba la consternación que había provocado entre los sirvientes domésticos. Pero no tenían motivo para preocuparse. Estaba acostumbrado a vivir con escasas comodidades y no llegaría ningún otro invitado hasta dentro de dos semanas.

Con frecuencia cabalgaba por una carretera desde la cual contemplaba el mar y que nunca le llevaba muy lejos del borde de los elevados acantilados salvo cuando descendía hacia los valles fluviales y ascendía por el otro lado después de atravesar aldeas de pescadores, ofreciéndole imágenes de playas doradas y malecones de piedra y botes pesqueros que surcaban las aguas.

¿Cómo era posible que hubiera pensado en no regresar jamás?

Sabía que la última vez que la carretera descendiera vislumbraría por fin el pueblo de Tawmouth. Aunque en esta ocasión no bajaría a él. Dunbarton se hallaba a este lado del valle, a poco más de cinco o seis kilómetros hacia el interior. De repente, al pensar en ello, se sintió eufórico. Los recuerdos se agolpaban en su mente, recuerdos de su infancia, de gentes que había conocido, de lugares que había frecuentado. Uno de éstos debía de estar cerca.

La nostalgia le produjo un nudo en la boca del estómago. Sin darse cuenta, hizo que su montura aminorara el paso. Esa hondonada había sido uno de sus lugares favoritos. Era un lugar apacible, apartado, donde uno podía sentarse en la hierba sin ser observado, a solas con los elementos y sus sueños. A solas con *ella*. Sí, a veces se habían encontrado allí. Pero él no estaba dispuesto a dejar que sus recuerdos de ella empañaran los recuerdos de su hogar. Había tenido una infancia feliz.

Habría seguido adelante de no ser porque *Nelson* se había puesto a ladrar, señalando con la cabeza la hondonada. ¿Había alguien allí? Estúpidamente, se había sentido ofendido ante semejante idea.

—Siéntate, *Nelson* —ordenó a su perro antes de que éste echara a correr hacia la hondonada para investigar.

Nelson se sentó y alzó la cabeza, mirándole con sus ojos inteligentes, esperando más órdenes. Sin darse cuenta, Kenneth comprobó que se había detenido por completo. Su caballo bajó la cabeza para pacer. Qué familiar le resultaba todo. Como si los ocho o más años no hubieran transcurrido.

Desmontó, dejó que su caballo paciera libremente y que *Nelson* esperara a que él revocara su orden, y se encaminó en silencio hacia el borde de la hondonada. Confiaba en que no hubiera nadie allí. No tenía ganas de encontrarse con nadie... todavía.

Su primer impulso fue ocultarse apresuradamente. Había alguien allí, una extraña vestida con pulcritud pero escasa elegancia con una capa y un sombrero de color gris. Estaba sentada con las piernas encogidas y los brazos rodeándolas. Pero él permaneció inmóvil, con la mirada fija en ella. Aunque era evidente que se trataba de una mujer y él no alcanzaba a verle el rostro debajo del ala de su sombrero, fue quizá su postura juvenil lo que le alertó. De pronto sintió que el corazón le retumbaba en los oídos. En ese preciso momento ella volvió la cabeza hacia él y el sol iluminó su semblante.

Su modesto atuendo y el paso de los años hacían que pareciera sensiblemente mayor, al igual que la forma en que llevaba su cabello oscuro recogido debajo del sombrero. Iba peinada con raya al medio y el pelo alisado sobre las orejas. Pero conservaba un rostro de óvalo alargado, como el de una Virgen renacentista, y sus grandes ojos oscuros. No era bonita, nunca lo había sido. Pero el suyo era un rostro que al vislumbrarlo entre la multitud uno se volvía para observarlo más detenidamente.

Durante un momento, tan sólo un momento, él creyó contemplar un espejismo. Si su imaginación hubiera evocado la imagen de ella en este lugar, habría sido la imagen de una joven descalza con un vestido liviano, de color claro, y el cabello, libre de las horquillas que lo sujetaban, suelto y cayéndole en cascada por la espalda. No habría sido esta imagen de pulcra y casi aburrida respetabilidad. No, era real. Y tenía ocho años más.

Él se percató por fin de que llevaban un rato mirándose, aunque ignoraba cuánto tiempo.

—Hola, Moira —dijo.

Capítulo 2

*N*o debió llamarla por su nombre de pila, pensó él demasiado tarde, pero no conocía su otro nombre.

—Kenneth —dijo ella, tan bajito que él la vio mover los labios más que oír el sonido de su propio nombre. También la vio tragar saliva—. Ignoraba que fuerais a regresar a casa.

—Hace unos meses vendí mi nombramiento militar —dijo él.

—¿De veras? —respondió ella—. Sí, ya lo sabía. Lo oí decir en el pueblo. La gente suele comentar esas cosas.

Se había levantado, pero no se había acercado a él. Seguía siendo muy alta y esbelta. Él había olvidado lo alta que era. Siempre había admirado la forma en que se sostenía erguida, con la cabeza alta, negándose a encorvar la espalda o tratar de disimular su estatura pese a ser más alta que la mayoría de los hombres. A él le complacía que hubiera crecido hasta casi alcanzar su propia estatura. Aunque le producía una grata sensación protectora estar junto a mujeres que no le llegaban siquiera al hombro —que era el caso de la mayoría de mujeres—, le desagradaba tener que agachar la cabeza para mirarlas.

—Confío en que estéis bien —dijo.

—Sí —respondió ella—. Gracias.

¿Qué hacía ella aquí?, se preguntó él. ¿Acaso lo había convertido en su refugio particular durante los ocho últimos años, erradicando el recuerdo de haber estado con él aquí? Aunque no habían estado allí juntos con frecuencia. Ni en ningún otro lugar. Pero se encontraban a hurtadillas, y sus encuentros les producían tal sentimiento de culpa, que parecía como si fueran muy numerosos. ¿Por qué estaba sola? No era decoroso que estuviera ahí sin un acompañante, siquiera una doncella.

—¿Y sir Basil y lady Hayes? —preguntó él secamente. Recordó que la familia de ella y la suya habían estado distanciadas durante varias generaciones, que no habían mantenido ningún trato social durante ese tiempo. Él había confiado, con el juvenil idealismo que no le había abandonado prácticamente hasta que se había marchado de casa, en que su generación —y la de ella— propiciara una reconciliación. Pero la enemistad sólo había empeorado.

—Papá murió hace más de un año —respondió ella.

—Ah —dijo él—. Lo lamento.

No lo sabía. Lo cierto era que apenas había recibido noticias de Dunbarton. Su madre ya no vivía aquí y él no se había carteado con ninguno de sus antiguos vecinos. Con su administrador mantenía una correspondencia referida sólo a sus negocios.

—Mamá está bien —dijo ella.

—¿Y...? —Él se detuvo. Supuso que el nombre habría cambiado—. ¿Y sir Sean Hayes? —preguntó con reticencia.

Sus labios se tensaron al pensar en Sean Hayes.

—Mi hermano no llegó a heredar el título —respondió ella—. Falleció unos meses antes que papá. Murió en la Batalla de Tolosa.

Él torció el gesto. Tampoco estaba enterado de esto. Sean Hayes, que tenía su misma edad, se había marchado poco antes que él. Su padre le había comprado un nombramiento en un regimiento de infantería, presumiblemente porque no podía permitirse nada más glamouroso. Sean Hayes, quien tiempo atrás había sido su mejor amigo, y al final su enemigo más encarnizado, ¿muerto?

—Lo siento —dijo.

—¿De veras?

Ella formuló la pregunta en voz baja, con frialdad. Sus ojos oscuros, fijos en los suyos, no mostraban expresión alguna, pero él sintió su hostilidad. De modo que los ocho años que habían transcurrido no la habían cambiado. Pero en ese tiempo había sufrido la pérdida de su padre y de su hermano. Y ella y su madre...

—¿Y vuestro esposo? —preguntó él.

—Aún no me he casado —contestó ella—. Voy a desposarme con sir Edwin Baillie, un primo mío que heredó el título y la propiedad de papá.

¿No estaba casada? ¿De modo que nadie había sido capaz de amansarla? Sin embargo, presentaba un aspecto dócil. Parecía distinta... y la misma. Más distinta que la misma. ¿Por qué iba a casarse ahora con ese primo suyo? ¿Por conveniencia? ¿Había amor en ese enlace? Pero eso a él no le incumbía. Ella no le incumbía. Ocho años es mucho tiempo. Toda una vida.

—Al parecer —dijo él—, he regresado a casa en el momento justo para ofreceros mi enhorabuena.

—Gracias —dijo ella.

De pronto él reparó en algo. Se volvió hacia la carretera para confirmar lo que ya sabía.

—¿Cómo habéis venido? —preguntó—. No veo ningún carruaje ni un caballo salvo el mío.

—Andando —respondió ella.

Sin embargo, Penwith Manor se hallaba a varios kilómetros, en el valle, y a un par de kilómetros hacia el interior. ¿De modo que, pese a las apariencias, ella no había cambiado nada?

—Permitid que os acompañe a casa —dijo él—. Podéis montar mi caballo.

Se preguntó qué clase de hombre era sir Edwin Baillie que dejaba que se paseara sola por la campiña. Pero quizás ignoraba que había salido sola. Quizás el pobre hombre no la conocía bien.

—Regresaré a casa a pie, sola. Gracias, señor —dijo ella.

Sí. Había sido una torpeza por su parte ofrecerse para acompañarla. ¿Qué habrían pensado las gentes de Tawmouth si le hubieran visto aparecer de pronto, al cabo de más de ocho años, con Moira Hayes, prometida del dueño de Penwith, montada en su caballo? ¿Y si la hubiera acompañado hasta Penwith cuando nadie de su familia había puesto el pie en esa finca desde hacía más tiempo del que nadie recordaba?

Había que tener presente que existía una profunda enemistad entre Penwith y Dunbarton y que todo intento de poner fin a la misma era malgastar energías inútilmente. Él ya no deseaba poner fin a dicha enemistad, aunque si hubiera pensado en ello durante los últimos días le habría parecido ridículo mantener viva una disputa que había comenzado con su bisabuelo y el de ella. No quería volver a tener trato alguno con Moira Hayes. Y, al parecer, el sentimiento era mutuo.

Él asintió brevemente y se tocó el ala del sombrero.

—Como gustéis —dijo—. Buenos días, señorita Hayes.

Ella no dijo nada y se quedó donde estaba mientras él se dirigía de nuevo hacia la carretera y montaba en su caballo. *Nelson* se incorporó emitiendo un esperanzado ladrido y Kenneth asintió con la cabeza para indicar que podía levantarse. A continuación giró hacia el interior y avanzó por la cima de la colina, dejando la carretera principal antes de que descendiera hacia el valle y a través del pueblo de Tawmouth. El sol aún lucía en el cielo, como comprobó sorprendido al alzar la vista. Había imaginado que el día se había nublado. Se sentía abatido, su mente y sus emociones agitadas. Le disgustaba esa sensación. Había regresado a casa ilusionado.

Era comprensible, pensó. Había habido algo entre ellos, unos sentimientos intensos, que en su ingenuidad él había interpretado como amor. Ella había sido su primer —y único— amor, aunque durante sus años en Oxford él había recibido una cumplida educación sexual. Realmente no había tenido importancia: un encuentro fortuito, algunos encuentros planificados, los cuales le habían producido un profundo sentimiento de culpa porque no debía tener tratos con un miembro de la familia Hayes ni encontrarse con una joven a solas. Durante años él y Sean solían reunirse para jugar y pelearse, pero eso era distinto. Era el sentimiento de culpa debido a sus encuentros con Moira lo que le excitaba y le había convencido de que estaba enamorado de ella. Ahora lo comprendía. Era lógico que el hecho de volver a verla le hubiera alterado, se dijo, por más que no esperaba que ocurriera. Ahora era un hombre distinto: endurecido por la vida, cínico, que no creía en el sentimiento romántico.

Contempló el boscoso valle que se extendía a sus pies, el río que fluía serpenteando hacia el mar. Pronto divisaría Dunbarton. No se arrepentía de haber venido. Al contrario, experimentaba un grato sentimiento de alegría que casi era euforia. ¡Cómo le habrían tomado el pelo Eden y Nat de haber estado presentes en ese momento!

De pronto apareció ante él. Era una visión capaz de sorprender a cualquiera, incluso a él, que había vivido allí durante buena parte de su vida. Cabalgaba por una meseta que se extendía a lo lejos sin mostrar apenas ninguna variación, cuando de repente contempló una hondonada, un parque arbolado de un intenso verdor en contraste con el resto de la colina. Y en el centro se alzaba Dunbarton Hall, una inmensa e imponente mansión de granito construida a lo largo de tres lados de un cuadrángulo. Una elevada verja y una puerta de hierro forjado constituían el cuarto lado.

—Ya estamos en casa, *Nelson* —dijo Kenneth, olvidando su temporal irritación. Sí, era su hogar, y le pertenecía. Toda la finca le pertenecía. Por primera vez en siete años, la realidad de este hecho le sorprendió. Era el dueño de Dunbarton.

Nelson ladró y echó a correr por el camino de acceso hacia la casa.

Moira se quedó durante varios minutos contemplando no el mar, sino el desierto horizonte sobre la hondonada. Había oído el sonido de unos cascos que se alejaban, pero no estaba convencida de hallarse a solas.

Hacía mucho tiempo que no pensaba en él con odio. Ni siquiera cuando Sean había muerto en el campo de batalla. No realmente. Había tenido que soportar un dolor demasiado lacerante y terrible. Después de eso, y después de la pérdida de su padre a los pocos meses, había tenido demasiadas cosas en qué pensar, demasiados detalles prácticos referentes al presente que afrontar. La vida había cambiado de forma tan drástica que en su memoria no había espacio para las confusas pasiones de la adolescencia. Ni para la joven despreocupada que había sido.

Debió suponer que él regresaría algún día. Debió estar preparada, aunque en realidad no había nada para lo que debía estar preparada. Pero desde que había llegado a Tawmouth la noticia de que él había vendido su nombramiento y había regresado a Inglaterra, las conversaciones a la hora del té, después de asistir a misa y durante las reuniones vespertinas incluían inevitablemente el tema que fascinaba a todos: ¿Regresaría a su casa en Dunbarton? Pero aunque las gentes de Tawmouth no hubieran sido demasiado refinadas para hacer apuestas, habría sido inútil. Todo el mundo habría apostado a que regresaría. Salvo Moira. Ella no esperaba que lo hiciera. Él había afirmado que jamás regresaría, y ella le había creído.

Qué estúpida había sido. Por supuesto que había regresado. Era el conde de Haverford, propietario de Dunbarton, dueño y señor de prácticamente toda esta zona de Cornualles. ¿Cómo iba a resistir la tentación de regresar para ejercer su autoridad? Antes de marcharse le agradaba el poder. Había dispuesto de ocho años para ejercerlo y ella no dudaba de que lo había hecho con implacable eficiencia. Al verlo ahora había observado en él un aire de fría autoridad.

La intensidad de la amargura y el odio que ella sentía la había sorprendido. Respiró profundamente, esforzándose en calmarse. Él tenía todo el derecho de volver. Al igual que ella tenía todo el derecho de evitarlo siempre que pudiera. Las familias Hayes y Woodfall habían sido expertas en evitarse durante generaciones. Por desgracia ella había aprendido por la fuerza a acatar esas reglas.

Durante la conversación que habían mantenido ella no había visto su rostro con claridad debido a que se hallaba de espaldas al sol, pero había visto lo suficiente para percatarse de su imponente físico —de joven era increíblemente guapo, aunque acaso demasiado delgado para su estatura—, a la par que fuerte y saludable. Ella no dudaba de que su rostro conservaba su belleza aguileña y aristocrática. Había vislumbrado debajo de su sombrero su pelo rubísimo. Había regresado con un aspecto aun más espléndido que el que tenía antes de marcharse.

Y Sean estaba enterrado en algún lugar del sur de Francia. Ella no había sentido amargura. Dolor, sí, pero no amargura. Los soldados combaten y mueren. Sean era un soldado, un teniente de infantería, y había muerto en el campo de batalla.

Pero ahora sentía amargura. Y un odio gélido. De no ser por *él*,

Sean nunca se habría alistado en el ejército. Lo cierto es que no había tenido más remedio que hacerlo. Moira sintió frío. Alzó la vista al cielo y le sorprendió comprobar que aún lucía el sol.

No debía odiarlo. No lo haría. El odio era una emoción demasiado fuerte. No quería regresar al pasado. No deseaba experimentar de nuevo las pasiones extremas de la joven que había sido. Ahora era una mujer. Una persona distinta. Sin duda *él* también había cambiado. Debía olvidarse de él, en la medida en que esto era posible cuando iba a residir a pocos kilómetros de Penwith. ¿Se quedaría mucho tiempo?, se preguntó ella. No importaba. Ella tenía que vivir su propia vida, la cual iba a convertirse en una nueva vida que le aportaría mayor respetabilidad. Y satisfacción. Pensó deliberadamente en los hijos que ahora confiaba en que tendría.

Abandonó la hondonada y miró cautelosamente a su alrededor, pero, como era natural, no había nadie a la vista. Sólo entonces se preguntó por qué se había acercado él a la hondonada en lugar de pasar de largo. Era imposible que la hubiera visto desde la carretera. ¿Por qué se había detenido allí? ¿Y por qué había elegido ella precisamente hoy para venir aquí? No recordaba la última vez que había estado allí. Había sido una lamentable coincidencia. O quizá no tan lamentable. Quizá de haberse enterado de que había vuelto, habría temido encontrarse con él por primera vez. Al menos, el mal trago había pasado.

Moira echó a andar hacia casa a paso ligero. No debió quedarse tanto rato en la hondonada en pleno mes de diciembre, por agradable que fuera el día. Estaba aterida de frío.

Hacía muchos años que las gentes de Tawmouth y propiedades circundantes no habían vivido unos eventos tan emocionantes. A fin de cuentas, el fallecimiento del pobre sir Basil Hayes, acaecido hacía catorce meses, no podía considerarse un evento emocionante, dijo la señorita Pitt al reverendo y a la señora Finley-Evans con tono quedo y piadoso mientras tomaba el té con ellos, con la señora Meeson y con la señora y la señorita Penallen.

No bien se hubieron recobrado todos de la noticia de que el conde de Haverford había llegado a Dunbarton Hall de forma tan imprevista que la señora Whiteman, el ama de llaves de su señoría, se había enterado de ella sólo un día antes, les llegó la noticia de que la madre de su señoría, la condesa de Haverford, iba a venir también por Navidad, junto con un gran número de invitados. Las madres con hijas casaderas empezaron a soñar con invitados varones solteros. Las madres con hijos casaderos hicieron otro tanto con invitadas femeninas.

Los caballeros empezaron a ir a presentar sus respetos a su señoría. Las señoras aguardaban impacientes a que éste les devolviera la visita. A fin de cuentas, como comentó la señora Trevellas a la señora Lincoln y a la señora Finley-Evans, sus maridos apenas les habían explicado nada. Lo único que les habían comentado después de su visita a Dunbarton era que su señoría había combatido en Waterloo y había visto al duque de Wellington con sus propios ojos. Como si eso pudiera considerarse una noticia interesante, aunque decían que su excelencia era un hombre muy apuesto.

—Nada —concluyó con tono de profunda indignación— sobre el aspecto que presenta su señoría. O sobre su atuendo. El señor Trevellas ni siquiera recordaba lo que llevaba su señoría, aunque pasó media hora conversando con él.

Las otras señoras menearon la cabeza con gesto de comprensión e incredulidad.

Cuando los caballeros no comentaban entre sí lo que cada cual había averiguado sobre las experiencias de la guerra de su señoría y las señoras no se preguntaban si seguía tan guapo como cuando era niño, se dedicaban a conjeturar sobre lo que la Navidad les tenía reservado en materia de diversión. En vida del viejo conde siempre habían organizado el tradicional baile de Navidad en Dunbarton.

—Y en vida del conde anterior a él —añadió la señorita Pitt. Era una de las pocas mujeres entre ellas que recordaba al abuelo del presente conde—. Era un hombre muy apuesto —añadió con un suspiro.

—Quizás este año organicen también algunas celebraciones en Penwith —observó la señora Meeson cuando fue a tomar el té con la señora Trevellas—, puesto que esperan la llegada de sir Edwin Baillie un día de éstos.

Sir Edwin Baillie había pasado a ocupar un lugar inferior en la lista de sucesos emocionantes que esperaban que se produjeran en Tawmouth, aunque había encabezado la lista antes de la repentina aparición del conde. Pero seguían esperando con interés su llegada a Penwith, especulando sobre el propósito de su visita justamente en esta época del año. ¿Propondría matrimonio a la estimada señorita Hayes? ¿Le aceptaría ella? Todos se habían llevado una gran sorpresa cuando ella había rechazado al señor Deverall hacía cuatro años. Aunque todo el mundo sabía que la señorita Hayes era una mujer de mucho carácter y a veces mostraba una excesiva independencia.

Algunas damas se volvieron hacia la señora Harriet Lincoln para conocer su opinión, puesto que era muy amiga de la señorita Hayes. Pero la señora Lincoln se limitó a decir que si sir Edwin se declaraba a Moira Hayes y ella le aceptaba, no tardarían en enterarse todos.

Había otra cuestión que las tenía a todas intrigadas. ¿Qué ocurriría entre Penwith y Dunbarton cuando llegara sir Edwin Baillie? ¿Persistiría la enemistad durante otra generación?

Por supuesto, eran unos temas que procuraban evitar cuando lady Hayes o Moira Hayes se hallaban presentes. Entonces hablaban del tiempo y de la salud de todos con prolijo y archisabido detalle.

—Pobre señorita Hayes —comentó la señorita Pitt en cierta ocasión en que la joven no estaba presente—. Y también lady Hayes. Si la enemistad continúa, no podrán asistir al baile navideño en Dunbarton. Suponiendo que organicen un baile, claro está.

—Por supuesto que habrá baile —dijo la señora Finley-Evans con firmeza—. El reverendo Finley-Evans ha accedido a hablar del tema con su señoría.

—Pobre señorita Hayes —dijo la señorita Pitt.

Sir Edwin Baillie llegó solo a Penwith Manor una semana y un día después de que el conde de Haverford regresara a Dunbarton Hall. Sir Edwin tomó el té con lady Hayes y Moira en el cuarto de estar antes de retirarse a la suite principal —lady Hayes la había evacuado en deferencia al nuevo propietario—, para supervisar al criado cuando éste deshiciera sus maletas. Nunca permitía que nadie, ni siquiera su ayuda de cámara, llevara a cabo esta tarea sin que él estuviera presente, según les explicó. Pero aparte de esa breve explicación, pasó la media hora del té disculpándose ante lady Hayes por la ausencia de su madre, quien por supuesto le habría acompañado en una ocasión tan importante —según dijo señalando a Moira con la cabeza— de no ser porque padecía un leve resfriado invernal. No era nada grave, se apresuró a remarcar para alivio de lady Hayes, pero él había insistido en que se quedara en casa como medida de precaución. Un viaje de cincuenta kilómetros podría causar un perjuicio permanente a su delicada salud.

Lady Hayes le aseguró que había tomado una sabia decisión y había demostrado una admirable devoción como hijo. A la mañana siguiente escribiría a la prima Gertrude para interesarse por su salud. Por lo demás, confiaba en que las señoritas Baillie se encontraran bien.

Al parecer las señoritas Baillie se encontraban perfectamente, aunque Annabelle, la menor, había padecido otitis hacía unas semanas a raíz de dar un paseo en coche un día en que soplaba mucho viento. Todas aguardaban ansiosas noticias de que su hermano había llegado sano y salvo a Penwith Manor. Todas le habían aconsejado que no emprendiera un viaje tan largo en diciembre, pero él estaba tan impaciente por concluir de forma satisfactoria sus asuntos —dijo señalando de nuevo a Moira con la cabeza—, que se había aventurado a transitar por las carreteras en invierno. Su madre, como es natural, lo había comprendido y había insistido en que no se quedara en casa tan sólo porque ella se hubiera resfriado. Si él era un hijo entregado —esta vez hizo una inclinación de cabeza a lady Hayes— lo había aprendido de una madre entregada.

Moira le observó y escuchó sin participar de forma activa en la conversación, pero sir Edwin sólo requería una palabra o una sonrisa de aliento de vez en cuando para que la conversación prosiguiera con naturalidad. Al menos, pensó Moira, tendría un marido para quien la familia constituía una de sus primeras prioridades. Podría haber tenido peor suerte.

Durante la cena sir Edwin anunció su intención de permanecer en Penwith Manor hasta después de Navidad, aunque tanto él como su madre y sus hermanas se sentirían muy tristes por estar separados durante las fiestas. Pero había llegado el momento de familiarizarse con la propiedad que había heredado a la muerte de sir Basil Hayes, si lady Hayes y la señorita Hayes disculpaban que se expresara con tal claridad —una inclinación de cabeza dedicada a cada una de las damas—, y visitaría a sus vecinos para que conocieran al nuevo baronet de Penwith. Y, por supuesto, estaría encantado de ofrecer su compañía durante las celebraciones navideñas a sus dos parientas —otra inclinación de cabeza—, y confiaba en que una de ellas aceptara mañana estrechar sus lazos de parentesco con él. Sonrió casi con coquetería a Moira.

En el cuarto de estar, después de cenar, sir Edwin pidió a Moira que tocara el piano para entretenerles a su estimada madre y a él. Nada le complacía más que escuchar un recital de piano ejecutado por una dama refinada y de buen gusto. Cuando Moira empezó a tocar, él alzó la voz para explicar a lady Hayes que sus tres hermanas eran unas consumadas pianistas, aunque el talento de Cecily residía más bien en su voz, cuya dulzura había heredado de su madre. La destreza de la señorita Hayes como pianista era admirable, aunque, puestos a compararla con la de Christobel, ésta tal vez tenía un toque más sutil. No obstante, lady Hayes debía sentirse orgullosa de su hija.

En efecto, lady Hayes se sentía orgullosa de ella.

Y él también, le aseguró sir Edwin inclinándose hacia ella y haciendo una elegante media reverencia, se sentiría orgulloso de la señorita Hayes cuando tuviera derecho a sentirse orgulloso de ella y no sólo complacido por su alarde de talento musical. Pero entonces, por supuesto —añadió sonriendo con gesto de complicidad—, ella ya no sería la señorita Hayes sino que habría ascendido a un nivel superior.

Sir Edwin se retiró a descansar a una hora prudente, después de inclinarse ante las damas y besarles la mano asegurándoles que el día siguiente sería sin duda el más importante —y quizás el más feliz— de su vida.

También sería el día más importante de su vida, pensó Moira después de retirarse y durante una noche en la que apenas logró pegar ojo. Dudaba que fuera el más feliz. No deseaba casarse con sir Edwin. Era aún más pomposo, aburrido y remilgado de lo que ella recordaba. Cuando lo había visto por primera vez, por supuesto, no lo había contemplado como un marido en ciernes. Temía que convivir con él durante el resto de su vida fuera una dura prueba para ella. Y la madre de él, según recordaba, era en muchos aspectos parecida a él. Pero en la vida a veces una no puede elegir. Si sólo tuviera que pensar en sí misma, quizá pudiera hacerlo. Pero tenía que pensar en su madre, por lo que era inútil plantearse si tenía o no otra opción. De modo que se centró en sus futuros hijos.

A la mañana siguiente desayunó con deliberada calma y aspecto animado. No tenía más remedio que aceptar el ofrecimiento que sir Edwin le iba a hacer, se dijo se nuevo. Su madre y ella no disponían de rentas propias. A sus veintiséis años no tenía otras perspectivas matrimoniales. Habría sido una irresponsabilidad por su parte, tanto por lo que respectaba a su madre como a ella misma, rechazar a sir Edwin Baillie. Y aunque tenía numerosos defectos, al menos no tenía vicios. Podría haberse visto obligada a aceptar a un jugador, un borracho, un mujeriego o las tres cosas a la vez. Sir Edwin era sin duda un hombre absolutamente respetable.

Así pues, cuando él se presentó ante ella, con gran pompa, ceremonia, reverencias y sonrisas, en el saloncito orientado al este que utilizaban por las mañanas cuando la mañana casi había transcurrido, ella aceptó tranquilamente su proposición de matrimonio, que él estaba seguro que la sorprendería pero se consoló pensando que la complacería. Ella permitió a su flamante prometido que declarara sentirse el hombre más feliz del mundo y le besara la mano, aunque se disculpó profusamente por dejar que su dicha le condujera a semejante frivolidad.

La boda, según informó sir Edwin a lady Hayes y a Moira durante el almuerzo, aunque si por él fuera se celebraría mañana mismo o incluso hoy —sonrió por su tono frívolo, sin duda disculpable en un flamante prometido cuya amada acababa de aceptarlo—, se celebraría a fines de primavera, cuando su madre se hubiera restablecido de su indisposición y el tiempo fuera más benigno para que ella y sus hijas pudieran hacer el largo viaje de cincuenta kilómetros. Entretanto, él tendría el honor de permanecer en Penwith Manor hasta después de Navidad, y luego regresaría a casa para poner en orden sus asuntos antes de mudarse permanentemente a Penwith para casarse con su novia.

Moira emitió un suspiro de alivio. Dispondría de unos cuantos meses para prepararse para la nueva vida que le aguardaba. Su madre le acarició la mano sobre la mesa y la miró sonriendo. Sir Edwin expresó su satisfacción ante esa muestra de felicidad por parte de su futura suegra por la fortuna de su hija. Moira sabía que su madre lo comprendía, y que comprendía al igual que su hija el sacrificio que ésta debía hacer. Aunque era injusto pensar que abordaba el matrimonio como un sacrificio. No sería peor que la inmensa mayoría de matrimonios que se celebraban todos los días, y bastante mejor que muchos.

Capítulo 3

*A*ntes de que terminara el almuerzo sir Edwin introdujo otro tema de conversación que le animó incluso más que la perspectiva de su boda. Al preguntar al mayordomo sobre los vecinos de suficiente alcurnia para ser dignos de que él les hiciera una visita durante su estancia en Penwith Manor, había averiguado un hecho extraordinario. Lady Hayes y la señorita Hayes sin duda estaban al corriente, puesto que al parecer había sucedido hacía una semana. El conde de Haverford había regresado a Dunbarton Hall para fijar allí su residencia.

—Sí, primo Edwin —le aseguró lady Hayes—, hemos oído la noticia. Pero...

Pero sir Edwin apenas se detuvo para respirar. Sonrió a las damas.

—Es un hecho concebible que un caballero menos generoso y más mezquino que yo podría lamentarse de no ser ya la persona de más alcurnia de la vecindad, señora —dijo—, pero debo decir que me siento profundamente satisfecho de contar con el conde de Haverford como vecino, y entre mis amistades, por supuesto. ¿No fue su señoría un héroe de guerra? ¿Un comandante en los mejores regimientos? Cabe deducir que de haber continuado la guerra un par de años más, habría alcanzado el rango de general. Hoy lamento aún más que ayer que su indisposición impidiera a mi querida madre acompañarme aquí. Pero se alegrará por mí, y por vos, señora. Y también por vos, señorita Hayes. Tiene un corazón generoso.

—Pero primo Edwin... —trató de decir de nuevo lady Hayes.

Moira sabía que era inútil. Había sido una semana angustiosa. En Penwith nadie había dicho una palabra sobre el conde de Haverford después de que ella anunciara de improviso el regreso de éste cuando había vuelto de su paseo ese día. No habían dicho una palabra sobre él durante ninguna de las visitas que habían hecho a sus vecinos durante la semana ni durante ninguna de las visitas que éstos les habían hecho a ellas. Y sin embargo ella —y sin duda su madre también— eran conscientes de que cuando no estaban presentes la conversación había girado en torno a su señoría. A fin de cuentas, Dunbarton había permanecido sin su dueño y señor durante siete años. Fue casi un alivio oír a sir Edwin abordar por fin abiertamente el tema prohibido.

—Dejaré mi tarjeta de visita en Dunbarton hoy mismo, antes de ir a presentar mis respetos a otras personas —dijo éste—. Es por supuesto una cuestión de cortesía que visite en primer lugar al conde de Haverford. Sería irreprochable por parte de su señoría recibir mi tarjeta y negarse a recibirme hoy, pero debo congratularme confiando, señora, que accederá a recibir en persona al baronet de Penwith. Al fin y al cabo, a su señoría le agradará constatar que tiene un vecino de un rango casi tan alto como el suyo con quien tratar. Quizá le hayan informado de que en Penwith residen sólo unas señoras, aunque una de ellas por supuesto ostenta un título. —Sir Edwin hizo una inclinación de cabeza a lady Hayes—. Y la otra lo ostentará dentro de unos meses. —Sonrió a Moira—. Qué extraordinaria coincidencia que ambos hayamos llegado a Cornualles al mismo tiempo. Iré a visitarlo hoy mismo, esta tarde. Señorita Hayes, ¿me haréis el honor de acompañarme?

Moira había aceptado los planes de sir Edwin con resignación, incluso con cierta aprobación. Sin duda era preferible que hubiera una relación cordial entre ambos hombres, quienes, a fin de cuentas, serían vecinos. Pero se inquietó de inmediato ante la sugerencia de que ella compartiera esa relación cordial. Miró a su madre, que estaba sentada muy tiesa en su butaca, con gesto serio.

—Nosotras no visitamos Dunbarton, señor —respondió Moira—. Nunca ha habido ningún trato social entre nuestras respectivas familias.

—¿De veras, señorita Hayes? —preguntó sir Edwin—. Me asombra. ¿Acaso su señoría es tan soberbio? Uno no espera eso en un aristócrata, especialmente cuando uno mismo es de alto rango, pero quizá sea comprensible. Le demostraré que poseo méritos suficientes para contarme entre las amistades del conde de Haverford. Le informaré de que mi madre era una Grafton de Hugglesbury. Los Grafton, como sin duda sabéis, tienen un linaje purísimo —aseguró a lady Hayes—, que se remonta al valeroso caballero que luchó codo con codo con el mismísimo Guillermo el Conquistador.

—Hace unas generaciones se produjo un lamentable incidente —le explicó Moira—. Mi bisabuelo y el bisabuelo del presente conde estaban involucrados en el contrabando, el cual prosperó por esa época en estas costas.

—Vaya por Dios —dijo sir Edwin, mostrándose auténticamente escandalizado.

Moira se preguntó con inopinado regocijo si sir Edwin había bebido alguna vez el vino que entraba en el país por la puerta trasera, por decirlo así, sin haber pagado los derechos de aduana. Se preguntó si su madre y sus hermanas habían bebido alguna vez el té que había llegado a su tetera a través de unos circuitos no menos dudosos. Pero aunque lo hubieran hecho, y aunque él lo supiera, a sir Edwin jamás se le ocurriría pensar que había estado involucrado de alguna forma en el contrabando. La mayoría de la gente no era consciente de participar en ello.

—El conde de Haverford no participaba de forma activa, sino que actuaba más como patrocinador y comprador de artículos de contrabando —continuó Moira—, mientras que mi antepasado era el líder de los contrabandistas. Salía por las noches con la cara tiznada de negro, una pistola al cinto y un alfanje entre los dientes.

La joven rehuyó la mirada de reproche de su madre.

—Ignoraba que existiera esa mancha sobre la dignidad del baronet de Hayes —comentó sir Edwin, claramente disgustado—. ¿Contrabandistas? ¿Pistolas y alfanjes? Os ruego que os abstengáis de revelar estos hechos a mi madre, señorita Hayes. Le producirían una fuerte impresión y quizás incluso unas palpitaciones fatales.

—Cuando el guardacostas sorprendió a mi bisabuelo —dijo Moira—, y lo condujo ante el magistrado más cercano, el conde de

Haverford, éste le sentenció a siete años de destierro. Fue transportado en un barco prisión.

Sir Edwin suspiró con visible alivio.

—Es malo, pero pudo ser peor —dijo—. Si en el pasado hubiera habido un ahorcamiento en vuestra familia, señorita Hayes...

Sir Edwin se estremeció.

Curiosamente, el comentario divirtió a Moira, quien se sintió al mismo tiempo desagraviada. Sir Edwin no había hecho alusión alguna a la despreciable hipocresía del conde de Haverford.

—Regresó al cabo de siete años —dijo Moira—, sin duda curtido y endurecido por sus experiencias. Vivió otros veinte años como una vergüenza visible para su vecino. Desde entonces ha existido una enemistad entre ambas familias.

Casi pero no absoluta. Habría sido preferible que fuera absoluta.

—Siempre ocurre que los malhechores sienten rencor hacia quienes les censuran y castigan con toda justicia —observó sir Edwin—. Me disgusta que unas damas tan delicadas y refinadas —se inclinó primero ante lady Hayes y luego ante Moira—, hayan tenido que sufrir solas las consecuencias de semejante vileza. Pero eso es agua pasada. Ahora estoy aquí para protegeros y rescataros. Aunque jamás mancillaré los oídos de mi madre con la historia de esa vileza. Estoy seguro que de saberlo, me aconsejaría que hiciera lo que me propongo hacer. Iré a visitar al conde de Haverford esta tarde, como había planeado, y me disculparé sinceramente por la conducta de mi antepasado y por no haberse humillado él mismo y su familia ante el antepasado del actual conde marchándose de aquí y viviendo una vida anónima y en silencio.

Moira sentía una curiosa mezcla de bochorno, indignación, regocijo y ansiedad.

—Mi querido primo Edwin —dijo lady Hayes débilmente, llevándose una mano a la boca.

Pero sir Edwin alzó una mano para detenerla.

—No es necesario que me deis las gracias, señora —dijo—. Como actual baronet de Penwith Manor, he heredado no sólo un título y una propiedad, sino también la responsabilidad por los actos de todos los baronets que me han precedido. Y la protección de sus mujeres. —Se inclinó ante lady Hayes—. Trataré de llevar a cabo una reconciliación en este asunto, señora, y confío en que su señoría me honre por mi humildad y mi decisión de asumir toda la culpa por lo ocurrido hace tiempo.

Moira lo miró con silenciosa incredulidad. Esto ya no tenía nada de divertido. ¿Qué pensaría el conde de Haverford sobre ellas? Se despreciaba por dejar que esto la preocupara.

—Contrariamente a lo que piensa la gente —continuó sir Edwin—, el orgullo no tiene por qué perderse en la humildad. Yo no perderé un ápice de orgullo por disculparme ante su señoría. No temáis, señoras. Deseo que me acompañéis a visitarlo, señorita Hayes.

—Perdonadme, señor —se apresuró a responder Moira—, pero creo que sería más oportuno que fuerais solo a visitar al conde de Haverford en Dunbarton.

—Se dice —terció lady Hayes—, que la condesa, su madre, vendrá también a Dunbarton con otros huéspedes para Navidad, pero no he oído decir que hayan llegado ya, señor. —Era sorprendente lo que una oía decir en la vecindad rural incluso aunque procurase evitar escuchar ciertos temas—. Su señoría está sin duda solo en Dunbarton. Moira iba a acompañarme a tomar el té en Tawmouth esta tarde.

Pero sir Edwin no estaba dispuesto a dejarse disuadir.

—Es oportuno que la señorita Hayes me acompañe —dijo—, en calidad de mi prometida. Su señoría lo considerará un signo de extrema cortesía que yo os presente a él como tal, señorita Hayes, puesto que él es, sin ninguna duda, el líder social de esta comunidad. Y conviene que estéis presente en esta reconciliación de vuestra familia con la de su señoría. Podréis llevar la cabeza bien alta, señorita Hayes, después de haber tenido que llevarla agachada por vergüenza toda vuestra vida. Al parecer, un ángel bondadoso me ha traído aquí en este preciso momento. No puedo sino concluir que mi madre ha ayudado y apoyado a ese ángel insistiendo en que yo viniera aquí en lugar de quedarme en casa para confortarla durante el trance de su leve resfriado.

Lady Hayes no dijo nada más. Se limitó a mirar a su hija con expresión de impotencia y medio disculpándose. Su madre, según recordó Moira, había sido tiempo atrás una firme defensora de poner fin a la disputa que se había iniciado hacía tanto tiempo. Había venido de Irlanda para casarse con el padre de Moira y confiaba en llevar una vida social plena y satisfactoria. Le había disgustado comprobar que debía evitar cualquier acto social que incluyera a la condesa de Haverford y a su familia. Pero eso había ocurrido antes de que la disputa se renovara. Quizá Moira, aunque con retraso, debió mencionar también esos hechos a sir Edwin. Sí, sin duda debió hacerlo.

Pero no dijo nada más. No quería seguir discutiendo. Moira sospechaba con cierta preocupación que sir Edwin Baillie era un hombre con el que era difícil —quizás imposible— discutir, simplemente porque había oído sólo lo que deseaba oír y había llegado a unas suposiciones que consideraba unas verdades irrefutables. Todo indicaba que tendría que acompañarle en su visita vespertina a Dunbarton. Temía pensar en lo que les aguardaba allí. Sólo podía confiar en que el conde de Haverford no se hallara en casa o se negara a recibirlos.

Pero pensó que sir Edwin Baillie no era un hombre que cambiara fácilmente de opinión cuando se proponía algo. Si la visita de hoy no tenía éxito, volvería a intentarlo mañana o pasado mañana. Bien pensado, era mejor acabar con el asunto hoy para que esta noche pudiera dormir tranquila, tras experimentar la peor humillación de su vida. Sin duda sería la peor.

Hacía más de una semana que no había visto al conde de Haverford. Había confiado en no volver a hacerlo. Pero era una esperanza inútil, desde luego. Tenía la incómoda sospecha de que éste había regresado a Dunbarton para quedarse, y al parecer sir Edwin Baillie se proponía fijar su residencia permanente en Penwith. Aunque las familias seguían enemistadas, Kenneth y ella estaban destinados a volver a encontrarse.

Lamentaba que Kenneth hubiera regresado. Incluso se permitió desear durante un instante que fuera él, en lugar de Sean, quien..., pero no. Desterró ese horrendo pensamiento. No, jamás podía desear semejante cosa, ni siquiera a cambio de la vida de Sean. No podía hacerlo, al margen de quién fuera él o lo que hubiera hecho, o el bochorno que iba a causarle ahora a ella, aunque involuntariamente. Moira recordó que durante años había esperado cada noticia, por escueta que fuera, que llegaba a Dunbarton, la angustia con que la esperaba, cómo se había despreciado tanto por esperarla como por la angustia. Recordó cómo se había sentido cuando, seis años atrás, habían tenido noticia de la gravedad de las heridas que él había sufrido en Portugal y que le habían obligado a regresar a Inglaterra, aunque no a Dunbarton. Ella había supuesto que sólo enviaban a un soldado de regreso a Inglaterra cuando había quedado permanentemente inválido o no creían que sobreviviera. Había esperado angustiada más noticias, repitiéndose una y otra vez que en realidad no le importaba lo que le hubiera ocurrido a él.

Recordó la carta que había llegado del Ministerio de la Guerra referente a Sean. No, ella jamás podría desear lo que había estado a punto de desear ahora. Jamás.

Sólo lamentaba que él hubiera vuelto. Y que sir Edwin Baillie no hubiera venido a Penwith. Deseaba simplemente poder retomar su aburrida vida de soltera que había llevado hasta hacía unas semanas.

Kenneth acababa de regresar tras pasar unas horas con su administrador visitando a caballo algunas de las granjas anexas de su propiedad. Se estaba cambiando su ropa cubierta de barro —los dos últimos días había llovido—, y empezaba a entrar en calor cuando su ayuda de cámara respondió a una llamada a la puerta de su vestidor. Dos visitantes esperaban a su señoría en el salón de la planta baja.

Su señoría suspiró para sus adentros. Tenía la sensación de que en los nueve días desde su regreso a Dunbarton había hecho poco más que visitar a sus vecinos y recibir la visita de éstos. Era agradable volver a encontrarse con viejos amigos y vecinos, conocer a otros nuevos, pero a veces deseaba disponer de más tiempo para él. La situación sólo podía empeorar durante la próxima semana, cuando llegaran su madre y su hermana, junto con otros invitados que lo harían en días sucesivos. No obstante, le complacía la perspectiva de tener la casa llena de gente, de aprender el nuevo papel de anfitrión.

Mientras bajaba la escalera unos minutos más tarde, trató de pensar en alguien en la vecindad que aún no le hubiera visitado. No se le ocurría nadie. Pero él ya había devuelto la mayoría de esas visitas. Por lo que dedujo que debía de haber empezado la segunda ronda. Suspiró. Quienquiera que fueran, podrían haber esperado al menos a que llegara su madre.

No reconoció al hombre que se hallaba en medio del salón, con una mano a la espalda y con la otra acariciando la leontina de su reloj. Las puntas del cuello de su camisa, muy almidonada, casi le atravesaban las mejillas. Tenía el pelo castaño y peinado hacia arriba, sosteniéndose un par de centímetros sobre su cabeza. ¿Era para equiparar su estatura a la de la mujer que le acompañaba?, se preguntó Kenneth, fijándose en ésta. Era decididamente más alta que el hombre, un hecho que no trataba de disimular. Mantenía la cabeza erguida, con una expresión de orgulloso desafío pintada en el rostro, como si él la hubiera retado de alguna forma. Lucía el mismo atuendo que el día en que él había llegado. Moira Hayes trataba de pasar por una recatada dama y lo cierto era que había conseguido su propósito. ¿Qué diablos hacía en su salón?, se preguntó Kenneth.

Pero ocultó su sorpresa y se inclinó ante ambos. El hombre sonrió y se inclinó también ante él, como si rindiera homenaje al príncipe Jorge o incluso al mismo rey loco. Moira Hayes permaneció inmóvil y erguida, sin siquiera tratar de hacer la reverencia que exigían los buenos modales.

—¿Señor? —dijo Kenneth—. ¿Señorita Hayes?

El hombre se presentó como sir Edwin Baillie, baronet de Penwith Manor desde el desdichado fallecimiento de sir Basil Hayes y en ausencia de un heredero directo vivo. Moira, según comprobó Kenneth sin mirarla directamente, no torció el gesto ante esa escueta forma de despachar a su padre y a su hermano. Sir Edwin Baillie estaba asimismo emparentado, a través de su madre, con los Grafton de Hugglesbury, quienesquiera que fueran. Sir Edwin miró con insistencia a su anfitrión, esperando claramente un gesto de sorpresa ante dicha noticia. Kenneth arqueó las cejas. ¿De modo que éste era el hombre con el que Moira iba a casarse? ¿Por qué había venido ella aquí?

—Y os habéis referido correctamente a la señorita Hayes, milord —dijo sir Edwin con otra profunda reverencia—. Pero espero que lo consideréis una cortesía por mi parte anunciaros a vos antes que a otra persona, a excepción de lady Hayes, su estimada madre, que la señorita Hayes me ha hecho hoy el honor de acceder a convertirse en lady Baillie en un futuro cercano.

Esta vez Moira sí torció el gesto, no de forma totalmente imperceptible. Kenneth fijó los ojos en ella. Su rostro había asumido de nuevo su expresión de orgulloso desdén, pero una cosa era obvia para él. Este enlace no se basaba en ningún sentimiento amoroso por parte de ella. ¿Y quién podía reprochárselo? Estaba claro que ese hombre era un pomposo cretino. Ella probablemente se estremecía de vergüenza bajo su máscara de indiferencia. Bien.

—Mis mejores deseos, señorita Hayes —dijo Kenneth—. Y enhorabuena, señor. Por favor, sentaos, señorita Hayes. Pediré que nos sirvan el té.

Ella se sentó en la butaca más cercana, tiesa como un palo, con las manos apoyadas una sobre la otra en el regazo. Pese a su tensa postura, ofrecía un aspecto airoso, pensó Kenneth.

—Es muy amable por su parte, milord —dijo sir Edwin aclarándose la garganta con gesto un tanto teatral—. Especialmente dadas las circunstancias.

Maldita sea, pensó Kenneth. Ella debió de contárselo a Baillie. ¿Una confesión antes del compromiso oficial? Unos cuantos encuentros clandestinos. Unos pocos besos. ¿Le había confesado también lo de los besos? Pero al parecer las circunstancias a las que se refería Baillie no eran las que pensaba Kenneth. Al parecer su señoría había sido muy amable al recibir a la bisnieta del hombre a quien su propio bisabuelo había tenido que condenar a siete años de destierro. Y extremadamente cortés por su parte ofrecer a la joven una silla y una taza de té.

Durante un momento, cuando Kenneth la miró sorprendido, los ojos de ambos se encontraron. Ella bajó los suyos apresuradamente. Él sintió el imperioso deseo de soltar una carcajada. Pero hubiera sido una grosería.

—Como nuevo baronet de Penwith Manor —continuó sir Edwin—, debo asumir por supuesto la responsabilidad por todos los actos de mis predecesores, milord. Aunque personalmente no tengo culpa alguna, debo sin embargo pediros humildemente perdón por el disgusto causado a vuestro ancestro al verse forzado a imponer justicia a uno de sus vecinos más cercanos. Os pido perdón en nombre de lady Hayes y de la señorita Hayes, aunque sin duda convendréis conmigo en que las mujeres no pueden ser culpadas por las perfidias de sus parientes varones. No obstante, tanto a lady Hayes como a la señorita Hayes les aflige la enemistad que ha existido entre las dos familias durante varias generaciones.

Moira se mordió el labio al tiempo que sus fosas nasales se dilataban ligeramente. Kenneth se preguntó si su prometido se daba cuenta de que estaba furiosa, y supuso que no. *Las mujeres no pueden ser culpadas por las perfidias de sus parientes varones.* ¿Y por las suyas propias? ¿Había hablado Moira a Baillie sólo de sus respectivos bisabuelos? ¿No sobre lo ocurrido ocho años atrás? Kenneth esbozó una media sonrisa al observar que ella bajaba la mirada.

—Considero innecesario, señor —dijo—, que me pidáis perdón por algo que no os incumbe en absoluto. Considero innecesario que yo os perdone por algo que no me incumbe y que ocurrió hace tanto tiempo que ya nadie lo recuerda. Pero si ello hace que os sintáis más cómodo, estoy dispuesto a convenir en que ese episodio debe ser perdonado y olvidado.

—Sois más que generoso, milord —respondió sir Edwin—. Pero siempre he comprobado que los miembros de la aristocracia se caracterizan por su generosidad de espíritu.

Santo cielo. ¿Y Moira iba a casarse con ese tipo? Kenneth la miró de nuevo. Observó que la piel alrededor de su boca y su nariz estaba un poco pálida. Aún estaba furiosa. Él no pudo resistir la tentación de echar más leña al fuego.

—Y si es cierto que esa enemistad os ha causado consternación, señorita Hayes —dijo—, permitidme aseguraros que todo está perdonado. No guardo rencor a nadie. Podéis venir aquí cuando lo deseéis con lady Hayes o con sir Edwin, que seréis bien recibida.

Moira había madurado, pensó él al cabo de un momento. Pese a estar furiosa, se reprimía para no estallar. Ella le miró directamente a los ojos; él dudó que su prometido viera el veneno que reflejaban, y dijo con frialdad:

—Sois muy amable, milord. ¿Decís que me perdonáis? Me siento abrumada.

Sir Edwin Baillie, tal como Kenneth había supuesto, no habría reconocido ni la ira ni el sarcasmo aunque se hubieran crispado en un puño que le hubiera golpeado entre los ojos. Sonrió con aire satisfecho y se inclinó, primero ante Moira y luego ante su anfitrión.

—Yo también me siento abrumado —dijo—, por el feliz resultado de mi gesto de humildad. Mi querida madre siempre me enseñó, milord, como seguro que vuestra estimada madre os lo enseñó a vos, que la humildad y el orgullo van de la mano, que el hecho de mostrar lo primero no obliga a uno a renunciar a lo segundo, sino que, antes bien, lo refuerza.

—Desde luego —respondió Kenneth. Indicó al lacayo que entró portando la bandeja del té que la depositara frente a Moira—. ¿Tendréis la amabilidad de servir el té, señorita Hayes?

Al parecer sir Edwin creía que la renovada amistad entre las familias que habían estado distanciadas durante generaciones era suficiente excusa para prolongar su visita más allá del límite de media hora que dictaba la buena educación. Fue Moira quien por fin se levantó al cabo de cuarenta minutos, apresuradamente pero con firmeza, cuando su prometido se detuvo para respirar durante una prolija descripción de la esmerada educación que había procurado a sus hermanas pese a lo costosa que le había resultado.

Kenneth los acompañó a la puerta y vio a Baillie ayudar a su novia a montar en el coche e insistir en cubrirle las piernas con una manta antes de montar él también y cubrirse las suyas con otra. Estaba convencido, según explicó a su anfitrión, que la mayoría de resfriados invernales se debían a viajar sin las debidas precauciones. Era preciso ser precavido.

Mientras observaba salir el carruaje del patio, Kenneth pensó que estaba obligado a devolver la visita. No había puesto nunca los pies en Penwith Manor. De niño se había colado en el parque en numerosas ocasiones, al igual que Sean Hayes se había colado en el parque de Dunbarton, pero ninguno de ellos había entrado en casa del otro. Y ahora Moira Hayes había estado en Dunbarton. No cabía duda de que los tiempos habían cambiado.

No estaba seguro de desear que ella y él siguieran visitándose. Estaba muy seguro de no desear mantener ningún trato social íntimo con su futuro esposo. Pero al parecer no podría evitarlo salvo si abandonaba Dunbarton. Cosa que no quería hacer. Durante los nueve últimos días había descubierto algo. Había descubierto el rumbo que debía tomar su vida. Durante ocho años había vivido gracias a su ingenio y de forma peligrosa. Después de vender su nombramiento se había sentido inquieto y deseoso de vivir más aventuras. Pero su inquietud se debía a su deseo de regresar a casa.

Era una lástima que su casa estuviera tan cerca de Penwith y que ella fuera a casarse con el dueño de la misma. Y era una lástima, a fin de cuentas, que el pasado no hubiera muerto del todo, que no estuviera del todo perdonado u olvidado, pese a lo que habían dicho aquí hacía media hora.

Su madre había invitado a unos amigos a Dunbarton, unos amigos que, curiosamente, tenían una joven hija, la honorable señorita Juliana Wishart. Su madre incluso había mencionado el nombre de la joven en una carta que le había escrito. Preparando el terreno. Haciendo el papel de casamentera con escasa sutileza. Lo que a él le había sorprendido era el hecho de que eso no le hubiera alarmado. Comprendió que estaba dispuesto a echar un vistazo a esa joven. Había regresado a Dunbarton después de mantener numerosas relaciones sexuales. Quería quedarse aquí. Pero si se quedaba, quizá debía estar dispuesto a sentar cabeza. Quizás había llegado el momento de casarse.

Moira Hayes, pensó al regresar al relativo calor del interior de su casa, había escuchado hoy la proposición que le había hecho un cretino y había aceptado. Iba a convertirse en una mujer casada y quizás él sería pronto un hombre casado. Serían vecinos y se visitarían de vez en cuando, aunque confiaba en que no a un nivel excesivamente familiar. En todo caso, pensó malhumorado, era una realidad a la que debería acostumbrarse. Sus ocho años con el ejército Peninsular le habían enseñado que uno podía acostumbrarse a casi todo.

Y la familiaridad, según decían, engendraba no desprecio, sino indiferencia. Quizá llegaran a sentir indiferencia uno hacia el otro y a olvidarse de la inquina y la hostilidad.

Capítulo 4

*L*a condesa de Haverford llegó a Dunbarton unos días después de que sir Edwin Baillie se hubiera presentado allí de visita con su prometida. Con ella llegaron su hija y el marido de ésta, el vizconde de Ainsleigh, y sus dos hijos pequeños. Antes de que transcurrieran veinticuatro horas todo Tawmouth y el área circundante se había enterado del hecho. Y, como es natural, cada día llegaban más invitados.

El mes de diciembre trajo un inusitado e interesante revuelo a este remoto rincón de Cornualles. Pues incluso antes de la llegada de la condesa, se había extendido la noticia de que sir Edwin Baillie de Penwith había ido a visitar al conde de Haverford, ¡y había sido recibido! Él y la señorita Hayes incluso habían sido invitados a tomar el té con su señoría. Y éste había sido el primero en enterarse del compromiso entre sir Edwin y la señorita Hayes.

—Todo es muy gratificante —dijo la señorita Pitt, enjugándose una lágrima de la esquina del ojo con un práctico pañuelo de algodón.

Y así era. Pues no sólo iba la señorita Hayes a hacer un matrimonio ventajoso, y no sólo había concluido la larga disputa entre Dunbarton y Penwith, sino que todos podían hablar libremente de los temas que más les fascinaban en presencia de las damas de Penwith.

Y también en presencia de sir Edwin, por supuesto, el cual se mostraba muy afable. Es más, había sido sir Edwin el primero en mencionar —e incluso abundar en ello con todo lujo de detalles— la visita que había hecho a su señoría, la generosa disculpa que le había ofrecido por pasados agravios y la elegancia con que su señoría le había perdonado tanto a él, como flamante baronet de Penwith, como a la señorita Hayes, como descendiente directa del auténtico —si Edwin se detuvo para toser delicadamente— malhechor. La humildad, les explicó, no estaba reñida con el orgullo, sino que más bien lo complementaba. Su madre, en su sabiduría —había sido una Grafton de Hugglesbury, por supuesto— se lo había inculcado cuando era un niño.

La señora Finley-Evans felicitó a sir Edwin por su sensatez y su valor. La señorita Pitt felicitó a la señorita Hayes por el feliz desenlace de un triste pasado. La señora Harriet Lincoln, la mejor amiga de Moira, le dio una palmadita en el brazo y habló en tono quedo, por debajo del nivel de la conversación que las rodeaba.

—Pobre Moira —dijo—. Vas a tener que echar mano de toda tu paciencia, querida.

Moira no creyó que Harriet se refiriese a la reconciliación que se había producido en Dunbarton hacía unos días.

Las conjeturas sobre el baile navideño en Dunbarton fueron en aumento. Pero en términos generales, aunque hablaban de ello sin cesar, todo el mundo estaba de acuerdo en que no había duda de que se celebraría. ¿Cómo iba a divertir sino su señoría a sus invitados? Y en Dunbarton había un salón de baile espléndido. La señora Trevellas se preguntó si tocarían unos valses en el baile de Dunbarton, pero sus contertulios despacharon semejante idea de inmediato. En las reuniones celebradas en Tawmouth hacía unos meses, habían incluido entre los bailes dos valses, los cuales habían escandalizado, entre otros, al reverendo Finley-Evans. La intimidad de un hombre bailando exclusivamente con una mujer, con una mano apoyada en la cintura de ésta y la otra sosteniendo la mano de su pareja mientras la mujer apoyaba su mano libre en el hombro de él, había escandalizado a la señorita Pitt hasta el extremo de que su sobrina había tenido que reanimarla con ayuda de la vinagreta de la señora Finley-Evans. Sir Edwin Baillie sólo había oído hablar de ese baile, pero lo que había oído bastaba para convencerle de que dedicaría todas sus energías a proteger a su madre, a sus hermanas y —añadió inclinándose ante Moira— a su prometida contra una influencia tan perniciosa.

No, nadie alcanzaba a imaginar que la madre de su señoría permitiría ese escandaloso baile por más que su hijo, siendo como era un hombre joven, hubiera importado unas ideas tan modernas de España y de Francia. Todo el mundo sabía que los españoles y los franceses eran más libertinos que los ingleses.

Moira no tenía opinión que ofrecer al respecto. Le tenía sin cuidado si tocaban unos valses o no en el baile de Dunbarton, suponiendo que hubiera baile en Dunbarton. Confiaba en que no se celebrara. Y confiaba de todo corazón que en caso de que se celebrara, no enviaran una invitación a Penwith. Confiaba en que el conde de Haverford no cultivara la amistad que sir Edwin había tratado de entablar con él. Confiaba en que los ignorara a ambos aunque fuera una grosería.

Pero toda esperanza que pudiera tener Moira de que el conde consideraría la visita de sir Edwin una simple impertinencia se fue al traste cuando éste les devolvió la visita una tarde poco después de que tres señoras, que habían compartido un carruaje desde Tawmouth, se hubieran marchado. Vino solo y envió su tarjeta de visita a la sala de estar, donde sir Edwin se hallaba felicitando a las señoras por la deliciosa conversación de sus amistades.

—Ah —dijo al mayordomo—, conduce a su señoría aquí, y no le hagas esperar. Y pide que suban otra bandeja de té. Os complacerá, señora —añadió inclinándose ante lady Hayes—, poder ocupar por fin el lugar que os corresponde en sociedad. Comprobaréis que su señoría tiene unos modales muy refinados.

Comoquiera que su señoría se hallaba ya en el umbral y oyó el encendido elogio que sir Edwin le había dedicado, Moira se estremeció para sus adentros. Observó que el conde alzaba una altiva ceja sobre el nivel de la otra, pero hizo una cortés reverencia a su madre, interesándose por su salud, y a ella. Su madre, observó Moira, se mostraba muy nerviosa. Su señoría ocupó la butaca que le ofrecieron después de que las señoras se sentaran y precedió a responder a las detalladas e impertinentes preguntas de carácter personal que le hizo sir Edwin sobre su madre, su hermana, su sobrino y su sobrina.

—En efecto —dijo en respuesta a la sugerencia de sir Edwin—, mi hermana se casó con un magnífico partido. Mis padres aprobaron su excelente elección.

Sus ojos de color gris claro —Moira nunca había comprendido cómo podían ser al mismo tiempo pálidos y penetrantes, pero siempre habían sido ambas cosas, y a menudo fríos— se fijaron en los de ella y ambos se miraron durante unos momentos. Sus palabras habían contenido decididamente un mensaje, pensó ella, más allá de su significado. La joven se tensó, indignada. Un matrimonio entre lady Helen Woodfall y Sean Hayes habría sido del todo inconveniente, había insinuado su señoría con toda claridad, y sus padres no lo habrían aprobado.

Moira alzó el mentón indicándole con no menos claridad y en silencio que al menos en ese punto estaba totalmente de acuerdo con él. Los ojos del conde dejaron entrever que había captado su mensaje antes de desviar la vista para responder a la siguiente pregunta de sir Edwin. *¡Cómo se atreve!*, pensó ella sintiendo que el pulso le latía con furia. Pues el mensaje debió de ser tan claro para su madre como para ella. Precisamente esta mañana su madre había comentado que debieron informar a sir Edwin que la enemistad entre las dos familias no se basaba sólo en lo que había sucedido hacía varias generaciones. Y esto que su madre no sabía de la misa la media.

Él siguió conversando con sir Edwin como si tanto la ocasión como la conversación le parecieran sumamente agradables. Hizo gala de una educación y unos modales perfectos, y el atuendo que lucía era de muy buen gusto. Y, por supuesto, estaba aún más guapo que hacía ocho años, suponiendo que eso fuese posible. Alto, con unos poderosos músculos en los lugares estratégicos, rubio, de rasgos armoniosos, exhalaba asimismo un aire de aplomo y autoridad que le confería un aura casi irresistible de masculinidad..., y de arrogancia. Cuánto debió complacerle venir aquí y desempeñar su papel de dueño y señor ante todos ellos, demostrar su superioridad en todos los aspectos sobre sir Edwin.

Moira tardó quince minutos en percatarse del intenso resentimiento y odio que sentía hacia él. Para entonces era demasiado tarde para tratar de ocultarlo, para convencerse de que el pasado había muerto. Era Sean quien había muerto, no el pasado. Era injusto, se dijo. Totalmente injusto.

El conde se levantó para marcharse dentro del límite de tiempo aceptable; incluso en ese detalle, mostraba unos modales impecables. Hizo una reverencia a las damas y se despidió de sir Edwin con una inclinación de cabeza.

—Dentro de unos días enviaré una tarjeta —dijo—, invitándoles a los tres al baile que celebraremos en Dunbarton Hall la noche después de Navidad. Confío en que asistan.

Sir Edwin le dio las más efusivas gracias y le aseguró que la lista de invitados de su señoría se vería realzada con la presencia del baronet de Penwith. Lady Hayes se limitó a hacer una reverencia y Moira supuso que su madre estaba firmemente decidida a no cruzar jamás el umbral de Dunbarton Hall. En cuanto a ella, no creyó necesario responder a la invitación. No tenía la libertad de su madre. De hecho, se despreciaba por la breve emoción que había sentido ante la idea de asistir al gran baile. Estaba segura de que las reuniones de Tawmouth no podían compararse con el baile que planeaban ofrecer en Dunbarton.

—Señorita Hayes —dijo el conde de Haverford—, espero que tengáis la amabilidad de reservarme un vals, con permiso de vuestro prometido, claro está.

El prometido de Moira, abrumado por el honor que el conde acababa de conceder a su futura esposa, dio su permiso con una elegante reverencia. Aunque era lo correcto, comentó en voz alta, puesto que eran vecinos y Dunbarton y Penwith eran sin duda las propiedades más extensas e influyentes de esta zona de Cornualles.

—Gracias, milord —dijo Moira en voz baja, reprimiendo su ira en su agitado corazón y sus rodillas que apenas la sostenían.

Había contemplado esos valses en las reuniones del pueblo, aunque nunca había participado en ellos. Y no compartía las censuras que vertían sobre ese baile los elementos de más edad y rígidos de la comarca. Le había parecido el baile más maravilloso y romántico que se había inventado jamás. Había soñado con bailarlo y se había reído de sí misma por ser todavía capaz de albergar esos sueños juveniles a su edad.

Pues bien, todo indicaba que bailaría el vals. En el baile de Dunbarton. Con el conde de Haverford. Sus fríos ojos se fijaron en los de ella cuando volvió a inclinar la cabeza. Ella le dirigió una media sonrisa. Pero estaba convencida de que él sabía que esa sonrisa no era de satisfacción o gratitud sino una sonrisa desdeñosa. Él le había pedido un vals y ella había aceptado, porque aunque ambos sentían una profunda antipatía mutua no podían dejar de desafiarse el uno al otro.

—Mi madre siempre ha sostenido —dijo sir Edwin cuando se quedó de nuevo a solas con las damas—, que uno no debe juzgar nada basándose sólo en su reputación, sino que debe observarlo por sí mismo. Ahora veo que había juzgado injustamente el vals. Si su señoría no tiene inconveniente en incluirlo en el programa musical del baile en Dunbarton, debe de ser irreprochable. A fin de cuentas, su madre estará presente. Querida señorita Hayes, si disculpáis la familiaridad de este trato, espero que comprendáis el honor que su señoría me concede al solicitar vuestra mano para un vals en el baile que se celebrará en Dunbarton. No sólo seremos vecinos y mantendremos una relación cordial, sino que seremos amigos. Y todo porque no tuve reparo en humillarme. Estimada señora —añadió inclinándose ante lady Hayes—, os felicito.

Lady Hayes se limitó a mirar a su hija arqueando las cejas.

—¿Cómo dices, querido?

La condesa de Haverford, sentada ante su pequeño escritorio en la biblioteca de Dunbarton, se detuvo con la pluma suspendida sobre uno de los elegantes tarjetones en el que había estado escribiendo cuando su hijo había entrado hacía unos momentos en la habitación. La vizcondesa de Ainsleigh estaba sentada junto a ella, sosteniendo una lista de nombres, la mayoría de los cuales habían sido tachados.

La expresión de su madre indicó a Kenneth que no es que no hubiera oído lo que él había dicho, sino que no daba crédito. Él repitió lo que acababa de decir.

—Quiero que hagas el favor de incluir una invitación a lady Hayes, a la señorita Hayes y a sir Edwin Baillie de Penwith Manor, estimada mamá —dijo.

—Supuse que habías dicho eso —respondió la condesa—. ¿Te parece oportuno, querido? Quizás hayas olvidado...

—No, claro que no, mamá —contestó él—. No he olvidado nada. Pero sir Basil Hayes ha muerto, al igual que papá, y el nuevo dueño de Penwith Manor es un pariente lejano. Además, ha venido a visitarme aquí. Está prometido con la señorita Hayes.

—¿Que ha venido a visitarte? —preguntó la condesa frunciendo el ceño—. ¿Y tú le recibiste, Kenneth? Confío en que al menos viniera solo.

—Le acompañaba la señorita Hayes —respondió él—. Y yo les recibí. Ha llegado el momento de poner fin a esa vieja disputa, mamá.

Su hermana, observó, se había puesto rígida como un palo.

—No es precisamente una vieja disputa, Kenneth —terció ésta secamente—. Si recuerdas, ha habido víctimas recientes.

—Es mejor olvidarlo —replicó él.

—¡Olvidarlo! —Su hermana se rió y miró de nuevo su lista—. ¿Sabías que él había muerto? ¿Sabías que había caído en el campo de batalla?

—Sí —respondió él en voz baja.

—Cabría decir, si una quisiera ser cruel —terció la madre de ambos secamente—, que ese joven merecía esa suerte y que podría haber tenido un fin peor que morir como un héroe. Pero ¿qué puede esperarse de un Hayes?

—Por favor, no te alteres, mamá —dijo Helen. Miró de nuevo a su hermano—. Preferiría no ver a Moira Hayes aquí, Kenneth. Ni a lady Hayes. Por el bien de mamá.

—Ya las he invitado —respondió él—. Fui a visitarles esta tarde. Habría sido una descortesía no devolver la visita de sir Edwin Baillie, y una grosería inaceptable omitirlos de la lista de invitados al baile después de que éste viniera a presentarme sus respetos.

—Me pregunto —dijo su hermana con cierta aspereza—, si la

cortesía fue tu único motivo, Kenneth. Tiempo atrás estuviste enamorado de ella. No creas que no lo sé.

—Tenemos mucho que hacer, Helen —dijo la condesa secamente—. Añade a sir Edwin Baillie y a las señoras de Penwith a la lista.

—Si saben lo que es el buen gusto —dijo Helen—, declinarán la invitación. Pero no creo que sepan lo que significa el buen gusto.

Helen no era una persona rencorosa, pensó Kenneth. Existía un indudable cariño entre ella y Ainsleigh y no cabía la menor duda de que amaba a sus hijos. Pero estaba claro que llevaba dentro de sí sus propios demonios del pasado. Él jamás había sabido lo que su hermana había sentido exactamente por Sean Hayes, si amor, afecto o ninguna de esas cosas. Sean era un joven encantador y por razones que sólo él conocía había decidido encandilar a Helen. Más tarde ella había negado haber accedido voluntariamente a fugarse con él y había aceptado con resignación que sus padres la enviaran a casa de una tía. Un año más tarde se había casado con Ainsleigh. Había guardado en secreto sus auténticos sentimientos hacia Sean. Pero hacía unos minutos le había preguntado si sabía que Sean había muerto. ¿Cuánto había significado esa muerte para ella? ¿Y cómo lo había averiguado?

—No podemos contar con que la rechacen —dijo él—. Sir Edwin Baillie parece decidido a mostrarse afable y cordial con nosotros, y la señorita Hayes va a ser su esposa. Debemos tratarlos con amabilidad cuando asistan al baile. Ésta es una nueva era, y deseo comenzarla con otro talante. No quiero tener unos vecinos que viven apenas a cinco kilómetros de aquí cuya existencia debemos ignorar. No quiero que mis hijos y los suyos se vean obligados a tomar la difícil decisión de obedecer a sus padres o entablar una amistad clandestina entre ellos. Ya basta de esto.

La condesa arqueó las cejas.

—Sean Hayes ha muerto —dijo él—, al igual que sir Basil Hayes. Y sir Edwin Baillie tiene un talante muy distinto.

Su madre siguió mojando su pluma con determinación en el tintero cuando él abandonó la habitación y cerró la puerta tras él. ¿Qué le había inducido a pedir a Moira Hayes que le reservara unos valses?, se preguntó. No deseaba hacer más que lo estrictamente necesario con respecto a ella. Desde luego no tenía ningún deseo de tocarla. Esta tarde iba vestida de forma muy recatada. Incluso llevaba un gorro, que por alguna razón a él le había irritado. Se había comportado con discreción y decoro y había conseguido mostrar un aire de dignidad pese a las grotescas pomposidades e impertinencias de su prometido. Y sin embargo estaba convencido de que, pese a las apariencias, detrás de esa distinguida fachada se ocultaba una apasionada femineidad. Quizás estuviera equivocado. Probablemente lo estaba. Moira era una solterona de veintiséis años, quien se disponía a contraer un matrimonio tan conveniente como aburrido con un pomposo cretino. Desde luego, entre ellos había habido una ira oculta y una extraña y silenciosa comunicación. Eso había sido absolutamente real.

No deseaba tocarla. No quería arriesgarse a dar rienda suelta a algo que ni siquiera estaba seguro de que existía. O quizá, pensó sorprendido, era él, no ella, quien ocultaba una emoción latente en su interior. En tal caso, no tenía que preocuparse. Hacía mucho que había aprendido la disciplina del autocontrol.

Bailaría el vals con ella. Se preguntó si conocía los pasos y confió en que no los conociera. Era un baile demasiado íntimo para bailarlo con alguien que conociera los pasos..., y alguien a quien uno temía tocar.

Cuando Moira fue a entregar unas cestas que contenían bollos y pasteles navideños a algunas de las familias más pobres de Tawmouth la víspera de Navidad, fue sola, acompañada sólo por una doncella. La excursión le procuró la ansiada sensación de libertad pese a que sir Edwin había insistido en que se llevara a la doncella y el carruaje en que solían ir al pueblo. Edwin estaba demasiado ocupado escribiendo cartas navideñas a su madre y a cada una de sus hermanas para acompañarla él mismo, por lo cual se disculpó profusamente. Lady Hayes estaba ocupada con la cocinera y los búdines de Navidad.

Hacía un día espléndido, pensó Moira, aunque los pescadores habían pronosticado que nevaría en los próximos días. El cielo azul estaba tachonado de vaporosas nubes, las cuales permitían de vez en cuando que luciera el sol. Soplaba un viento fresco, pero no excesivamente frío ni violento para esta época del año. Habría sido un día perfecto para ir caminando hasta el pueblo por el valle. Pero debido al sentido del decoro de su prometido, Moira se había visto obligada a ir al pueblo en el coche, con un ladrillo caliente a sus pies y las piernas cubiertas con una manta. Se preguntó si después de la boda sir Edwin le permitiría alguna vez ir andando a algún sitio. Ese pensamiento, que no dejaba de ser divertido, le produjo no obstante cierta inquietud. Aunque sir Edwin no era un hombre de mal carácter, era casi imposible llevarle la contraria.

La doncella tenía una hermana casada en Tawmouth y se mostró encantada cuando la señorita Hayes le propuso que fuera a visitarla cuando entregaran todas las cestas. Moira se proponía visitar a Harriet Lincoln y quizá convencerla para ir de tiendas. Pero la tentación de gozar del aire libre era demasiado fuerte. Como una colegiala que hace novillos, echó a andar apresuradamente por la calle que la conduciría al rompeolas, una estructura de granito que le llegaba a la cintura y que señalaba el fin de la carretera del valle y protegía al caminante incauto de caer a la playa que había más abajo. Entonces apoyó las manos sobre el muro y aspiró profundamente el tonificante aire marítimo.

A sus pies, la dorada playa se extendía a ambos lados. Unos pescadores trabajaban en sus botes amarrados junto al largo embarcadero de piedra situado a la derecha, pero la playa emanaba un tentador aire de soledad. La marea estaba baja. Unas gaviotas chillaban y revoloteaban en lo alto. Debería dar media vuelta y dirigirse a casa de Harriet, pensó Moira. Pero en lugar de ello se encaminó hacia la única abertura que había en el muro. Al otro lado de ésta había unos escalones construidos contra el muro que conducían a la playa.

Normalmente, Moira no habría vacilado. ¿Tenía que hacerlo ahora simplemente porque sabía que a sir Edwin Baillie le disgustaría? Más que disgustarse, le soltaría un largo sermón sobre las lecciones que le había inculcado su madre de pequeño. Después de reiterarle una y otra vez su respeto y consideración hacia ella, le recordaría sus obligaciones como dama de alcurnia y prometida del baronet de Penwith. ¿Tendría ella que doblegarse a su voluntad el resto de su vida? ¿No podría conservar un mínimo de independencia, de amor propio? Esto era Cornualles. No había nada malo en que paseara sola por una playa desierta en Tawmouth. Y así se lo diría con calma pero con firmeza si él llegaba a averiguar la verdad. Pues la verdad era que ya había empezado a descender por los escalones que conducían a la playa.

Siempre le había encantado la playa, tanto como terreno de juegos como un lugar donde dejar correr su imaginación y soñar. Solía venir a menudo con Sean. Sus padres eran personas bastante tolerantes, y les permitían más libertad de movimiento del que gozaban muchos niños. Construían castillos de arena, cogían conchas, chapoteaban en el agua y se perseguían el uno al otro chillando de risa, de frustración o de pura exuberancia. Y a veces se encontraban con Kenneth más allá del promontorio, donde había una recóndita cala que no se veía desde el pueblo o el malecón, y Kenneth y Sean cambiaban insultos hasta que se ponían a jugar a contrabandistas y a piratas, unos juegos que entrañaban duelos de espada con trozos de madera de deriva que arrastraba la corriente y escaladas por la cara del acantilado. A Moira siempre le ordenaban que explorara las charcas en busca de algo interesante, que vigilara o simplemente que se portara bien. A menudo sospechaba que esos encuentros no eran fortuitos, sino que los dos chicos los planeaban.

De niña adoraba a Kenneth, el guapo y rubio muchacho de Dunbarton, a quien tenían rigurosamente prohibido siquiera saludarles. Ella le observaba mientras jugaba con Sean, imaginando que se volvería hacia ella y la invitaría a jugar con ellos, pues deseaba participar en sus juegos. Pero nunca lo hacía. Ella era una chica, de cuya existencia ni siquiera parecía percatarse. Hasta mucho más tarde, claro está.

Posteriormente, después de que él pasara unos años en un internado fuera, durante una de sus vacaciones escolares, ella se había encontrado con él allí a solas. No recordaba dónde se hallaba Sean. Sabía que ella había dejado a su institutriz en el pueblo, haciendo unas compras que le había encargado su madre, que había rodeado el promontorio y que al entrar en la cala le había visto allí, sentado en una roca, como sumido en una ensoñación. Al principio él la había mirado sin reconocerla pero con evidente admiración. Luego la había reconocido. Y le había sonreído. Por primera vez en su vida.

Qué jovencita tan tonta. Qué jovencita tan tonta había sido para dejarse encandilar por su belleza y su encanto varoniles. Se había sentido halagada. Y se había enamorado perdidamente de él.

Moira se encaminó hacia la cala, recordando. Cuántos recuerdos. Hacían que se sintiera vieja, insulsa. No había pensado que su vida llegara a esto, a convertirse en una mujer de cierta edad a punto de contraer un matrimonio de conveniencia con un hombre al que a duras penas toleraba. Pero no, no se trataba tanto de que fuera una mujer de cierta edad, sino que ahora era una mujer madura que había aprendido que la realidad de la vida y el sueño de la vida que una tenía de joven constituían polos opuestos. La vida no era tan terrible ahora. No estaba en la miseria. Nadie la maltrataba. Ella no...

Se detuvo de repente, clavada en el sitio, atemorizada al ver a un gigantesco perro negro aparecer corriendo más allá del promontorio. Al verla el animal echó a galopar hacia ella, emitiendo unos feroces ladridos. Ella siempre había temido a los perros. Éste era más parecido a un monstruo que a un perro. Si ella hubiera sido capaz de moverse, habría dado media vuelta y habría salido huyendo aterrorizada. Pero ni siquiera el instinto de supervivencia consiguió que echara a correr.

Capítulo 5

*N*elson!

La orden impartida con tono autoritario era perfectamente audible a través de los ladridos. Sólo podía proceder de la garganta de un hombre acostumbrado a hacerse oír a través de unos ruidos más ensordecedores.

El perro aminoró el paso a un trote ligero, girando alrededor de Moira y ladrando de forma menos amenazadora.

—¡Siéntate! —le ordenó la misma voz, y *Nelson* se sentó, con la lengua colgando de sus fauces mientras jadeaba y miraba a Moira sin pestañear.

Ella apretó los dientes, como si al hacerlo pudiera impedir que se desintegrara en varios pedazos. No apartó la vista del perro aunque su cerebro había empezado a decirle a quién pertenecía esa voz, como si ella le hubiera conjurado con su caprichosa memoria. Su cerebro también le recordaba que estaba sola, sin siquiera la presencia respetable de una doncella, al igual que lo había estado durante su primer encuentro con él en el acantilado.

—No os habría atacado. —En esto aparecieron dos botas altas de color negro, así como la parte inferior de un gabán—. No sin que yo se lo ordenara.

Ella alzó los ojos. Él se hallaba a pocos pasos, con las manos enlazadas a la espalda. Estaba solo, al igual que ella.

—¿No sin que vos se lo ordenarais? —preguntó ella—. Y si lo hubierais hecho, ¿me habría despedazado?

—Os habría sujetado con la suficiente fuerza para impedir que vos me atacarais a mí —respondió él, su media sonrisa haciendo que pareciera más arrogante de lo habitual.

—En tal caso doy gracias —dijo ella— de que esté tan bien entrenado como para no atacar primero y esperar luego vuestra orden.

—No habría salido de España —dijo él—. Cometí el error de darle de comer allí cuando era sólo uno de tantos perros callejeros. A partir de entonces me seguía a todas partes con encomiable devoción. Pero yo le impuse ciertas condiciones si quería permanecer a mi lado. Jamás ha atacado a nadie sin mi permiso. Pero me ha salvado la vida en más de una ocasión.

—Me estremezco al pensar —dijo ella— qué fue de aquellos de quienes os salvó.

—No os lo diría aunque me lo preguntarais —respondió él—. Más vale que no lo sepáis.

Ella se enojó consigo misma por permitir que su temor la paralizara y por el hecho de que él fuera testigo de ello.

—¿Y os parece justo, milord —le preguntó—, permitir que esa bestia endurecida por la guerra corretee libremente por una nación desprotegida?

—Señorita Hayes —respondió él con un tono que denotaba arrogancia y acaso también contrariedad—, la nación está llena de millares de esas bestias, la mayoría de dos patas, ignoradas y rechazadas por un país por cuyo honor y libertad combatieron en un infierno. Por fortuna, la mayoría de ellas, como *Nelson*, conoce un par de cosas sobre disciplina y acatar órdenes.

Nelson, cansado de permanecer sentado, se acercó a Moira y restregó el morro contra su mano enguantada.

—¿Seguís temiendo a los perros, Moira? —inquirió el conde de Haverford cuando ella retiró apresuradamente la mano—. ¿Incluso cuando se acercan para disculparse y hacerse amigos de vos?

—No, claro que no.

Ella dio una palmadita al perro en la cabeza sintiéndose muy orgullosa de sí misma. De niño él iba siempre acompañado de un perro. Ella siempre se había mantenido a una distancia prudencial de él, aunque recordaba a un pequeño y simpático chucho que solía saltar sobre ella y lamerle la cara.

Nelson la miraba con sus ojos inteligentes y restregaba el morro contra su mano para que le siguiera acariciando. Ella le pasó la mano entre las orejas. Se sentía avergonzada y no sabía qué decir. Deseaba escapar. ¿Debía despedirse de él y seguir adelante? ¿O regresar por donde había venido? Debió hacer alguna observación sobre el tiempo, pensó cuando el silencio se prolongó demasiado, pero hacerlo ahora resultaría ridículo. ¿Por qué había cedido a la tentación de bajar a la playa?

—¿Por qué habéis venido aquí sola, Moira? —preguntó él.

La indignación sustituyó al bochorno. Ella le miró. Bastaba con que sir Edwin le recordara su rango como dama de alcurnia. Se había visto obligada a bajar al valle cubierta de mantas y ladrillos calientes en un carruaje cerrado, acompañada por una doncella.

—Porque he querido —replicó—. ¿Por qué habéis venido vos aquí solo, milord?

—Porque tengo la casa llena de invitados que necesitan que les entretenga —dijo—. Y porque hoy comienzan los festejos navideños en serio y tengo fundados motivos para pensar que durante la semana que viene no dispondré de un momento para mí que no me roben. Porque me he acordado de que *Nelson* necesitaba hacer ejercicio y supuse que ninguno de mis invitados, y menos las señoras, querrían acompañarnos. Todos le temen. Es absurdo, ¿verdad?

Quizá, pensó ella, esas invitadas femeninas harían bien en temerlo a él. Aunque hablaba con una media sonrisa, como si bromeara, había algo peligroso en él, una cierta frialdad en sus ojos. Había cambiado, pensó ella. No era el Kenneth que ella había conocido. Este hombre se había enfrentado a la muerte, la había visto de cerca, había matado y quizá se había vuelto indiferente a ella. Era un hombre que había comandado a otros hombres y, no tenía ninguna duda, se había hecho temer por ellos. Y, sin embargo, ya de niño le gustaba ir a veces a un lugar donde pudiera estar solo. De no ser así, Sean no le habría conocido. Ella no le habría conocido. Pero en aquellos días sus ojos eran dulces y soñadores.

Ella bajó la vista para mirar a *Nelson* y le dio otra palmadita.

—He estado ocupada con los preparativos navideños —dijo—, y recibiendo a visitas en relación con mi compromiso matrimonial. Me estoy adaptando a la presencia de un extraño en Penwith, un extraño que es asimismo el dueño y señor de este lugar, y mi prometido. He venido a Tawmouth esta mañana para entregar las cestas de Navidad. Necesitaba disponer de un poco de tiempo para mí. ¿Sabéis lo aburrido que resulta que a una le siga siempre una doncella como una sombra?

—Supongo —respondió él—, que será por vuestra seguridad.

Ella tuvo una inquietante sensación de *déjà vu*. Le había hecho esa misma pregunta en otra ocasión. Y él había respondido con las mismas palabras..., antes de besarla. Moira le miró sorprendida.

—¿De modo que no estoy segura con vos? —preguntó.

Él la miró con una expresión controlada, con ojos fríos. Pero éstos descendieron para fijarse inconfundiblemente en su boca durante unos momentos.

—Estáis absolutamente segura —respondió.

No, no lo estaba.

—Debo regresar a Tawmouth —dijo ella de repente—, para recoger a mi doncella y mi carruaje.

Él arqueó ambas cejas.

—No me ofrezco para acompañaros, señorita Hayes —dijo—, pero juro que no informaré de vuestra pequeña escapada a sir Edwin Baillie. Imagino que no le complacería.

Ella abrió la boca para replicar secamente que le tenía sin cuidado complacer a su prometido. Pero estaba prometida con él y le debía lealtad.

—Buenos días, milord —dijo, y dio media vuelta para echar a andar por el rompeolas. El conde de Haverford y *Nelson* se quedaron donde estaban o bien entraron de nuevo en la cala. Ella no se volvió para comprobarlo.

Moira tenía la incómoda y errónea sensación de que había ocurrido algo íntimo entre ellos, que había sido un encuentro culpable y clandestino, algo que debía ocultar a toda costa a sir Edwin e incluso a su madre. Él le había mirado la boca y ella la de él...

En Dunbarton había un exceso de las típicas decoraciones de hoja perenne debajo de las cuales era costumbre besarse en Navidad. O, para ser más precisos, dado que dichas decoraciones eran al menos claramente visibles y por tanto podían evitarse, había demasiadas ramitas de muérdago colgadas en toda suerte de lugares, con el mismo propósito, y demasiadas mujeres esperando a que los caballeros incautos se detuvieran debajo de las mismas. Aunque un par de damas —las más jóvenes y bonitas— se quejaban constante e hipócritamente de lo contrario.

Antes de que concluyera el día de Navidad, Kenneth había besado a todas las mujeres que había en la casa, a excepción de las sirvientas, al menos una vez. Había besado a sus primas, que no cesaban de reírse tontamente, a sus tías, que sonreían con afectación, y a sus tías abuelas, que fingían timidez. Había besado a su sobrina, la cual había hecho un mohín de disgusto. Había besado a la señorita Juliana Wishart, que se había ruborizado. De hecho, la había besado tres veces, aunque ninguna por voluntad propia.

Era muy bonita, con un pelo rubio como el suyo, unos ojos grandes y azules y unos labios trémulos que parecían un capullo de rosa. Tenía una atractiva figura curvilínea y vestía de forma elegante y costosa. Tenía buen carácter y sonreía con frecuencia. Era sumisa y en edad casadera, y sus padres, el barón y lady Hockingsford, estaban más que deseosos de casarla. El cortejo había comenzado, y todo el mundo en Dunbarton, desde su madre hasta el último invitado, parecía apoyarlo y colaborar en él.

Ella tenía diecisiete años. Era una niña. Él no podía contemplarla como otra cosa. Besarla era como besar a su sobrina, aunque potencialmente más peligroso. Uno no besaba a una jovencita de diecisiete años tres veces, ni siquiera debajo del muérdago, sin suscitar esperanzas y conjeturas.

Después de besar a la señorita Wishart tres veces, Kenneth tuvo la incómoda sensación de haberse declarado de alguna forma, o que estaba obligado a hacerlo. La chica se había sentado a su lado en el banco de la iglesia y había regresado a casa en su carruaje con la madre de él y la suya, y con él, por supuesto. Se había sentado junto a él en la cena navideña y más tarde había sido su pareja cuando habían jugado a las cartas antes de formar parte de su equipo en el juego de charada. Una de sus tías incluso se había referido a ella como «tu querida señorita Wishart, querido Kenneth».

¿*Su* querida señorita Wishart?

Él había estado más que dispuesto a echar un vistazo a la joven, a considerarla una posible candidata como esposa. Pero después de echarle un vistazo, la había rechazado. No se imaginaba conviviendo con esa chica el resto de su vida, convertirla en su compañera. Y no se imaginaba manteniendo relaciones conyugales con ella, como tampoco se imaginaba haciéndolo con su sobrina u otra niña. Su madre había sugerido que el baile navideño sería una ocasión perfecta para anunciar su compromiso. La mayoría de miembros de la familia y vecinos estarían presentes. La primavera sería una época ideal para la boda. Acto seguido le había sugerido que pasara una hora durante la tarde, antes del baile, con lord Hockingsford.

—Lady Hockingsford ha sido mi amiga íntima desde que nos pusimos de largo juntas —dijo—. Esto es algo que ambas hemos deseado e incluso nos hemos atrevido a planear desde que nació Juliana. Harías que las dos nos sintiéramos muy felices y orgullosas.

Él tenía trece años cuando nació Juliana Wishart, pensó Kenneth, tan sólo cuatro menos de los que ella tenía ahora. Ya había empezado a asistir al colegio. Se sentía terriblemente atrapado y presionado, pero no se casaría simplemente para complacer a su madre y a su amiga íntima. No quería casarse todavía. No estaba preparado para dar ese paso. Durante el baile, pensó, procuraría mantenerse alejado de la señorita Wishart después de la contradanza inicial, que había averiguado que tendría que bailar con ella. Tendría que bailar con todas sus invitadas y todas sus vecinas. Recordó que se había comprometido a bailar un vals con Moira Hayes.

Y recordó también, muy a su pesar, haber solicitado su mano para la contradanza, pese a su renuencia a tocarla. Recordó su inesperado encuentro con ella en la playa y el torrente de recuerdos que el hecho de encontrarse con ella precisamente en ese lugar había desencadenado. Por supuesto, esos recuerdos no dependían del hecho de haberse encontrado con ella cara a cara. Llevaba un buen rato caminando por la cala antes de que ella apareciera y luego había permanecido allí, recordando. Recordando haberse encontrado allí con ella por primera vez a solas y percatándose de que había dejado de ser una niña en la que apenas se fijaba para convertirse en una mujer alta, esbelta y peligrosamente atractiva. Hacía poco que él había empezado a fijarse en las jóvenes. Recordaba otros encuentros con ella después de ése: infrecuentes, clandestinos, no todos en la cala. Pero había sido en la cala donde la había besado por primera vez. En esa época, él estudiaba en la universidad y había aprendido lo suficiente sobre el arte de besar —y más que el arte de besar— de fingir que estaba de vuelta de esas cosas. Pero sólo rozar los labios de Moira había hecho que le subiera la temperatura.

Sin embargo, no había reaccionado a aquello como con las camareras que trabajaban en los bares de Oxford con las que había tenido una relación. No había sido algo puramente físico, o en todo caso había tratado de convencerse de ello, quizá para aplacar el sentimiento de culpa por haber tramado un encuentro clandestino con una dama y haberle robado un beso. Se había enamorado de ella.

Y luego, mientras los recuerdos seguían agolpándose en su mente, mientras sentía cierta nostalgia por el muchacho romántico e idealista que había sido tiempo atrás, *Nelson* la había localizado más allá de la cala. Y a pesar de su modesta capa y sombrero de color gris, durante unos instantes fugaces le había parecido la Moira de antaño, con sus mejillas y su nariz sonrosadas debido al frío, sus ojos trasluciendo una expresión de alarma, todo su cuerpo rígido de terror y luego de ira contra *Nelson*, contra él y sospechaba que contra ella misma por mostrar debilidad. Desde entonces él había tenido unos momentos de insomnio debido al recuerdo de haberse acercado a ella casi lo suficiente para abrazarla y asegurarle que *Nelson* jamás la lastimaría.

Y, sin embargo, cuando bailara el vals con ella la tendría al menos dentro del círculo de sus brazos. Era una idea inquietante. Al igual que la de esquivar a la señorita Wishart y los esfuerzos aunados de varias parientes y la propia joven para unirlos a toda costa.

En términos generales, pensó con tristeza, habría sido mejor quedarse en Londres para disfrutar de las fiestas navideñas con Eden y con Nat. No debió tomar una decisión de tal envergadura mientras estaba demasiado borracho para pensar con claridad. Sus amigos estarían en estos momentos disfrutando sin que nada empañara su alegría.

Durante un rato, el día del baile, Moira albergó la esperanza de poder evitarlo. Primero ocurrió lo de la carta, que recibió sir Edwin Baillie de la mayor de sus hermanas. Le escribía para felicitarle por su compromiso matrimonial y expresar el placer que ella, su madre y hermanas habían sentido ante la perspectiva de acoger a la señorita Hayes como una parienta más estrecha de lo que había sido hasta entonces. Asimismo, deseaba a su hermano y a su prometida —y a lady Hayes, por supuesto— una feliz Navidad. Le escribía ella en lugar de su madre porque ésta se sentía un tanto indispuesta, pues aún no se había recuperado del resfriado que había contraído cuando el querido Edwin había partido. Pero éste no debía alarmarse. Christobel estaba convencida de que otros dos días de reposo bastarían para que su madre se recuperara del todo de su dolencia.

Sir Edwin estaba trastornado debido a la ansiedad. Su madre debía de estar muy enferma para sentirse incapaz de escribir siquiera una carta a su hijo y a su nuera en ciernes, si la señorita Hayes le disculpaba por referirse a ella con semejante familiaridad. Era extremadamente amable por parte de lady Hayes tratar de consolarlo asegurándole que su hermana sin duda le informaría en caso de producirse un agravamiento en el estado de su madre, pero él sabía lo bondadosas que eran sus hermanas y lo fuerte que era su madre. Ninguna de ellas querría impedirle que gozara de la dicha que le aportaban los primeros días de su compromiso.

De improviso decidió que debía regresar a casa sin demora. Mandaría que prepararan su equipaje y su coche. De hecho, ni siquiera esperaría a que le hicieran el equipaje. Pero al cabo de unos instantes decidió que debía quedarse al menos un día más. No podía defraudar a la señorita Hayes y a lady Hayes no estando presente para acompañarlas a Dunbarton al día siguiente por la noche. Si él no podía acompañarlas, ¿quién lo haría? Tendrían que quedarse en casa. Además —y quizá fuera lo más importante, cuando recordó dejar de lado sus inclinaciones personales—, no podía decepcionar a su señoría, el conde de Haverford, el cual había perdonado a la familia Hayes y a él como jefe de esa familia, aunque ostentaba otro nombre, y que estaría deseoso de demostrar la generosidad de su restituida amistad para que toda su familia y vecinos fueran testigos de la misma.

Moira le recordó que lady Hayes había decidido no asistir al baile y le aseguró que ella prefería que aplacara su ansiedad regresando junto a su madre. Además, ella no era una jovencita que ansiara gozar de un simple baile.

Por ese breve y esperanzado discurso sir Edwin la recompensó tomando sus dos manos en las suyas con fuerza. La generosidad de espíritu de la señorita Hayes, la desinteresada preocupación por la salud de su futura suegra, su tierna inquietud por los sentimientos de él, su voluntad de renunciar al placer de asistir al baile le había dejado sin habla. ¿Cómo podía él corresponder a semejante devoción excepto demostrando un desinterés equiparable al suyo? Acompañaría a la señorita Hayes al baile, se mostraría alegre y animado como si no estuviera profundamente consternado, y aplazaría su regreso a casa hasta mañana.

Moira sonrió y le dio las gracias.

Pero la esperanza aún no había muerto. El día de Navidad había amanecido nublado y desapacible. Las nubes parecían aún más bajas y grises la mañana del día del baile, y antes del mediodía empezaron a caer unos copos de nieve, lo bastante densos como para tapizar la tierra seca y la hierba y hacer que renacieran las esperanzas de Moira. Si la nieve se espesaba y caía con más fuerza, viajar resultaría difícil y peligroso, quizás imposible. Tendrían que anular el gran baile o cuando menos reducirlo a una pequeña reunión para los invitados que se alojaban en Dunbarton.

Pero poco después del mediodía dejó de nevar y no volvió a hacerlo, por más que Moira se acercara con frecuencia a la ventana para mirar fuera y alzar la vista al cielo, deseando que las nubes descargaran su pesada carga. Todo indicaba que estaba condenada a asistir al baile. Y a bailar el vals con el conde de Haverford.

Así pues, más tarde se vistió con un traje de noche de color melocotón, cuya sobrefalda de muselina transparente revelaba el brillo del satén debajo de ella. No era un vestido especialmente recargado. A fin de cuentas, ella había cumplido los veintiséis años. El bajo del vestido estaba simplemente fruncido y desprovisto de volantes. La cintura alta estaba recogida debajo de su pecho con una faja de seda. El escote era profundo pero no tanto como dictaba la moda. Las mangas eran cortas y abullonadas. Moira pidió a la doncella que la peinara con unos bucles y rizos, pero no de forma excesivamente complicada. Decidió no lucir un turbante ni unas plumas. Siempre se había inclinado por la sencillez en materia de indumentaria.

—Estás muy bien, querida —dijo su madre antes de abandonar su vestidor.

—¿No te parece que el color es demasiado intenso? —le preguntó Moira un tanto nerviosa. Hacía poco que se habían quitado el luto por su padre. Sus ojos se habían acostumbrado al negro y al gris—. ¿No tengo un aspecto demasiado juvenil, mamá?

—Estás tan guapa como siempre —respondió su madre.

Moira sonrió y la abrazó. Era una exageración, desde luego. Nunca había sido guapa, ni siquiera de jovencita. Pero se sentía bien y estaba de un humor casi alegre pese a que hacía un rato sus esperanzas se habían ido al traste. ¿Pensaría él que estaba guapa o al menos presentable? ¿Pensaría que su vestido era de un color demasiado chillón o de un estilo demasiado juvenil? ¿La miraría con admiración? ¿Con rencor? ¿O con indiferencia?

—Estoy segura de que sir Edwin se sentirá muy complacido —comentó lady Hayes.

Moira la miró sorprendida. ¿Sir Edwin? Sí, por supuesto, sir Edwin. Era en él en quien ella estaba pensando. Por supuesto que se había referido a él. Su alegría se desvaneció en parte.

—Tiene buen corazón, Moira —dijo su madre—. Es un buen hombre.

—Sí —respondió Moira sonriendo alegremente—. Soy consciente de mi buena fortuna, mamá.

La sonrisa de su madre denotaba cierta tristeza, y un profundo afecto.

El salón de baile en Dunbarton Hall, aunque algo pequeño en comparación con algunos de los suntuosos salones de baile en los que se divertía la flor y nata durante la temporada social en Londres, estaba sin embargo exquisitamente decorado con pan de oro, pinturas y arañas, y su tamaño había sido hábilmente realzado con un techo abovedado y unos gigantescos espejos dispuestos en una de las paredes largas del salón.

Para el baile navideño había sido decorado con ramitas de acebo, hiedra y pino, y con campanitas, cintas y lazos de seda roja. Habían contratado una orquesta muy costosa, y el cocinero del conde, con ayuda de otros cocineros que habían contratado en Tawmouth, había preparado un auténtico banquete que dispondrían en una antesala durante toda la velada y el comedor durante la cena. Prácticamente todas las personas que habían sido invitadas, vecinos de varios kilómetros a la redonda, habían aceptado las invitaciones que habían recibido.

El salón de baile no tardaría en llenarse, pensó Kenneth, observando la sala vacía mientras la mayoría de las damas estaban aún arriba dando los últimos toques a su atavío y buena parte de los caballeros se hallaban en la sala de estar preparándose para la prueba que les aguardaba con el brandy o el oporto del conde. Éste se sintió tentado a unirse a ellos. Pero los músicos subieron de la cocina, donde habían estado cenando, y él pasó un rato comentando con el director de la orquesta el programa para la velada. A continuación aparecieron los lacayos y las doncellas con las bandejas de comida y las poncheras, que colocaron en la antesala, y él entró en ella para contemplar el efecto de su labor. Pero su presencia no era necesaria. Su mayordomo se encargaba de supervisarlo todo con fría eficiencia.

Pese a sus reticencias, Kenneth comprobó que aguardaba con agrado la velada. No todos los días tenía uno ocasión de organizar un gran baile para su familia, amigos y vecinos. Se había encariñado con todos ellos. Empezaba a gozar de su posición. La vida que había vivido los ocho últimos años comenzaba a desvanecerse en su memoria.

De pronto apareció en el salón de baile su madre, ofreciendo un aspecto magnífico y majestuoso con un vestido de seda púrpura y un turbante de plumas a juego, para anunciar que los primeros invitados se acercaban por el camino de acceso, seguidos de cerca por Helen y Ainsleigh, junto con otros más que se alojaban en la mansión. Kenneth supuso que habían venido para observar de primera mano la llegada de cada invitado. Los primeros habían venido temprano.

Kenneth se situó en la puerta del salón de baile con su madre y esperó a que los invitados aparecieran en la escalera. Se trataba de sir Edwin Baillie y Moira Hayes. Sintió que su madre se tensaba y lamentó que fueran los primeros en llegar. Más tarde, se habrían confundido fácilmente con los otros invitados.

Ella estaba muy guapa, pensó Kenneth mal que le pesara. Su traje de color melocotón contrastaba maravillosamente con su pelo y sus ojos oscuros, y había tenido el buen gusto de dejar que la sencillez realzara su atuendo. La mayoría de las señoras que ya estaban en el salón de baile —incluyendo a Juliana Wishart— casi parecían competir entre sí para ver cuál era capaz de lucir más volantes, lazos, fruncidos, bucles y rizos. Moira Hayes era visiblemente más alta que su acompañante, un hecho que no trataba de ocultar.

Lady Hayes rogaba que la disculparan, les explicó sir Edwin después de inclinarse sobre la mano de lady Haverford y congratularse de ser un vecino cercano y —si disculpaba la familiaridad— amigo de su hijo. Hacía poco tiempo que lady Hayes se había quitado el luto por el difunto sir Basil Hayes y no se creía capaz de gozar de la espléndida diversión que estaba convencida que les depararía la velada. Confiaba en que en un futuro cercano pudiera visitar a su señoría la condesa.

Seguro que lady Hayes no había expresado tal deseo, pensó Kenneth antes de mirar a Moira a la cara, y la pétrea expresión de su madre era desalentadora, por decirlo suavemente. Ésta no respondió verbalmente, sino que se limitó a inclinar la cabeza con elegancia. Sir Edwin no pareció percatarse de su fría actitud y le dio las gracias profusamente.

Moira Hayes hizo una reverencia a lady Haverford. Mantuvo la cabeza erguida y una expresión neutra. Kenneth observó que su madre, aunque asintió de nuevo con la cabeza, no saludó a su invitada de palabra ni la miró directamente a la cara. La disputa no había concluido, por lo que a ella respectaba, ni al parecer por lo que respectaba a lady Hayes. Fue un momento tenso, que los modales de ambas damas consiguieron aliviar.

—Señorita Hayes. —Kenneth tomó su mano enguantada en la suya y la acercó a sus labios. Era la primera vez que la tocaba desde hacía más de ocho años. No sintió, como había supuesto, una corriente de pasión recorriéndole el brazo y alojándose en su corazón. Simplemente tuvo una fugaz y desagradable imagen de Baillie acariciándola..., en la cama. Se preguntó si ese hombre le endilgaría un discurso cuando se acostara con ella por primera vez, pero no experimentó ningún regocijo al pensar que sin duda lo haría.

—Milord —dijo ella mientras sus ojos ascendían por el brazo de él hasta fijarlos en sus labios y luego sus ojos.

En cualquier otra mujer él lo habría tomado por un gesto ensayado y coqueto. Pero los ojos de ella eran fríos y se clavaron en los suyos. Ni siquiera pestañeó. Nunca había sido una coqueta.

—Confío, señorita Hayes —dijo él—, que recordaréis que me habéis prometido un vals.

—Gracias, milord —respondió ella.

Y puesto que aún no había llegado ningún otro invitado, él entró en el salón de baile con ella y con Baillie para pasear por la habitación, presentándolos a los huéspedes que se alojaban en su casa. Aunque le ofreció el brazo, observó que ella tomaba el de Baillie incluso antes de que dicho caballero se lo ofreciera. Kenneth esbozó una media sonrisa. Pero no tendría más remedio que bailar un vals con él.

Le sorprendió la satisfacción que le produjo ese pensamiento. Una satisfacción casi vengativa.

Capítulo 6

Algunos parientes cercanos de Kenneth arquearon las cejas cuando éste mencionó el nombre de Moira, pero todos se comportaron de forma educada. Ninguno vivía lo bastante cerca para verse involucrado personalmente en la disputa. La conversación no decayó en ningún momento gracias al afán de sir Edwin Baillie de informar a todo el mundo que era el baronet de Penwith Manor, que se hallaba tan sólo a cinco kilómetros de Dunbarton, y que habría podido sentirse contrariado por tener un vecino tan cercano que le superaba en cuanto a linaje —sonrió a todos los presentes para que comprendieran que se trataba de una pequeña broma—, de no darse la circunstancia de que ese vecino era también un amigo.

Antes de que hubieran completado la vuelta a la habitación y antes de que la llegada de otros invitados requiriera que ocupara de nuevo su lugar junto a la puerta, Kenneth tuvo que escoltar a Juliana Wishart alrededor del salón, pues ésta deseaba pasear por él, según le informó una de sus tías haciendo que la joven se ruborizara, pero no había conseguido que la acompañara otra dama. Él se había inclinado y respondido con evidente galantería, como es natural. Su tía le miró encantada.

Entonces llegaron al lugar donde se hallaba su hermana, la cual estaba de espaldas a ellos.

—¿Helen? ¿Michael? —dijo él—. ¿Me permitís que os presente a la señorita Moira Hayes y a sir Edwin Baillie? Sir Edwin ha heredado Penwith Manor. Mi hermana y mi cuñado, el vizconde y la vizcondesa de Ainsleigh —añadió dirigiéndose a sus invitados.

Sir Edwin se inclinó profundamente y se lanzó a una perorata mientras Moira hacía una pequeña reverencia y Ainsleigh sonreía. Helen, mostrando evidente desdén, miró a Juliana.

—Mi querida señorita Wishart —dijo, interrumpiendo a sir Edwin en mitad de una frase—, estáis extremadamente elegante esta noche. Debéis decirme quién es vuestro modista. Hoy en día es muy difícil encontrar a alguien digno de que una le patrocine. Claro está que sois exquisitamente menuda. Admiro mucho a las damas de pequeña estatura. ¿Os apetece dar una vuelta conmigo por la habitación? El ambiente aquí está muy cargado.

Tras estas palabras tomó a Juliana del brazo y se alejó con ella, comentando para que todos lo oyeran que también admiraba su pelo rubio y sus ojos azules.

—¡Compadezco a las mujeres morenas! —dijo—. Las rubias son mucho más delicadas y femeninas.

Sir Edwin retomó la frase donde se había interrumpido y Ainsleigh, después de quedarse un tanto perplejo, sonrió de forma encantadora y en cuanto pudo entabló conversación con Moira.

Kenneth pensó contrariado que su hermana había reaccionado igual que su madre, pero con unos modales lamentablemente peores. Era injusto por parte de Helen descargar su amargura sobre Moira, se dijo. Habría sido más lógico que la descargara sobre él. Pero Moira tenía la desgracia de ser hermana de Sean Hayes. Sin embargo, esta noche él había aprendido una cosa, aunque no se había percatado antes de que cursaran las invitaciones. Habría sido mejor que hubiera mantenido las distancias con la familia de Penwith, al menos hasta que su madre y su hermana llegaran a Dunbarton. Y estaría encantado de hacerlo a partir de esta noche. Pero esta noche debía mostrarse cortés con Moira Hayes, puesto que era su anfitrión.

Al dirigir la vista hacia la puerta vio que habían llegado más invitados. Tras disculparse, se apresuró hacia la puerta de doble hoja del salón de baile.

Moira no había asistido nunca a un baile para el que hubieran contratado a una orquesta. Y no había asistido nunca a uno en un marco más espléndido que el austero salón de celebraciones de Tawmouth. Nunca había asistido a una fiesta en cuya pista de baile cupieran más de diez parejas al mismo tiempo.

El baile de Dunbarton era sin duda la celebración más deslumbrante a la que había asistido o asistiría jamás. No le faltaron parejas desde que sir Edwin bailó con ella la primera contradanza, el vizconde de Ainsleigh le pidió la segunda, y varios vecinos se mostraron tan galantes como solían hacerlo en las reuniones del pueblo, asegurándose de que no se quedara sentada durante ningún baile.

Moira habría preferido hallarse en cualquier otro lugar de la Tierra que aquí. Jamás se había sentido tan profundamente incómoda. Podría haber afrontado el bochorno de estar en compañía de sir Edwin durante el largo rato que medió entre la hora de su obscenamente prematura llegada y el comienzo del baile, así como entre cada una de las contradanzas; al fin y al cabo, no era mal hombre, ni excesivamente vulgar. Por lo demás, no tenía más remedio que acostumbrarse a estar en su compañía, tanto en público como en privado. Era algo que requería cierto valor y un gran sentido del ridículo. Pero era infinitamente más difícil hacer caso omiso del cortés desaire que le había hecho la condesa de Haverford o el grosero desdén con que la había tratado Helen.

Durante un tiempo Helen había creído estar enamorada de Sean. Quizá lo había estado realmente. Pero sus planes de fugarse con él se habían frustrado. Se había sentido dolida, avergonzada y deshonrada, aunque no públicamente. Así pues, el odio hacia la familia Hayes se había convertido en algo personal para ella. O eso le parecía a Moira. No había visto a Helen desde lo ocurrido. Ni siquiera sabía si ésta había terminado odiando a Sean.

Sir Edwin no tardó en hallar una explicación para el descortés desaire que les había hecho la vizcondesa de Ainsleigh. Observó con una sonrisita de satisfacción que su anfitrión había conducido a la honorable señorita Juliana Wishart a la pista de baile para la primera contradanza.

—Tal como sospeché en cuanto nos presentaron a lord y lady Hockingsford y a la honorable señorita Wishart, mi querida señorita Hayes —dijo—, tratan de promover un enlace entre la señorita Wishart y el conde de Haverford, os lo aseguro. Un enlace eminentemente provechoso, si se me permite decirlo, y así se lo diré a su señoría en calidad de vecino y amigo en cuanto tenga oportunidad de hacerlo en privado. La preferencia de lady Ainsleigh por esa joven queda perfectamente clara ahora que he comprendido que van a estar estrechamente emparentadas. Os aconsejo que cultivéis también una amistad con la señorita Wishart, señorita Hayes, puesto que parece más que probable que llegaréis a ser vecinas. Es deseable que seáis también amigas. Como dice siempre mamá, cuando dos familias son vecinas, es muy deseable que sean también amigas. Y vuestro linaje no tiene nada que envidiar al de la señorita Wishart, aunque el matrimonio con su señoría hará que ascienda en la escala social, desde luego. Al igual que vuestro matrimonio conmigo os elevará a vos.

Sí, la señorita Wishart sería una esposa ideal para él, pensó Moira. Era muy joven, ingenua e inocente. Sin duda él podría dominarla con facilidad. La parte superior de la cabeza de la joven apenas alcanzaba el hombro de él.

Esta noche Kenneth estaba imponentemente guapo y elegante. Lucía un frac y un calzón de color negro con un chaleco bordado en plata y una camisa de hilo blanco adornada con encaje. Todos los vecinos habían exclamado con una mezcla de admiración y sorpresa al observar su sombrío atuendo, pero sir Edwin les aseguró que su señoría iba a la última moda. Cualquier otro caballero habría presentado un aspecto apagado con esa vestimenta, pensó Moira, pero el conde de Haverford, con su imponente estatura, su espléndido físico y su pelo rubísimo, estaba impresionante.

A Moira le disgustaba tener que reconocerlo. Pero Kenneth siempre había sido guapo. Sería pueril negar la verdad, buscar algún defecto en su aspecto. No tenía ninguno.

Lamentaba haber accedido a bailar un vals con él. De no haberlo hecho, habría podido mantener a sir Edwin dentro de la esfera de sus vecinos y amigos e ignorar el desagradable bochorno que había sentido al comienzo de la velada. Pero se había comprometido a hacerlo, y a su llegada él le había recordado que le había prometido un vals. Y llegado el momento, él se le había acercado antes de que otra pareja saliera a la pista de baile y se había inclinado ante ella mientras le tomaba la mano. Harriet Lincoln y la señora Meeson la miraron con un estupor no exento de envidia, y todos los ojos en el salón de baile se fijaron en su persona cuando él la condujo al centro de la pista de baile vacía. Era el primer vals. En el momento de iniciarlo hubo cierta vacilación que no se había producido al participar en la contradanza, la cuadrilla y el minueto que lo habían precedido.

—Confío, señorita Hayes —dijo él antes de que empezara a sonar la música—, que os estéis divirtiendo.

—Sí, gracias, milord —respondió ella. Él era su primera pareja esta noche, pensó, con quien debía alzar la cabeza para mirarle a la cara. Se preguntó si Helen se daba cuenta de lo que le había dolido el comentario que había hecho a la señorita Wishart sobre su estatura.

De pronto todas las observaciones y los fríos e inútiles intentos de conversar cortésmente se desvanecieron cuando la orquesta empezó a tocar y él le tomó la mano con una de las suyas y apoyó la otra firmemente en la parte posterior de su cintura. Ella le tocó el hombro y se percató, pese a rozárselo ligeramente, de su anchura y sus sólidos músculos. Era consciente de *todo* él: su estatura, el calor de su cuerpo, su agua de colonia, sus ojos fijos en los suyos. Moira sintió que sus músculos abdominales se crispaban sin querer y olvidó por completo los pasos del vals. Casi tropezó al dar el primero.

—Los pasos son fáciles —dijo él—. Sólo tenéis que relajaros y dejaros llevar por mí.

Era un velado y cortés reproche a su torpeza. Ella le miró fríamente a los ojos.

—No os avergonzaré, milord —replicó—. No os pisaré ni, lo cual sería peor para vuestra autoestima, haré que vos me piséis a mí.

—Creo —respondió él— que soy demasiado hábil para permitir que eso ocurra.

Ella recordó entonces los pasos y siguió el ritmo de la música mientras sentía cómo él la guiaba. Giraron alrededor de la pista de baile y ella perdió la noción de todo salvo de la euforia que experimentaba y el maravilloso baile. Y del hombre, alto, recio y elegante, que bailaba con ella. Era tan mágico como siempre había sabido que sería, pensó, aunque no fue un pensamiento totalmente consciente. Era un momento más para sentir que para pensar. Y ella se abandonó a las sensaciones.

No fue hasta al cabo de un buen rato que recuperó la conciencia de cuanto la rodeaba y se percató de que se hallaba en el salón de baile de Dunbarton, bailando el vals con el conde de Haverford. Sonriendo de puro gozo con los ojos fijos en los de él, los cuales no sonreían. Cuando recobró la compostura vio personas, lazos rojos, espejos, velas... y a él. Él debía de pensar que era una ingenua por dejar que un simple baile la transportara a otro mundo.

—Moira —dijo él con voz tensa, casi áspera—, es imposible que deseéis casaros con él.

—¿Con sir Edwin? —preguntó ella abriendo mucho los ojos.

—Es un tipo pomposo y aburrido —dijo él—. Hará que enloquezcáis al cabo de un mes.

El hechizo se había roto por completo.

—Creo, milord —contestó ella—, que mi compromiso y mi futuro matrimonio sólo me incumben a mí. Al igual que mis sentimientos por sir Edwin Baillie.

—¿Habéis aceptado su ofrecimiento porque creéis que no tenéis más remedio que hacerlo? —preguntó él—. ¿Os quedaréis en la miseria si lo rechazáis? ¿Os dejará a vos y a vuestra madre en la calle?

—Quizá deberíais hacerle esta última pregunta a él —contestó ella—. A fin de cuentas, es vuestro vecino y amigo, ¿no? Yo no soy ninguna de esas cosas, aunque por una infortunada casualidad vivo a cinco kilómetros de aquí. Vuestras preguntas son impertinentes, milord.

—El vals está a punto de terminar —dijo él después de mirarla con un rostro inexpresivo durante unos momentos. Retrocedió un paso y se inclinó ante ella ofreciéndole el brazo—. Y tenéis los nervios crispados. Permitidme que os acompañe a la sala del refrigerio, donde podréis recobraros en privado.

Ella se preguntó si era el vals lo que le había inducido a expresarse de forma tan imprudente. Pero entonces recordó que él le había preguntado en la playa por qué había ido allí sola. Quizá creía que su posición como conde de Haverford le daba derecho a inmiscuirse en las vidas de sus vecinos inferiores a él. ¡Qué atrevimiento! Pero Moira reconoció que tenía los nervios crispados y temía regresar junto a sir Edwin para oír por enésima vez el honor que su señoría les había concedido tanto a él como a ella durante la última media hora.

—Bailáis el vals muy bien —comentó el conde, conduciéndola a la antesala donde habían dispuesto un tentempié para los que no pudieran esperar a la hora de cenar—. Es una experiencia novedosa y agradable bailar con alguien que tiene casi mi misma estatura.

Sí, pensó ella a regañadientes. Desde luego había sido una grata experiencia bailar con un hombre más alto que ella. ¿Por qué había tenido él que estropearlo? Había sido una de esas experiencias mágicas de su vida, pensó Moira, que recordaría mucho tiempo.

Al caer en la cuenta de lo que estaba pensando, se dijo que era preferible que él hubiese estropeado el momento. Los recuerdos mágicos referentes a Kenneth no eran lo que ella deseaba llevar consigo al matrimonio que pronto contraería.

Él se había comportado con gran indiscreción. Era el anfitrión de este baile y era muy consciente de que había sido el centro de atención durante toda la velada. Era comprensible, desde luego. Acababa de regresar de las guerras contra Napoleón Bonaparte, acababa de regresar a Dunbarton Hall. Aunque su padre había muerto hacía siete años y él había ostentado el título desde entonces, en cierto sentido resultaba una novedad, al menos para los parientes que habían sido invitados a su casa y para las personas que vivían cerca de Dunbarton. Era lógico que fuera el centro de atención.

Si uno añadía a eso el interés que había suscitado la presencia de Juliana Wishart en casa del conde y la intención que él se había visto obligado a prestar a la joven, era muy natural que todos los ojos se fijaran en él. Y en cuanto había reclamado su vals a Moira Hayes, había concitado otro tipo de interés sobre su persona. Pues según sabían todos los presentes, excepto quizá su madre y Helen, él y Moira Hayes nunca habían tenido ninguna relación hasta hacía poco, aunque durante su infancia y adolescencia hubieran vivido a tan sólo cinco kilómetros el uno del otro.

Era un momento para mostrarse extremadamente cauto. Era un hombre que bailaba con una vecina con cuya familia la suya había estado enemistada durante varias generaciones. Sus familias se habían reconciliado recientemente gracias a la mediación del nuevo cabeza de las mismas, el prometido de Moira. Era un vals que el conde de Haverford debió haber bailado prestando gran atención al decoro.

Pero ¿qué había hecho en lugar de ello? Tenía la sensación de haber perdido unos veinte minutos de su vida. Era una idea un tanto ridícula. No había perdido esos minutos. Pero se había visto atrapado en una magia, una euforia, un romance que había escapado alarmantemente a su control. Después de los primeros pasos vacilantes, ella había demostrado ser una magnífica y airosa pareja de baile, que encajaba en sus brazos que ni hecha a medida.

De haber pensado en algo durante esos veinte minutos, habría sido para recordarla de niña, como una joven en la que él había reparado de pronto. A ella le encantaba escapar de sus carabinas y doncellas encargadas de velar por su seguridad. Y cuando se escapaba, la libertad de que gozaba era total. Con frecuencia se quitaba los zapatos y las medias, guardaba las horquillas en el bolsillo y se soltaba la melena. Ah, ese cabello: espeso y lustroso, de un negro casi azabache. Se ponía a correr, a girar y a trepar por las laderas mientras reía alegremente, y en más de una ocasión había dejado que él la besara.

Mientras bailaban se había convertido de nuevo en esa muchacha, esa muchacha que le había deslumbrado y esclavizado. A él le inquietaba haber perdido por completo la noción de la realidad durante esos veinte minutos. E incluso cuando había regresado a la realidad, la había ofendido con sus impertinencias. Ella había tenido todo el derecho de utilizar esa palabra.

—¿Me permitís que os llene el plato? —preguntó él mientras la conducía hacia la antesala, en la que por fortuna no había mucha gente.

—No, gracias. —Ella retiró el brazo del suyo—. Sólo me apetece beber algo.

Moira se situó junto a una puerta lateral que estaba cerrada, mientras él se acercaba a una ponchera y llenaba dos vasos sin esperar a que le sirviera un lacayo.

Conversaría con ella de algún tema intrascendente durante unos minutos, pensó mientras regresaba a su lado, y luego la llevaría junto a Baillie y su grupo de amistades. Después de eso, se olvidaría de su presencia en este baile. Pero uno de sus jóvenes primos, que estaba con otros jóvenes que hablaban demasiado alto y se reían de forma estridente, eligió precisamente ese momento para llamarlo desde el otro lado de la sala.

—Eh, Haverford —dijo—, ¿has visto dónde se ha situado tu acompañante?

Hubo unas risas femeninas y unas estrepitosas carcajadas masculinas.

—Por supuesto que lo ha visto —comentó otro primo lejano, también a voz en cuello—. ¿Por qué crees que se apresura?

—A ello, amigo —dijo una tercera voz, y todos se echaron de nuevo a reír.

Moira miró arqueando las cejas al grupo mientras Kenneth alzó la vista y localizó el inevitable ramito de muérdago en el centro del marco de la puerta, directamente sobre la cabeza de Moira. Alertada, ella alzó también la vista y lo vio, sonrojándose profundamente y deseando alejarse, pero él estaba justamente frente a ella, con los brazos extendidos a cada lado, sosteniendo un vaso en cada mano.

Puesto que durante los dos últimos días él había besado a todas las mujeres que había en la casa, a sus jóvenes y risueños primos les chocaría que no lo hiciera también en esta ocasión. De modo que se inclinó hacia delante, agachando la cabeza un poco, y rozó los labios de ella con los suyos. Los de Moira temblaban de forma incontrolable. Instintivamente, él apartó los suyos de los de ella para calmarla. Para que no pudieran acusarlo de escaparse con un simple besito, pero antes de que pudieran acusarlo de tomarse unas libertades que ni siquiera la ramita de muérdago podía justificar, al cabo de unos momentos prudenciales levantó la cabeza.

—Es preciso observar las convenciones —dijo fijando la vista en los ojos muy abiertos y asombrados de Moira Hayes, ocultándolos con su cuerpo de las miradas indiscretas del grupo que les jaleaba y aplaudía—. Si os empeñáis en situaros ahí, señora, debéis arrostrar las consecuencias.

A continuación le entregó uno de los vasos que sostenía. Pero cuando ella alargó la mano él observó que le temblaba. Ella la dejó caer de nuevo y alzó la vista para mirarlo.

—Ya no tengo sed —dijo.

—Calmaos, Moira —respondió él—. Es Navidad, y tengo unos parientes a quienes les divierte el bochorno de los demás. He pasado dos días dedicándome exclusivamente a besar a tías, primas y a cualquier señora que tuviera la mala fortuna de aterrizar debajo de una de esas abominaciones cuando yo andaba cerca. Mis parientes se ríen, me vitorean y aplauden cada vez. Uno se pregunta qué harán para divertirse cuando las fiestas hayan terminado y los criados retiren el muérdago. Supongo que ya se les ocurrirá alguna cosa. Parecen casi inquietamente fáciles de complacer. Uno no puede por menos de cuestionar el estado de su intelecto.

Él siguió hablando hasta que la expresión de asombro se borró de los ojos de Moira. Se recobró con relativa rapidez, y cuando él le ofreció de nuevo el vaso, no dudó en aceptarlo y beber un trago de ponche con gesto decidido.

—He venido esta noche porque sir Edwin estaba empeñado en venir —dijo—. Pero ha decidido regresar mañana a casa y permanecer allí hasta que se celebre nuestra boda en primavera. Confío en que durante ese tiempo no es sintáis obligado a proseguir la relación con Penwith.

—Imagino —respondió él—, que mi bisabuelo condenó al vuestro porque no quería que se supiera que estaba relacionado con el contrabando. Imagino que la culpa y el desprecio de quienes lo sabían fue casi tan duro para él como el destierro para su víctima. ¿Es preciso que mi familia siga sintiéndose culpable y la vuestra avergonzada?

—Sabéis muy bien —replicó ella con desdén—, que lo que existe ahora entre vuestra familia y la mía, milord, nada tiene que ver con la vieja disputa. Quizás una ausencia de ocho años os ha ayudado a trivializar e incluso olvidar lo que...

Pero de improviso calló, sonrió alegremente y bebió otro trago de ponche. Kenneth volvió la cabeza y vio que se acercaba sir Edwin Baillie.

—No tengo palabras para describir mi profunda gratitud por vuestra extraordinaria cortesía, milord —dijo—. Conceder a mi prometida el honor de bailar con ella un vals en el baile de Dunbarton cuando hay tantas damas distinguidas entre las que elegir es un gesto de gran amabilidad como vecino. Conducirla luego a la sala del refrigerio es un gesto, si me permitís decirlo, de sincera amistad. Éste es el feliz comienzo de la renovada amistad entre Dunbarton Hall y Penwith Manor.

Sin duda, pensó Kenneth, el hombre habría entrado en éxtasis y lo habría interpretado como un cumplido hacia su persona de haber visto al conde de Haverford besar a su prometida debajo del muérdago. Inclinó la cabeza en respuesta a las palabras de sir Edwin.

Pero después de pronunciar ese discurso, sir Edwin prosiguió con expresión decididamente preocupada:

—He oído decir que ha empezado a nevar, milord. Vuestros criados lo han confirmado, aunque me aseguran que nieva poco.

—Y nosotros estamos a salvo y calentitos aquí dentro —dijo Kenneth sonriendo—. Pero debo atender a mis invitados que están en el salón de baile. Bebeos un vaso de ponche con la señorita Hayes.

Sir Edwin se sintió obligado a expresar sus más efusivas gracias, pero no estaba dispuesto a dejar el tema de la nieve. Al parecer temía que durante la noche cayera una nevada más fuerte que le impidiera regresar a casa al día siguiente. Y estando su madre gravemente enferma... A la señorita Hayes, añadió sir Edwin, quizá le pareciera chocante que en su carta, que había llegado esta mañana, su hermana no mencionara este hecho, pero su señoría debía disculparlo por conocer lo suficiente a sus hermanas, en especial a Christobel, la mayor, para poder leer entre líneas una carta, y también a ellas. De no estar su madre tan grave, Christobel no habría hecho ninguna alusión a su salud. De no padecer su madre una indisposición tan seria, le habría escrito ella misma para asegurarle que podía gozar de la dicha de la compañía de su prometida —se inclinó ante Moira— sin tener que preocuparse lo más mínimo por ella o por sus hermanas.

—Y, sin embargo, señor —respondió Kenneth con calma—, vuestra madre y vuestra hermana sin duda comprenden vuestra preocupación, y de haberse tratado de algo grave no habrían dudado en pediros que regresarais.

Pero sir Edwin, aunque le dio las gracias efusivamente por su preocupación, se negaba a dejarse consolar. Al parecer el corazón de uno intuía cuando la salud de sus seres queridos estaba en peligro. Su señoría tenía una madre y una hermana e incluso la gran dicha de un sobrino y una sobrina y sin duda sabía a qué se refería sir Edwin. Éste deseaba pedir a su señoría un favor y si se atrevía a hacerlo era porque su señoría ya había demostrado ser un auténtico amigo y vecino.

Kenneth arqueó las cejas y se preguntó si podría soportar el hecho de vivir a tan sólo cinco kilómetros de este hombre el resto de su vida.

—Debo regresar a casa sin dilación —dijo sir Edwin—. Lo consideraría una imperdonable dejación de mi deber como hijo si demorara mi partida un minuto más. No importa que no tenga aquí a mi ayuda de cámara o mis maletas. Lo único que importa es que regrese al seno de mi familia antes de que sea demasiado tarde para abrazar a mi madre por última vez. De modo que os ruego, milord, que pongáis a disposición de mi prometida, la señorita Hayes, un coche y una doncella para que regrese a Penwith Manor al concluir la velada.

Moira Hayes se apresuró a decir:

—Regresaré a casa ahora con vos, sir Edwin. Estoy segura de que dadas las circunstancias, el conde de Haverford nos disculpará por marcharnos tan pronto.

—Me disgustaría dejaros aquí sin poder acompañaros yo mismo a casa, señorita Hayes, de no ser por el hecho de que estáis en casa de un vecino y un amigo —dijo sir Edwin—, y rodeada de otros vecinos y amistades. No quiero demorar mi partida siquiera el tiempo que tardaría mi carruaje en ir a Penwith Manor. Temo en mi corazón que la nieve me impida viajar antes de que transcurran más horas.

—En tal caso os acompañaré a vuestra casa —dijo ella—, y su señoría enviará recado a mi madre.

Pero sir Edwin, pese a su profunda gratitud, e incluso se atrevía a afirmar que hablaba también en nombre de su madre y de sus hermanas, por la preocupación que mostraba la señorita Hayes por la salud de su futura suegra, él no se tomaba el decoro tan a la ligera como para consentir que ella hiciera un viaje tan largo sola con él.

—Como es natural, cuando el baile termine me encargaré de que alguien acompañe a la señorita Hayes a su casa —le aseguró Kenneth.

Su cortés ofrecimiento le costó tener que escuchar una prolija perorata de gratitud de un sir Edwin que no tenía palabras, quien declaró que no podía perder un momento. Aunque posteriormente se entretuvo varios minutos en acompañar a su prometida al salón de baile y conducirla junto a su amiga, la señora Lincoln, que estaba junto a su esposo y otras personas.

Kenneth se despidió de él al cabo de menos de media hora, asegurándole de nuevo que se ocuparía de que la señorita Hayes llegara a su casa sana y salva. La nieve caía ahora con más fuerza que hacía un rato, según observó. No era necesario alertar de ello a sus otros invitados que no se alojaban en la mansión para que regresaran a casa antes de que la nevada se lo impidiera. Todo indicaba que dentro de una hora dejaría de nevar.

Capítulo 7

Cuando sir Edwin se marchó Moira casi disfrutó del baile. Por más que se sentía culpable al reconocer que le resultaba más cómodo estar con sus vecinos y amistades sin él, no dejaba de ser verdad. Y ahora que había dejado atrás el vals con el conde de Haverford, ya no experimentaba la tensión de saber que aún tenía que enfrentarse a ese trago. Bailó con caballeros a los que hacía años que conocía, o bien se sentó a conversar con sus esposas e hijas. Fue muy fácil evitar a la vizcondesa y al vizconde de Ainsleigh, puesto que ambos también estaban decididos a evitarla a ella.

Moira habría disfrutado más de no ser por lo incómoda que se sentía al pensar que al término de la velada dependía de que el conde pidiera su carruaje para que la transportara a casa. Al principio trató de pensar en algún vecino que estuviera dispuesto a ofrecerle un asiento en su coche, pero no había nadie que no tuviera que desviarse un buen trecho para llevarla por el valle a Penwith. Todos los demás se dirigían a Tawmouth, a algún lugar situado a este lado del valle o al otro lado del mismo. Y la única carretera que conducía al otro lado del valle pasaba a través del pueblo. Así pues, no tendría más remedio que abusar de la amabilidad de un hombre con quien no deseaba estar en deuda.

Pero sería incluso peor de lo que ella imaginaba, mucho peor. Debido al gran placer que les deparaba la velada tras haberse restituido la antigua tradición del baile en Dunbarton, nadie había reparado en que la nieve caía con más fuerza. Habían cenado y faltaba una hora para la medianoche, y la señorita Pitt empezó a decir que se hacía tarde a sus interlocutores que no deseaban oírlo, cuando observaron que el conde de Haverford hablaba con el señor Meeson y el señor Penallen y dichos caballeros hablaron con otros y por fin las señoras se enteraron de que empezaba a nevar con fuerza y la prudencia aconsejaba que se marcharan sin más dilación.

La señorita Pitt comentó que era ya muy tarde, y que ninguno de ellos quería quedarse más tiempo de lo debido y convencer a su señoría de no repetir el baile el año que viene. Todos los asistentes, puesto que no tenían otra alternativa, convinieron alegremente en que había llegado la hora de marcharse.

Moira vio con creciente turbación que sus vecinos y amigos abandonaban el salón de baile y sólo permanecían los invitados que se alojaban en la mansión. La mayoría de ellos, a pesar de que se los habían presentado al comienzo de la velada, le parecían extraños, aunque dos ancianas tuvieron la amabilidad de conversar con ella. No sabía si debía abandonar también el salón e ir en busca del conde, que probablemente estaba abajo despidiéndose de sus invitados. Quizá se había olvidado de ella. Moira pensó que debería haberse marchado con Harriet. Lamentó que se le ocurriera ahora, cuando era demasiado tarde. Durante unos momentos su mirada se cruzó con la de la condesa, quien la miró un tanto sorprendida y con desdén. Entonces se apresuró a desviar la vista, se levantó y se disculpó.

Se encontró con el conde en el rellano frente al salón de baile cuando él subía la escalera. De modo que todo el mundo se había marchado. Era demasiado tarde para pedir a Harriet que la llevara en su coche. Ahora se sentía decididamente incómoda.

—Lamento importunaros, milord —dijo—. ¿Está listo el coche? No es necesario que me acompañe una doncella. Puedo ir sola en el carruaje.

—Debí haber tomado la iniciativa antes —respondió él—. Pero no quería estropear la fiesta a nadie antes de que fuera realmente necesario. Es difícil juzgar el tiempo desde el interior de la casa. —La hondonada y los árboles del parque que rodeaban Dunbarton Hall protegían la mansión de los vientos marítimos—. Fui andando hasta la carretera y me temo que el tiempo ha empeorado. La carretera de

Tawmouth no ofrecerá peligro durante al menos una hora, pero me temo que puede ser peligroso que un carruaje transite por la empinada carretera que desciende hacia Penwith. No deseo poner en peligro vuestra seguridad. Esta noche pernoctareis aquí como mi huésped. Mañana decidiremos cómo llevaros de regreso a vuestra casa.

—Me niego en redondo, milord —respondió ella mirándolo alarmada—. Si es demasiado peligroso para un coche y unos caballos, iré andando. Estoy acostumbrada a caminar. Cinco kilómetros no es una distancia excesiva.

—Pero esta noche os quedaréis aquí —dijo él—. Insisto. No se hable más, Moira.

Ella supuso que no estaba habituado a que nadie le llevara la contraria cuando empleaba ese tono y mostraba esa expresión que hacía que se te congelara la sangre en las venas. Supuso que como oficial de caballería nunca había tenido problemas de disciplina con sus hombres. Pero ella no era uno de sus hombres.

—No deseo quedarme —dijo—. Deseo irme a casa. Además, mi madre se preocupará si no regreso.

—He enviado a un mozo de cuadra a informar a lady Hayes de que esta noche os quedaréis aquí —contestó él.

—Ah. —Ella arqueó las cejas—. ¿De modo que un mozo de cuadra puede ir andando a Penwith sin que corra ningún peligro pero yo no?

—No seáis pesada, Moira —dijo él.

Ella le miró indignada.

—No recuerdo, milord —dijo con un tono tan gélido como el de él—, haberos concedido permiso para llamarme por mi nombre de pila.

—No seáis pesada, señorita Hayes —dijo él, ofreciéndole el brazo y haciendo una media reverencia—. Permitid que os acompañe de regreso al salón de baile. Se ha ido ya mucha gente, pero calculo que la fiesta continuará durante aproximadamente una hora. Más tarde haré que os conduzcan a vuestra habitación y me aseguraré de que dispongáis de todo cuanto necesitéis.

Ella se sentía atrapada y profundamente turbada. Si no tenía más remedio que pernoctar en Dunbar, prefería cien veces que la acompañaran de inmediato a su habitación que tener que regresar a un salón lleno de extraños, casi todos emparentados de alguna forma con él. Pero decir eso le habría revelado a él su turbación, cosa que ella deseaba evitar a toda costa. De modo que apoyó el brazo en el suyo.

Él bailó de nuevo con ella. No era un vals, de lo cual Moira se alegró, sino una animada contradanza. No obstante, le turbó que los parientes de él le vieran mostrarse tan innecesariamente deferente con ella. No había bailado con ninguna otra mujer más de una vez; ni siquiera con la señorita Wishart, la cual había conversado con él en varias ocasiones entre baile y baile. Moira sintió la fuerza de sus manos en las suyas mientras bailaba con ella y lamentó que fuera tan alto y fuerte. Se sentía disminuida, derrotada. Se sentía como una mujer desvalida. Y sin duda lo era. Estaba obligada a casarse con un hombre por el que ni siquiera sentía simpatía porque era una mujer incapaz de mantenerse a sí misma ni a su madre. Pero no necesitaba que se lo recordara precisamente el conde de Haverford. Él y sir Edwin —¡hombres!— tenían la culpa de que ella se encontrara en esa situación.

Cuando la contradanza terminó él hizo ademán de conducirla hacia un grupo de gente joven, pero ella apartó el brazo del suyo.

—Me sentaré con vuestras tías —dijo, indicando a las dos damas que se habían mostrado antes tan amables con ella. Ambas conversaban animadamente.

—Muy bien —respondió él, inclinándose ante ella sin ofrecerse para acompañarla.

Ella se alegró de que se abstuviera de hacerlo. Sabía que era el centro de todas las miradas, lo cual hacía que se sintiera profundamente incómoda. Maldito fuera sir Edwin Baillie y su exagerada preocupación por la salud de su madre, pensó Moira. No tenía ningún derecho de dejarla sola aquí. Pero al comprender que aunque sir Edwin se hubiera quedado aquí quizá no habrían podido regresar esa noche a Penwith, de pronto se alegró de que éste no estuviera. Le horrorizaba pensar en el discurso de gratitud que sir Edwin habría soltado si el conde de Haverford les hubiera ofrecido a los dos su hospitalidad.

No deseaba interrumpir la animada conversación en que ambas señoras estaban enfrascadas. Quizá se habían alegrado de verla alejarse, de quedarse solas para hablar de lo que las tenía tan absortas. De modo que dio media vuelta y se dirigió a la sala del refrigerio. Hacía poco que habían servido la cena y estaba desierta, aunque quedaban dos lacayos y ponche en la ponchera. Cuando uno de los sirvientes hizo ademán de tomar un vaso y un cucharón, ella negó con la cabeza y se situó junto a la puerta, contemplando a través de la ventana el paisaje blanco que se extendía fuera. Incluso en la oscuridad podía ver la nieve. ¿Y si seguía nevando durante toda la noche? ¿Y si no podía regresar mañana a casa? La mera idea hizo que se estremeciera de contrariedad.

De pronto, encima del murmullo de conversación en el salón de baile, oyó dos voces con toda claridad. Los dueños de éstas debían de hallarse junto a la puerta que daba a la antesala.

—He dado orden de que preparen una habitación para ella —dijo el conde de Haverford—. No es necesario que te esfuerces, mamá.

—Debiste enviarla a Tawmouth en uno de los carruajes —respondió la voz de la condesa—. Allí tienes muchas amistades. Me disgusta tenerla bajo mi techo, Kenneth.

—Disculpa. —La voz del conde sonó de repente tan fría como arrogante—. La señorita Hayes pasará la noche bajo *mi* techo, mamá. Y será tratada con la cortesía que merece.

—Kenneth... —Esta vez era la voz de la vizcondesa de Ainsleigh, que parecía jadear como si se hubiera acercado a él apresuradamente—. ¿Por qué está Moira Hayes todavía aquí? ¿Debo entender que...?

Pero el sonido de su voz fue sofocado de improviso por el *clic* de una puerta al cerrarse. Uno de los lacayos de servicio junto a las poncheras sonrió a Moira con gesto de disculpa cuando ésta se volvió.

—Disculpad, señora —dijo el criado—, pero había mucha corriente. Cuando deseéis marcharos, no tenéis más que indicármelo y os abriré la puerta.

—Gracias —respondió ella, apartando la vista del turbado semblante del criado. *Cuando deseéis marcharos.* Ella deseaba marcharse ahora mismo. Era insufrible que la forzaran a quedarse en un lugar donde se sentía a disgusto. Y ellas, lady Haverford y Helen, la odiaban, pensó. Porque pertenecía a una familia a la que siempre habían considerado su enemiga. Más concretamente, porque era hermana de Sean Hayes. Moira se preguntó brevemente si estaban al tanto de su relación con Kenneth, si él les había contado algo sobre ella. En cierta ocasión le había dicho que la amaba, pero jamás había dicho más que eso. Por supuesto, era una relación imposible, incluso antes de que Sean...

Ahora ya no importaba, pensó Moira, apartando esos recuerdos de su mente e inclinándose hacia delante para apoyar la frente contra el cristal de la ventana. Nada importaba ahora excepto el presente. Sean había muerto y Helen estaba casada con un hombre del agrado de sus padres. Ella se casaría pronto con sir Edwin Baillie, y Kenneth..., bueno, le tenía sin cuidado lo que hiciera el conde de Haverford. Sólo confiaba en que no se quedara permanentemente en Dunbarton, aunque probablemente se quedaría si se casaba con la bonita señorita Wishart.

Moira suspiró. ¿Cómo se había metido en esta desagradable situación? Aunque ella no tenía la culpa de nada, se recordó. Ni siquiera había querido asistir al baile. No había querido quedarse aquí mientras su prometido trataba de desafiar un temporal de nieve. Y desde luego no se había invitado ella misma a quedarse aquí cuando habían comprobado que las carreteras estaban intransitables.

Él había dicho que la carretera que descendía hacia Penwith probablemente sería peligrosa para un carruaje. No podía consentir que ella se fuera a casa andando. Había enviado a un mozo de cuadra, probablemente a pie, para informar a su madre de que ella pasaría la noche en Dunbarton. Moira alzó de pronto la cabeza. *¿De modo que él no podía consentir que ella regresara a casa caminando?* Era simplemente su autoritaria orden lo que le impedía a ella hacerlo. No había ninguna otra razón por la cual no pudiera irse. No había ninguna otra razón en el mundo que se lo impidiera. A fin de cuentas, él no tenía que pedir que trajeran su coche y sus caballos para que ella regresara a pie. Disponía de todo cuanto necesitaba: sus piernas y sus pies. Y no temía un poco de nieve y de frío o una caminata de cinco kilómetros en la oscuridad.

Sonrió al lacayo cuando él le abrió la puerta. Se paseó por el perímetro del salón de baile, resistiendo el deseo de atravesarlo desafiando abiertamente a su dueño. Supuso que si él averiguaba sus intenciones sería muy capaz de retenerla por la fuerza. Moira abandonó el salón de baile sigilosamente. Pensó que cualquiera que la viera salir imaginaría que se dirigía al saloncito de señoras. En efecto, se encaminó hacia él para recoger su capa y sus guantes. Se alegraba de haberse puesto sus ropas de más abrigo pese a que sir Edwin había cargado el coche con mantas y ladrillos calientes. Y se alegraba de que éste hubiera insistido en que se pusiera sus botines para el viaje cuando ella se había propuesto lucir sólo sus escarpines para el baile.

Bajó la escalera portando sus prendas y se alegró de no encontrarse con nadie en ella. Se vistió con calma y concienzudamente en el recibidor. Al volverse vio al lacayo que estaba de servicio, le entregó una generosa propina al tiempo que le daba alegremente las buenas noches y salió.

La situación no era tan mala, pensó al principio. El suelo estaba cubierto de nieve y seguía nevando, pero la noche no era especialmente fría u oscura. Salió del patio que le ofrecía protección contra las inclemencias del tiempo y se dirigió hacia el camino de acceso a la casa, el cual le ofrecía menos protección, y cambió ligeramente de parecer. Echó a andar por el camino, que describía progresivamente una inclinación ascendente hasta unirse con la carretera que discurría sobre el valle.

El viento y la nieve la golpearon con fuerza cuando salió de la hondonada y de los límites del bosque que había en el parque de la mansión. Durante un momento se alarmó al enfrentarse al violento temporal y pensó en retroceder sobre sus pasos. Pese a sus ropas de abrigo tenía frío. Pero no soportaba regresar y que todos se enteraran de la imprudencia que había cometido. Además, si andaba a paso ligero llegaría a casa dentro de poco más de una hora.

Echó a andar rápidamente.

Al principio, Kenneth pensó que Moira se había retirado unos momentos al saloncito de señoras o a la antesala para beber una copa. Luego pensó que debía ocultarse en uno u otro de esos lugares. Pero cuando miró en la sala del refrigerio comprobó que estaba desierta, aparte de una pareja muy joven situada cerca de la ramita de muérdago. Y cuando preguntó a una tía abuela suya si había visto a Moira Hayes en el saloncito de señoras la anciana le informó que no.

Luego supuso que debió dirigirse a la alcoba que le había sido asignada y se culpó a sí mismo por no asegurarse de que tuviera alguien con quien conversar en el salón de baile después de que sus vecinos y amigos se hubieran marchado. Pero su mayordomo le aseguró de que no había indicado a la señorita Hayes dónde se hallaba su alcoba, y cuando el mayordomo bajó para preguntar al ama de llaves, ésta le dijo que tampoco la había informado al respecto. Y cuando la señora Whiteman fue en persona a averiguar si la habitación estaba ocupada, comprobó que no lo estaba.

Moira Hayes había elegido otro lugar para ocultarse, pensó Kenneth contrariado, y pasó un buen rato recorriendo una oscura habitación tras otras, sosteniendo un candelabro en una mano. Supuso que tendría frío. La mayoría de estas habitaciones carecían de chimenea. Pero su búsqueda fue interrumpida por la reaparición del mayordomo, quien le informó que la señorita Hayes había abandonado la casa sola y a pie hacía media hora. El lacayo que estaba de servicio en el vestíbulo palideció y se estremeció visiblemente cuando su señoría le preguntó por qué diantres había permitido que saliera, pero no podía regañarlo por eso. No le correspondía a un mero lacayo cuestionar la conducta de sus superiores.

—Ve en busca de una linterna —le ordenó Kenneth secamente mientras él se dirigía hacia la escalera—. Y una gruesa manta.

Moira probablemente llegaría a su casa casi antes de que él saliera en su busca, pensó Kenneth mientras se cambiaba rápidamente, sin la ayuda de su ayuda de cámara, vistiéndose con una ropa de más abrigo, sus botas altas, su gabán, su sombrero de castor y una gruesa bufanda. Eligió sus guantes de cuero más gruesos. Llegaría a Penwith Manor tras ella antes de que pudiera retirarse a descansar y le echaría una buena bronca, pensó malhumorado mientras salía de su habitación y bajaba de nuevo la escalera. Confiaba en que ella casi hubiera llegado a su casa, pensó ansiosamente mientras tomaba la manta bajo el brazo y la linterna, cuya cubierta quizás impidiera que el viento apagara la llama. De hecho, confiaba en que ya estuviera allí cuando llegara él para echarle la bronca. Sintió que las rodillas apenas le sostenían cuando imaginó que llegaba a Penwith y averiguaba que ella no estaba allí. ¿Qué haría entonces?

Se dirigió hacia los establos y entró. Salió al cabo de unos momentos con un eufórico *Nelson*, el cual se puso a saltar y a brincar de alegría ante el inesperado placer de un paseo nocturno y al que la nieve no parecía incomodarle en absoluto.

Kenneth trató de convencerse de que el temporal había remitido un poco desde la última vez que él había salido de la casa y que nevaba con menos fuerza. Pero antes de que alcanzara la carretera, dejando atrás la protección de la hondonada y los árboles, comprendió que se engañaba a sí mismo. El viento le azotó el rostro y le cortó el aliento mientras se sujetaba el sombrero con una mano y sostenía la linterna junto a su cuerpo con la otra para evitar que la llama se apagase. Un espeso manto de nieve cubría la carretera, prácticamente ocultándola. Y la ventisca seguía cayendo con tanta fuerza que apenas alcanzaba a ver unos pasos frente a él.

Kenneth sintió auténtico pánico. No por él, pues estaba acostumbrado a correr riesgos y pasar muchos días al aire libre, expuesto a los rigores del tiempo. España era un país de extremos. Temía por Moira, una mujer sola en una tormenta de esta envergadura. Sentía demasiado miedo para estar furioso. Echó a andar por la carretera, comprobando desalentado que la nieve había ocultado las huellas de ella, suponiendo que hubiera avanzado por ese camino. *Nelson* corría junto a él, ladrando de entusiasmo ante esta aventura.

La carretera que conducía al valle descendía de forma abrupta desde la colina aproximadamente a un par de kilómetros desde el extremo del camino de acceso a Dunbarton. Era imposible adivinar cuánto camino había recorrido o cuánto le quedaba por recorrer, pensó Kenneth después de avanzar a través de la espesa nieve durante unos minutos que se le hicieron interminables. Y ni siquiera estaba seguro de que la carretera estuviera visible. Dudaba seriamente de que fuera posible. Si Moira había salido una media hora antes que él, ¿había pasado por ahí antes de que la tormenta arreciara y la nieve fuera tan espesa?

¿Había conseguido regresar sana y salva a su casa o al menos se hallaba al abrigo que ofrecía el valle? Cuando alcanzara el suelo del valle, le quedarían por recorrer aproximadamente un par de kilómetros. Pero él sabía que existían muchas posibilidades de que el valle estuviera también cubierto por una espesa capa de nieve y que el viento aullara a través de él como si se tratara de un túnel. Además, tendría que cruzar un puente. Ella no estaría a salvo ni siquiera cuando hubiera descendido la empinada cuesta. Suponiendo que hubiera conseguido hacerlo.

Kenneth dio con la carretera que descendía hacia el valle sólo porque por fortuna se detuvo para recobrar el resuello en la cima de ella y *Nelson* avanzó brincando y no se cayó por un precipicio. ¿La habría encontrado Moira también? Él sentía un frío intenso debido al temporal, pero a pesar de ello tenía la espalda cubierta de sudor. ¿Debería haber organizado una partida de búsqueda? No se le había ocurrido. ¿Y había venido ella por este camino? Quizá se había dirigido hacia Tawmouth. Pero el pueblo estaba casi tan lejos de Dunbarton como Penwith.

No cabía duda de que Moira había venido por este camino. Después de descender un breve trecho a través de la nieve, tratando de avanzar más deprisa de lo que aconsejaba la prudencia, *Nelson* se detuvo para husmear en la nieve y apareció sosteniendo entre los dientes un objeto cubierto de nieve. Era un guante de color negro, un guante de mujer.

¡Cielo santo! Kenneth miró angustiado a su alrededor en busca de extraños bultos en la nieve, sosteniendo la linterna en alto y protegiéndola del viento como podía.

—Búscala, *Nelson* —dijo, sacudiendo la nieve del guante, abriéndolo a la altura de la muñeca y acercándolo al morro de su perro. ¿Cómo había perdido ella el guante? ¿Y dónde se encontraba ahora?

—¡Moira! —gritó con el tono de voz sobre el que Nat Gascoigne siempre le tomaba el pelo. Había errado su auténtica vocación, solía decirle Nat. Debió ser un sargento—. Búscala, *Nelson*. ¡Moira!

Con cada paso que daba, comprendía la práctica imposibilidad de seguir adelante. Era imposible que ella hubiera llegado a su casa sana y salva, aunque hubiera salido media hora antes que él. ¿Hasta dónde había llegado? ¿Se había detenido? ¿Se había caído? ¿Se había desviado de la carretera?

—¡Moira!

Kenneth percibió el temor que denotaba su voz.

De pronto *Nelson* giró bruscamente hacia la derecha, dejando la carretera y empezó a subir la empinada cuesta medio brincando y medio vadeando a través de la nieve. Aullaba muy excitado.

Kenneth comprendió exactamente hacia dónde se dirigía su perro, aunque él mismo no se había percatado de lo cerca que se hallaban. ¿Tenía *Nelson* razón? Pero el can no conocía la cabaña del viejo ermitaño y no tenía motivos para haber cambiado de dirección de no haber captado un olor humano. Kenneth le siguió, sin apenas atreverse a confiar.

La cabaña de granito había sido construida y habitada siglos atrás cuando Cornualles estaba lleno de hombres santos. Algunos la llamaban «el baptisterio» debido a su techo de dos aguas y su ventana y puerta en arco, porque estaba construida sobre un tramo especialmente pintoresco del río, el cual fluía debajo de un puente de piedra antes de caer en una pequeña pero abrupta cascada. Pero en caso de haber sido un baptisterio, había sido construido en la cima de la colina, lo cual resultaba poco práctico. Lo más probable, según decía la leyenda, es que hubiera sido simplemente una ermita. Aún era utilizada por algún cazador y viajero. Kenneth había jugado allí algunas veces con Sean Hayes. Y en más de una ocasión se había encontrado allí con Moira.

Nelson se puso a ladrar con entusiasmo ante la puerta cerrada. Cuando Kenneth giró la manija no sin cierta dificultad y la puerta se abrió hacia dentro, el can entró apresuradamente, sin dejar de ladrar. Era evidente que no estaba seguro de si su amo le había enviado en busca de un amigo o un enemigo.

Capítulo 8

Moira estaba de pie, oprimida contra la pared frente a la puerta, con las palmas de las manos apoyadas a cada lado de su cuerpo, los dedos extendidos como si creyera poder empujar el muro hacia fuera y escapar. Su rostro, a la luz de la linterna, mostraba una palidez mortal.

—Siéntate, *Nelson* —ordenó Kenneth a su perro.

Nelson se sentó jadeando.

Ella no movió ni un músculo. No dijo nada.

—Debí traer un látigo para azotaros —dijo él. En cuanto la vio el temor dio paso a la furia.

Ella miró al perro y luego a Kenneth cuando éste entró, cerró la puerta a su espalda y dejó la linterna sobre la repisa de la ventana.

—Un gesto muy gótico —replicó ella con desdén.

Kenneth la examinó de pies a cabeza. Lucía una capa con capucha que él supuso que pasaba por una prenda invernal femenina, pero que en una noche como ésta resultaba tan útil como un abanico en el infierno. Sus botines quizá bastaran para impedir que se mojara los pies en un par de centímetros de nieve. Lucía sólo un guante.

—¿Qué diablos os indujo a tratar de regresar a casa andando —le preguntó—, cuando os ordené claramente que os quedarais en Dunbarton y teníais motivos suficientes para obedecerme?

—No deseaba quedarme en Dunbarton —respondió ella.

—De modo que decidisteis arriesgar vuestra vida —dijo él—, porque no deseabais quedaros en Dunbarton —añadió imitando el tono de su voz.

—Es mi vida y puedo hacer con ella lo que quiera —replicó ella—. Y no soy uno de vuestros soldados para obedecer vuestras órdenes sin rechistar.

—Una circunstancia por la que deberíais sentiros eternamente agradecida —dijo él.

Ella alzó el mentón y le miró enojada. Él se abstuvo de mostrar su ira salvo con su gélida mirada.

—Creo que esto es vuestro —le dijo, sacando el guante de su bolsillo—. ¿Os lo quitasteis porque teníais calor?

Ella alargó el brazo y se lo arrebató.

—El botón de mi capucha se soltó —contestó—, y no podía volver a abrochármelo con los guantes puestos. Más tarde no pude encontrarlo en la nieve. Fue absurdo. Sabía que estaba allí, pero no logré dar con él.

—Vuestra imprudencia ha sido vuestra salvación —dijo él—. *Nelson* captó en él vuestro olor.

Ella miró al can con recelo.

—No temáis, no os saltará a la yugular —dijo él—. Esta noche os ha salvado la vida. Suponiendo que os la haya salvado. Aún tenemos que sobrevivir varias horas de un frío intenso antes de que amanezca y sea más seguro salir de aquí. ¿Comprendéis ahora adónde conduce una estúpida rebeldía, Moira?

—No tenéis por qué soportar el frío —replicó ella con manifiesta indignación—. Podéis regresar a casa. Estoy segura de que seréis capaz de encontrar el camino. Aquí sola estaré muy cómoda, como lo estaba antes de que aparecierais.

Él avanzó unos pasos y se detuvo frente a ella.

—A veces, Moira —dijo—, os comportáis como una niña. Veo que aquí no hay troncos ni leña menuda. Es una lástima. Tendremos que arreglarnos sin encender fuego. Esto ayudará de momento, pero sólo de momento. —Kenneth sacó del bolsillo la petaca de brandy que había tenido la precaución de traer consigo. Desenroscó el tapón y se la ofreció—. Bebed.

—Gracias —contestó ella—, pero no bebo.

—Moira —dijo él mirándola fijamente a los ojos—, podéis beber de forma voluntaria o por la fuerza—. Como gustéis. A mí me da lo mismo. Pero os aseguro que beberéis.

—¿Por la fuerza?

Ella le miró con los ojos muy abiertos al tiempo que los dientes le castañeteaban. Le arrebató la petaca de la mano y la acercó a sus labios. Inclinó la cabeza hacia atrás casi con gesto de venganza. Acto seguido se puso a toser y a escupir mientras se llevaba la mano a la garganta.

—Al menos —observó él secamente cuando ella recobró de nuevo el resuello—, sé que no me habéis desafiado fingiendo que bebíais.

Tomó la petaca de manos de Moira y bebió también un trago. Sintió una grata sensación de calor deslizándose por su garganta hasta alcanzar su estómago.

—Aparte del brandy —dijo echando un vistazo alrededor de la cabaña—, disponemos de nuestras ropas, una manta y el calor que emanamos los tres. Supongo que podría ser peor.

—Podéis quedaros con la manta —replicó ella enojada—. Yo ocuparé el camastro.

Era bastante estrecho y estaba cubierto con un jergón de paja muy viejo, lleno de bultos, que tenía un aspecto nada confortable. Pero era mejor que el suelo de tierra.

Él se echó a reír.

—Creo que no lo entendéis —dijo—. No estamos hablando de dignidad o decoro, Moira. Estamos hablando de sobrevivir. Hace frío. El suficiente para causarnos una grave enfermedad. El suficiente incluso para matarnos. Uno puede morirse de frío debido a los rigores del tiempo, os lo aseguro. He visto a hombres congelados y muertos en el piquete después de una noche muy fría.

Durante unos segundos él vio temor en los ojos de Moira. Pero era una mujer de carácter fuerte. En ese aspecto no había cambiado. Aún no había aceptado lo inevitable.

—Tonterías —contestó ella. Los dientes seguían castañeteándole.

—Lo compartiremos todo —dijo él—. Incluyendo el calor de vuestro cuerpo, Moira. Y si os avergüenza, repele o enoja, mejor que mejor. Cualquier emoción es preferible a no sentir ninguna. Según dicen, sólo la muerte nos priva de toda emoción.

Ella no dijo nada más. Por su gesto de resignación él interpretó que había comprendido la sensatez de sus palabras. Kenneth empezó a desabrocharse los botones de su gabán mientras ella le observaba con recelo.

—Abríos la capa —dijo él.

—¿Por qué?

Ella alzó la vista y le miró.

—Compartiremos nuestro calor corporal —respondió él—. No vamos a diluirlo con capas de tejido entre nosotros cuando podemos utilizar nuestra ropa de forma más provechosa. No envolveremos como podamos en vuestra capa, mi gabán, mi chaqueta y mi chaleco. Dentro de ellos, estaremos muy juntos. Éste no es momento para mojigaterías o disputas familiares. Compartiremos la manta. Acostaos en el camastro antes de que apague la luz de la linterna. No debemos arriesgarnos a morir abrasados. Sería irónico, ¿no?

—Kenneth... —respondió ella con voz ligeramente temblorosa. Tragó saliva—. Milord...

Pero él se había vuelto para ocuparse de la linterna. ¿Cuántas horas faltaban para que amaneciera? No tenía ni idea de qué hora era. ¿Y podrían abandonar la cabaña cuando hubiera luz fuera? Pero no convenía adelantar acontecimientos. En cualquier situación de crisis el momento presente era lo único importante. Era lo que él había aprendido con los años. Resuelve la situación presente y deja que el futuro —la próxima hora, el próximo día o el próximo año— se resuelva solo.

Apagó la luz de la linterna y se volvió hacia el camastro.

Lo primero que ella sintió fue una profunda humillación. Si no hubiera sido tan necia —una forma suave de describir su conducta—, en estos momentos estaría en Dunbarton. Odiaría estar allí, pero al menos estaría en un lugar caldeado y a salvo detrás de una puerta cerrada..., y sola. Se acostó en el camastro y se apretujó cuanto pudo contra la pared. En cuanto la luz se apagó, se desabrochó a regaña-dientes la capa percatándose de la liviandad de su vestido. Era más liviano que cualquiera de sus camisones.

Lo segundo que sintió fue un intenso bochorno. Él se tumbó a su lado y casi sobre ella —era un camastro muy estrecho, destinado sólo a persona—, le abrió la capa con manos firmes, deslizó un brazo debajo de su cuello sin contemplaciones y la estrechó con fuerza contra su cuerpo. Estaba oprimida contra a él de la frente a las pun-tas de los pies, cubierta sólo con su sutil traje de noche —que ahora le parecía aún más delgado—, y lo único que se interponía entre ellos eran la camisa y los bombachos de él. Tenía un cuerpo recio y un tacto y olor alarmantemente varoniles. Entonces ajustó las ropas de ambos alrededor de ellos como una especie de envoltura y por últi-mo colocó la manta. En ese momento dijo, pero no a ella:

—Sube, *Nelson*.

El perro saltó sobre ellos, respirando ruidosamente sobre sus rostros y girándose una y otra vez hasta instalarse cómodamente so-bre las piernas de ambos.

Lo tercero que sintió ella fue una sensación de alivio. Empezaba a entrar en calor. El gabán de él era grueso. Al igual que la manta. El perro pesaba y emanaba calor. El cuerpo de Kenneth emanaba calor. Como es natural, él lo había dispuesto todo para que ella estuviera lo más cómoda posible. La había obligado a apoyar la cabeza debajo de su barbilla, cubriéndosela casi por completo. Ella tenía las manos apoyadas sobre el pecho de él como si fuera una estufa caliente. Per-cibía los latidos de su corazón, fuertes y acompasados. No se había percatado del frío que tenía hasta que el calor empezó a sustituirlo.

Era una cuestión de supervivencia, había dicho él. Ella se con-centró en ese pensamiento y procuró apartar todos los demás. Por ejemplo, la chocante proximidad de él. O bien, el olor a almizcle de su agua de colonia. O qué pasaría, mañana.

—Relajaos y procurad dormir —dijo él. Ella sintió su aliento cá-lido sobre su piel.

¿Cómo podría dormir y mirarlo mañana a los ojos?, pensó ella. ¿O durante el resto de su vida? ¿Cómo podría mirar a sir Edwin a los ojos? ¡Cielo santo, sir Edwin! ¿Interpretaría esto también como un gesto de buena vecindad? ¿Como amistad? A Moira le alarmó la risita nerviosa que apenas consiguió reprimir. Éste no era el momento de dejarse llevar por la hilaridad. La situación no tenía nada de divertida. Él había estado en lo cierto al decir que se comportaba como una niña.

—Es ridículo pensar siquiera en la posibilidad dormir —replicó ella con la boca oprimida contra el corbatín de él.

—Todo es posible —dijo él—. Creedme.

Moira pensó de repente, sorprendida, que debió de quedarse adormilada. Sentía de nuevo frío pero no se había percatado de que se enfriaba. Las ropas de ambos y la manta ya no le parecían tan deliciosamente pesadas, y el perro se había trasladado a los pies de ellos. Notó que temblaba debido al frío y aunque apretó la mandíbula, no pudo evitar que los dientes le castañetearan. Trató de apretujarse más contra él, pero no podía. O eso creía.

—Hace un frío polar —dijo él, y la serenidad y proximidad de su voz la tranquilizó, hasta que prosiguió con la frase—. Sólo conozco un medio de que entremos en calor. Tendremos que compartir también nuestros cuerpos además de nuestro calor corporal.

Ella captó el significado de sus palabras al instante. Estaban más que claras. Pero permaneció inmóvil durante unos momentos, esperando la reacción de temor e indignación que sin duda le suscitaría semejante sugerencia. *¿Compartir sus cuerpos?* Ella no sentía nada salvo la incómoda sensación de frío. Era una cuestión de supervivencia, había dicho él. Uno podía morirse de frío. Ella no estaba segura de que la situación fuera tan grave, pero tampoco estaba convencida de lo contrario. ¿Les aportaría eso calor? Supuso que él debía de saberlo.

—Sí —dijo, preguntándose si había analizado la cuestión con el debido detenimiento. Pero no retiró su consentimiento. De todos modos, era demasiado tarde para hacerlo.

Sintió la mano de él entre ambos manipulándose el pantalón y luego levantándole a ella el vestido y despojándola de sus prendas interiores como si estuviera muy acostumbrado a hacerlo, cosa que ella no dudaba en absoluto. Empezaba a sentir más calor, mucho más, pensó absurdamente. Y una mayor agitación. ¿A qué había dado su consentimiento? Necesitaba tiempo para pensar. Pero tenía demasiado frío, y estaba demasiado nerviosa, para pensar con claridad.

De pronto él la colocó boca arriba y se tumbó sobre ella, separándole las piernas con las suyas. Luego les cubrió a ambos con la capa de ella y la manta.

—Relajaos —le dijo en voz baja al oído—. Gozad con ello si podéis después del dolor inicial. La mejor forma de entrar en calor es gozar con ello.

Ella sintió como si estuviera ardiendo. Su mente tuvo un solo instante de espantosa claridad al sentir que su miembro viril empezaba a penetrarla. El futuro —mañana, el resto de su vida— desfiló ante sus ojos como dicen que el pasado de uno desfila ante sus ojos cuando está a punto de morir. Pero de golpe su mente reconoció el carácter irreversible de lo que estaba sucediendo, y la espantosa carnalidad del momento, y volvió a cerrarse a todo pensamiento. Él estaba dentro de ella, dilatando su pasaje íntimo hasta el punto de causarle dolor. Iba a lastimarla. En efecto, cuando la penetró más profundamente ella sintió un dolor lacerante. Y era demasiado tarde para pensar. Ella no podía dejar de pensar.

Sin duda el hecho de compartir sus cuerpos aportaba calor. Era algo tremendamente íntimo. Doloroso. No, había sido doloroso durante unos instantes. Ella ya no sentía frío. ¿Cómo iba a sentirlo? El peso del cuerpo de él constituía una manta muy eficaz. ¿Dónde se había metido *Nelson*? Pobre *Nelson*, tendría frío tumbado en el suelo. Ella no tenía frío. Su mente trató de centrarse en cosas triviales como ésas. No, no eran triviales. Hacía esto para sobrevivir, no por otro motivo. De pronto se le ocurrió un pensamiento aún más espantoso. Estaba con Kenneth. ¡Santo Dios, era Kenneth, y estaba dentro de ella! Moira desechó ese pensamiento de su mente.

—Procurad relajaros —dijo él—. Intentaremos que esto dure tanto rato como sea posible. Pues de hecho, cuando esto haya terminado, habréis entrado en calor.

¿Esto? ¿Qué procurarían que durase tanto rato como fuese posible? Era increíblemente ingenua, pensó Moira durante los próximos minutos. Había creído que bastaría con unir sus cuerpos. A la avanzada edad de veintiséis años se había congratulado de no estar sumida en la típica ignorancia de una solterona. Sabía perfectamente lo que sucedía en el lecho nupcial. Pero lo cierto es que no sabía *nada*. Y era evidente que él lo sabía *todo*. Qué idea tan estúpida. Por supuesto que lo sabía. Era un hombre y sin duda muy experimentado. Era lógico en un hombre como Kenneth. Se movía dentro de ella con lentitud y firmeza, rítmicamente, penetrándola hasta que la incómoda fricción debido a la sequedad dio paso a una sensación placentera.

Las manos de él ascendieron hasta sus pechos e hizo algo con sus dedos a través del sutil tejido de su vestido que le provocó una intensa sensación, casi de dolor, en su abdomen y su garganta. Luego oprimió su boca contra la suya, abierta y maravillosamente cálida.

—Procurad gozar —murmuró él—. Os aportará más calor. Abrid la boca.

Cuando ella lo hizo, obedeciéndole ciegamente, él deslizó la lengua dentro de su cavidad, imitando allí los movimientos que hacía en otro lugar.

Ella sintió de nuevo un calor abrasador, tan intenso que apenas podía soportarlo. Ardía de placer y de asombro de que algo tan físico pudiera ser a la vez tan placentero. En alguna parte la cordura y la vergüenza esperaban a que ella las registrara en su mente. Pero se negaba a hacerlo. No quería pensar.

El abrazo íntimo entre ambos se prolongó largo rato hasta que los movimientos de él se hicieron más profundos y se quedó inmóvil. Durante unos instantes ella sintió un calor aún más intenso en su interior. De alguna manera le pareció el momento más íntimo y placentero, aunque deseaba que el placer continuara. Él la oprimía con su peso, respirando trabajosamente en su oído. Ella percibió de nuevo los latidos de su corazón. Se sentía invadida por un calor maravilloso.

Al cabo de un rato él se alzó un poco, lo suficiente para que ella pudiera respirar con más facilidad. Seguía cubriéndola a medias. No bajó sus ropas y las de ella. Yacían piel contra piel.

—Esto nos procurará calor durante un rato —dijo—. En caso necesario, volveremos a hacerlo más tarde. Sube, *Nelson*.

Kenneth se dio una palmada en el muslo y el perro saltó de nuevo para tumbarse sobre las piernas de ambos.

Se expresaba con tono frío y neutro, pensó Moira, como si acabaran de decidir que entrarían en calor bebiendo otro trago de su petaca o cubriéndose mejor con sus respectivas ropas y la manta. Se había expresado en ese tono desde el principio y durante lo que habían hecho juntos. Como si lo que había sucedido no tuviera la menor importancia. Pero ¿qué esperaba ella? ¿Qué él le hablara con el tono aterciopelado de un amante? No eran amantes. No habían hecho el amor. Habían hecho simplemente lo necesario para sobrevivir. Y había sido muy eficaz, al menos de momento. Ella sentía en su mejilla el calor que emanaba del hombro de él a través de su camisa.

Pero su voz era un recordatorio. Había hablado con la voz del conde de Haverford. Con la voz de Kenneth. Era el conde de Haverford, pensó ella deliberadamente, imaginándolo detrás de sus párpados cerrados tal como había aparecido en el baile; espléndidamente vestido, alto, elegante, apuesto, aristocrático, altivo. Era *Kenneth*. El muchacho que ella había adorado de lejos, el joven al que había amado y con quien procuraba encontrarse siempre que podía hasta que él la había pillado..., hasta que habían ocurrido esos hechos tan dolorosos con Sean. Hasta que ella había comprendido cómo era en realidad y dónde residían sus lealtades. Hasta que había comprendido que el amor que él le había jurado que sentía por ella no valía nada. Hasta que había llegado a odiarlo con una intensidad equiparable al amor que le había precedido.

En esos momentos yacía en la cabaña del ermitaño con Kenneth, el conde de Haverford. Acababan de..., no. Ése no era el término apropiado para describir lo que había ocurrido entre ellos. Habían copulado. Sin amor, sin comprometerse, sin siquiera afecto o respeto. Con el mero propósito de sobrevivir. Una suerte peor que la muerte... Moira esbozó una amarga sonrisa al pensarlo. Al parecer el instinto de supervivencia era a fin de cuentas más fuerte que cualquier otro.

Y mañana, pensó, temiendo que amaneciera, sería insoportable. El tremendo bochorno... Su mente se negaba a pensar en cuestiones infinitamente más importantes que el bochorno que experimentaría mañana. Y la culpa de todo la tenía ella. ¿Cómo pudo ser tan estúpida, estúpida, *estúpida*?

Durante la noche había dejado de nevar y el viento había remitido. A la luz grisácea de las primeras horas del amanecer incluso parecía que el sol luciría más tarde. Kenneth se detuvo en la puerta de la cabaña del ermitaño, pateando el suelo, golpeando sus manos enguantadas una contra otra, impaciente por ponerse en marcha a fin de entrar de nuevo en calor. Detrás de él, Moira dobló la manta y se abrochó la capucha debajo del mentón. No se habían dirigido la palabra desde que ella había comentado que habían aparecido las primeras luces del día. Él había estado durmiendo.

Correr, pensó él. Correr sin moverse del lugar. Moviendo enérgicamente las piernas y los brazos. Forzando el ritmo. Manteniendo el ritmo. Ignorando los gemidos de protesta y las quejas del cansancio. Lo había hecho varias veces en España. Había obligado a sus hombres a hacerlo, gritándoles, maldiciéndolos, uniéndose a ellos, colocándose entre sus filas, corriendo con ellos para que supieran que no se comportaba simplemente como un sádico con ellos. Siempre les había dicho que en caso necesario estaba dispuesto a perder a algunos de sus hombres frente a los cañones enemigos. Pero no estaba dispuesto a perder a uno solo debido al frío. Jamás le había ocurrido.

Se le había ocurrido esta mañana, cuando habían pasado varias horas y era demasiado tarde para que el hecho de pensar en ello resultara útil. Su mente ni siquiera había pensado en ello anoche. Correr sin moverse del sitio la habría mantenido viva..., y furiosa, desde luego. Pero habría sobrevivido a su furia.

Kenneth pensó malhumorado en lo que podía ocurrir. Pero era inútil pensar en el futuro. Era fijo e inmutable. Se volvió impaciente para comprobar si Moira estaba lista para marcharse.

—Debo deciros algo antes de que nos vayamos de aquí —dijo ella.

Él había decidido que se marcharían aunque el suelo estuviera cubierto por varios palmos de nieve y hallar un camino seguro para descender al valle no fuera empresa fácil. Aunque no suponía que ella se opondría a esa decisión. Su rostro, enmarcado por el color gris oscuro de su capucha, estaba pálido y mostraba una expresión firme y serena. Sus ojos no rehuyeron los suyos como él había supuesto. Pero, claro está, era Moira.

—No creo que sea necesario decir nada en estos momentos, Moira —respondió él—. Los dos somos adultos. Conocemos las reglas. Debemos ponernos en marcha.

—Sí, existen unas reglas —dijo ella—. Supongo que me acompañaréis a casa y hablaréis con mamá. Como es natural, os atribuiréis toda la culpa de lo sucedido. Supongo que luego escribiréis a sir Edwin Baillie, con tacto y discreción, y os atribuiréis toda la culpa. Supongo que luego me haréis una proposición formal y en privado, y fingiréis que no hay nada que deseéis más que casaros conmigo.

—Creo que podemos obviar ese último detalle —replicó él, irritado. ¿Imaginaba ella que le complacía la idea de lo que debía ocurrir ahora? ¿Que le entusiasmaban los acontecimientos que habían trastocado su vida?

—Podemos obviarlo todo —dijo ella—. No quiero que tratéis de dar ninguna explicación, que tratéis de protegerme de toda culpa. No quiero que me hagáis una proposición. Si lo hacéis, la rechazaré.

—Os portáis de nuevo como una niña —dijo él secamente. La había tomado dos veces durante la noche. Sin duda aún había sido virgen, tal como él había supuesto. Ninguno de los dos tenía ninguna opción sobre lo que debía ocurrir ahora—. No hay nada de qué hablar.

—¿Me comporto como una niña porque me niego a casarme con alguien a quien desprecio y que me desprecia a mí? —preguntó ella—. A mi modo de ver lo infantil sería casarme con vos porque las circunstancias nos obligaron a...

Alzó el mentón y le miró enojada.

—¿Mantener una relación carnal? —inquirió él—. Es lo que hacen los maridos con sus esposas, Moira. O lo que hacen dos personas antes de convertirse inevitablemente en marido y mujer.

—¿De modo que soy la primera mujer con la que os habéis acostado? —preguntó ella—. ¿Cómo es que no os ha sucedido aún lo inevitable?

Él arrugo el ceño y contestó irritado y quizás imprudentemente.

—Sois la primera *dama*. No sois una puta, Moira.

Ella abrió mucho los ojos, sorprendida, pero se rió.

—Informarán a mamá que pasé la noche en Dunbarton —dijo—. Ya deben de habérselo dicho. A los ocupantes de Dunbarton pueden decirles que pasasteis la noche en Penwith. Nadie tiene que saber dónde o cómo pasamos realmente la noche.

—¿Ni siquiera sir Edwin Baillie? —preguntó él, mirándola con las cejas arqueadas.

—No —respondió ella.

—¿No se llevará cierta sorpresa en vuestra noche de bodas? —preguntó él.

Ella le miró con desdén.

—Como es natural, romperé mi compromiso con él —respondió—. Pero no me casaré con vos. Si me lo pedís sólo causaréis una complicación innecesaria.

Por alguna razón él estaba furioso. Debería sentirse complacido, pero en los ojos de ella sólo veía rencor y sólo podía recordar la forma en que se había apretujado contra él durante la noche y el calor que emanaba su cuerpo cuando él la había montado. Pardiez, pero si hasta había gozado con ello. Pero ¿qué esperaba de ella esta mañana?, se preguntó. ¿Que le mirara con la dulce expresión del amor? Eso le habría horrorizado.

—No os culpo de nada —dijo ella al tiempo que las fosas de su nariz de dilataban de ira. Le miró indignada—. ¿Creéis que no sé que fui una estúpida al marcharme anoche de Dunbarton? ¿Creéis que no sé que arriesgasteis la vida por salir en mi busca? ¿Y que anoche me salvasteis la vida? Sí, lo hicisteis. No estoy segura de que esta noche hubiera sobrevivido aquí sola. ¿Creéis que no sé que estoy en deuda con vos?

—No me debéis nada —respondió él.

—¿Y creéis que tendré que pagar esa deuda cada día de mi vida? —preguntó ella—. ¿Tratando de complaceros y hacer que os sintáis a gusto en un matrimonio que os visteis forzado a contraer en contra de vuestra voluntad? Prefiero morirme. No me casaré con vos.

—Entonces no os lo pediré —contestó él secamente—. Como gustéis. Pero quizá tengáis que cambiar de opinión, Moira. En tal caso, seréis vos quien deberéis pedírmelo a mí. Veremos si eso os agrada.

Por el ligero rubor que cubría sus mejillas comprendió que ella había captado el significado de sus palabras. Se miraron furiosos durante unos momentos antes de que él avanzara un paso hacia ella, se quitara la bufanda que llevaba alrededor del cuello y se la colocara a ella con firmeza, tras lo cual dio media vuelta y echó a andar a través de la nieve que le llegaba a las rodillas. Se volvió para tomarla del brazo, y después de cierta resistencia inicial, ella aceptó que la ayudara, apretando los labios y con gesto hosco.

Nelson les precedió brincando alegremente.

Capítulo 9

Durante la semana después de Navidad, Kenneth se mantuvo decididamente ocupado. Mientras la nieve persistió, pasaba varias horas al día fuera de casa, deslizándose en trineo, construyendo muñecos de nieve y jugando a lanzar bolas de nieve. Sus primos más jóvenes decían que era un tipo alegre y divertido, sus sobrinos y otros niños se subían encima de él y le rogaban que siguiera jugando con ellos, e incluso algunos adultos le acompañaban fuera de la casa y le aseguraban que era un anfitrión extraordinariamente atento. La madre de Juliana Wishart le convenció de que la joven era muy amante de la naturaleza.

Cuando la nieve se hubo fundido lo suficiente para que las carreteras estuvieran de nuevo transitables, Kenneth acompañó a varias tías y primas a visitar a los vecinos que habían conocido durante el baile y a los que deseaban ir a presentar sus respetos antes de regresar a casa. Lamentablemente, aseguró Kenneth con firmeza a dos de sus tías, no podían ir a visitar a la señorita Hayes porque la carretera a Penwith Manor estaba aún intransitable. Quizá pudieran ir la semana que viene, pero, claro está, ambas partían dentro de pocos días. Juliana Wishart y su madre fueron con Kenneth y la condesa a Tawmouth en coche para visitar las tiendas y admirar la vista del puerto desde el rompeolas. Lady Hockingsford insinuó y la condesa sugirió que Kenneth llevara a la señorita Wishart a dar un paseo por la playa, pero por fortuna la joven tenía miedo a las alturas y estuvo a punto de romper a llorar ante la perspectiva de bajar los escalones de piedra, por más que su madre le aseguró que su señoría la sostendría del brazo y no dejaría que se cayera.

En casa Kenneth organizó partidas de cartas y de billar, juegos infantiles como los palitos chinos y otros más activos como el escondite. Organizó conciertos improvisados y bailes informales. Acompañó y fue a buscar a sus tías, conversó con sus tíos, ayudó y apoyó a sus primos y primas, o cuando menos hizo la vista gorda cuando se emparejaban con otros jóvenes del sexo opuesto y se ocultaban en lugares aislados, en especial los que estaban decorados con muérdago. Escribió cartas y atendió algunos asuntos de negocios.

Y discutió con su madre.

—¿Acompañaste a la señorita Hayes a su casa? —preguntó ésta arrugando el ceño cuando él regresó a Dunbarton la mañana después del baile y dio explicaciones a todos los que se hallaban en la habitación del desayuno. Ella le había llevado aparte cuando terminaron de desayunar para hablar en privado con él.

—¿Solos, Kenneth? ¿En plena noche? Por supuesto, me alegro de que la señorita Hayes no tuviera que pernoctar aquí, pero ¿era necesario que la acompañaras tú mismo? Podría haberlo hecho uno de los mozos de cuadra.

—Era mi invitada, mamá —contesto él secamente—, y deseaba regresar junto a lady Hayes. Yo había dado mi palabra a sir Edwin Baillie de que me aseguraría de que regresara a casa sana y salva. Y eso hice.

¿Sana y salva? Cuando había abandonado Dunbarton era virgen.

—Te fuiste sin decir una palabra a nadie —dijo su madre sin dejar de fruncir el ceño—. Fue una descortesía, Kenneth. Y ahora es imposible ocultar la verdad. Pudiste hacerlo, en lugar de explicar a todo el mundo lo ocurrido. ¿No pudiste haber evitado tener que pasar la noche en Penwith? Tendrás suerte si esa mujer y su madre no sacan a relucir el tema del honor mancillado con el fin de atrapar mejor partido que sir Edwin Baillie.

Él se enfadó, y no sólo por lo que le afectaba personalmente.

—Esa mujer y su madre son la señorita Hayes y lady Hayes, mamá —dijo—. Son nuestras vecinas. Hemos ido a visitarlas y ellas nos han devuelto la visita. Anoche la señorita Hayes era mi invitada y la acompañé a su casa para evitar que sufriera algún percance. No creo que merezca tu desprecio.

Su madre guardó silencio y le miró fijamente.

—Kenneth —dijo—, no te habrás encaprichado de esa mujer.

¿Encaprichado? Él recordó que ella se había dormido en sus brazos y que, pese al frío que hacía y al estrecho e incómodo camastro, la había deseado. Era el deseo lo que le había nublado el juicio. Debía de existir media docena de medios de asegurar la supervivencia de ambos. Cuando ella se había despertado, tiritando de frío, a él sólo se le había ocurrido uno. Por supuesto que se había encaprichado de ella. Había sentido un intenso deseo carnal por ella. Y la había tomado —lentamente y a conciencia— en dos ocasiones.

—Es mi vecina, mamá —dijo—. Y está prometida.

Aunque no por mucho tiempo, ciertamente.

Su madre siguió mirándole como si pudiera leerle el pensamiento.

—Y tú también deberías comprometerte en matrimonio —dijo—. Has cumplido los treinta y no tienes un hijo ni un hermano a quien legar todo cuanto te pertenece. Tu posición exige que te cases. Nos lo debes a tu padre y a mí. No podrías elegir mejor esposa que Juliana Wishart.

—Es una niña, mamá —protestó él.

—Tiene diecisiete años —contestó ella—. Tiene un carácter susceptible de ser controlado y moldeado por un hombre fuerte. Podrá tener hijos durante varios años. Su linaje es impecable. Al igual que sus modales y su educación. Es muy bonita. ¿Qué más quieres?

Quizás a alguien de una edad próxima a la suya. Alguien que le ofreciera compañía, o quizás incluso amistad. ¿Era esperar demasiado de una mujer? Alguien capaz de despertar en él la pasión. Alguien con un carácter que no se dejara controlar o moldear fácilmente por un hombre fuerte. Alguien que se opusiera a su dominio en todo momento hasta que al fin se produjera una victoria mutua, una conquista mutua. No quería a una mujer a la que pudiera dominar.

—Nada —dijo en respuesta a la pregunta de su madre.

Ella le miró sintiéndose por fin satisfecha.

—Bien —dijo—, entonces debes hacer acopio de todo tu valor, Kenneth. Has pasado demasiado tiempo con los militares y poco entre la alta sociedad. Te has convertido en un hombre mudo y torpe. Ayer fue el momento perfecto, pero aún estás a tiempo. Pediré a lord Hockingsford que te espere en la biblioteca después de almorzar.

—Te lo agradezco, mamá —dijo él—, pero elegiré yo mismo el momento y el lugar. Y a mi futura esposa. No estoy seguro de que sea la señorita Wishart.

—Pero tampoco estás seguro de que no lo sea —contestó su madre con firmeza—. Pensar en ello sólo hará que el asunto te parezca más complicado de lo que es. Debes decidirte antes de que tengas tiempo para darle más vueltas. No te arrepentirás. Juliana será una excelente condesa.

Él se negó a comprometerse, y ella tuvo que contentarse con procurar que se viera con la joven tan a menudo como fuera posible durante la próxima semana. Él comprendió que antes de que terminara la semana quizá se encontraría en una situación comprometida, de la que con toda probabilidad le costaría salir como un hombre libre.

Pero a veces pensaba que quizá debería casarse con esa joven, tener con ella unos herederos y vivir su propia vida como quisiera prescindiendo de ella. Quizá se encariñaría con ella. Ciertamente era una joven dulce y sumisa.

Aun así no podía contraer un matrimonio con esa frialdad, no sería justo ni para ella ni para él. Era muy consciente de que pese a su juventud, timidez y sumisión, Juliana Whishart no dejaba de ser una persona, probablemente una persona que soñaba con enamorarse, casarse y vivir feliz el resto de su vida. Con él no hallaría nada de eso. Entre otras cosas, porque era demasiado mayor para ella.

Y aún no podía casarse. No hasta saber que era libre para hacerlo, hasta saber que esas horas pasadas en la cabaña del ermitaño no habían tenido consecuencias. La mera idea le horrorizaba, pero era una posibilidad muy real. Había derramado su semilla dentro de ella en dos ocasiones. No podía comprometerse con otra mujer hasta saber si tendría que casarse con Moira Hayes.

¡Moira Hayes! Kenneth palideció al pensar en ello. Encarnaba todo lo que a él le parecía más despreciable en una mujer: desdeñaba abiertamente toda convención y recato, era una mentirosa, una delincuente, ¡una contrabandista! Era tan mala como lo había sido su hermano y su tío abuelo. Y había estado a punto de atraparlo a él al igual que Sean había estado a punto de atrapar a su hermana Helen. Aunque ella le había rechazado también con intenso rencor. Le desagradaba recordar esa última disputa. Ella se había comportado como una tigresa...

Quizá la edad o la pérdida de su cómplice habían suavizado su carácter, pero seguía paseándose sin carabina y rechazando cualquier consejo que pudiera interpretarse como una orden. Seguía siendo tan voluntariosa como siempre y hacía lo que le venía en gana. Seguía sin respetar los cánones sociales. Debió elegir la muerte a entregarle su honra. Pero no, eso era tan ridículo como injusto. No, no podía culparla por eso.

Pero ella se había negado a atender su propuesta de matrimonio incluso antes de que se la hiciera. Era muy típico de Moira. ¿Cómo había podido rechazarla? Él le había arrebatado su virginidad. Ella había perdido su honra y con ella toda esperanza de casarse con otro hombre que no fuera él. ¿Qué sería de ella y de su madre cuando rompiera su compromiso con Baillie? ¿Habría pensado ya en eso? Probablemente no dejaría que influyera en su decisión. Se negaría a casarse con él simplemente porque le había arrebatado su honra..., ¡nada menos!

Kenneth procuró mantenerse ocupado toda la semana. Y durante toda la semana su mente estuvo plagada de recuerdos de esa noche y de la negativa de ella a atender su propuesta de matrimonio. Durante toda la semana temió que ella cambiara de parecer o que los acontecimientos la obligaran a hacerlo. Y durante toda la semana estuvo furioso..., no, furioso con ella. Ella no podía rechazarle. Él no podía aceptar que le rechazara. Era impensable.

En el salón de celebraciones de Tawmouth iban a organizar un baile en honor del nuevo año. Varios invitados que se habían alojado en la mansión ya se habían marchado, pero algunos de los que aún seguían allí pensaron que la reunión podía ser divertida aunque no pudiera compararse con el baile navideño en Dunbarton. Un joven, por ejemplo, recordaba a la bonita señorita Penallen, y dos muchachas comentaron entre risas lo atractivos que eran los jóvenes hijos de los Meeson. Ainsleigh y Helen manifestaron su deseo de asistir. Era preciso que Juliana viera el interior de los salones de celebraciones, dijo la condesa a lady Hockingsford en presencia de Kenneth. Estaban decorados con exquisito gusto aunque un tanto austero.

Moira estaría presente, pensó Kenneth. Sin duda asistiría. Pero eso no impedía que asistiera él. Durante toda la semana había imaginado que se encontraría con ella en casa de las personas a las que solían visitar o en las calles de Tawmouth. No podía evitar toparse algún día con ella. Ni deseaba evitarlo. Al contrario. Aún había un asunto pendiente entre ellos, y él se proponía zanjarlo como era debido. No permitiría que ella le desafiara.

La mera idea de verla, de hablar con ella, le irritó.

Decidieron que la señorita Wishart viajaría en el coche de Kenneth con Helen, Ainsleigh y él. Otros dos carruajes trasladarían a los invitados que quedaran en la mansión y desearan asistir a la fiesta. Reinaba un ambiente de gran animación y buen humor cuando todos se montaron en los coches y partieron hacia Tawmouth.

Durante la semana después de Navidad, lady Hayes estaba convencida de que su hija se había resfriado durante la caminata de regreso a casa desde Dunbarton Hall la mañana después del baile.

—No me explico en qué estaría pensando su señoría al permitir semejante cosa —dijo—, cuando la nieve que cubría el suelo era demasiado espesa para viajar en coche. Hace demasiado frío para salir a caminar. Y la nieve que cubre el suelo es demasiado espesa para tus botines. Al menos tenías una cálida bufanda con que protegerte la cara, pero no era suficiente.

—Pero yo me negué a pasar la noche en Dunbarton, mamá —respondió Moira sonriendo—. Y ya sabes lo terca que soy cuando me empeño en algo.

—En todo caso fue muy amable por parte del conde acompañarte personalmente —dijo lady Hayes—. Pero me cuesta creer que sir Edwin dejara que tu obstinación le persuadiera a consentir que cometieras semejante imprudencia.

—Me sentía incómoda en Dunbarton —dijo Moira—. Los demás invitados se alojaban en la casa. La mayoría son miembros de la familia del conde. Yo no conocía a ninguno de ellos. Tenía que regresar a casa.

Su madre la miró con cierta comprensión.

—Lo entiendo, querida —dijo—, pero estás muy pálida. Espero que no te hayas resfriado.

—Fue una caminata tonificante —respondió Moira.

Detestaba el engaño, las mentiras y las medias verdades que se veía obligada a decir. Era posible que la gente averiguara más tarde que se había marchado de Dunbarton antes de que terminara el baile. Era posible que se descubriera que Kenneth no había pasado la noche en Penwith. Era cierto que se sentía indispuesta, tanto ese día como los siguientes, pero no porque se hubiera resfriado.

No podía escribir a sir Edwin. Al principio las carreteras estaban intransitables y era imposible enviar una carta. No obstante, Moira comprobó que cada vez que se sentaba para preparar la carta —lo cual intentó en varias ocasiones— no encontraba una forma fácil o satisfactoria de expresarse. Le resultaba imposible. No conseguía pasar de las primeras y frías frases de saludo. ¿Qué podía decirle exactamente? ¿Qué motivo podía alegar por lo que tenía que hacer? Era escandaloso romper un compromiso formal. Hacerlo expondría a sir Edwin al ridículo y a ella al escándalo. Moira no pensaba en sí misma, pero él no merecía quedar en ridículo.

Al cabo de unos días, cuando la nieve se derritió, llegó una carta con el primer correo comunicándole, con el habitual estilo recargado de sir Edwin, de que su madre estaba muy enferma y que lo único que mitigaba la ansiedad que él sentía por su estado era el convencimiento de que la señorita Hayes era tan bondadosa que sin duda se sentiría también inquieta por la salud de su futura suegra. Sus hermanas también estaban convencidas de ello.

Estaba claro que no era el momento de escribir su carta, decidió Moira. Sería una crueldad hacerlo precisamente ahora. Esperaría un par de semanas hasta que la madre de sir Edwin se restableciera. Sabía que era una cobardía, que eran meras excusas, que ningún momento sería el adecuado para anunciar a sir Edwin su ruptura con él. Percatarse de su cobardía hizo que se sintiera aún más indispuesta, pero ello no hizo que escribiera la carta de marras. Estaba como paralizada por una profunda apatía.

Los acontecimientos de esa noche, al recordarlos, le parecían irreales, como una pesadilla, pero ella sabía bien que habían ocurrido realmente. Sólo ella tenía la culpa de lo sucedido. Se habría sentido mejor de haber podido atribuirle a él parte de la culpa, pensó con tristeza, pero no podía hacerlo. Él le había ofrecido alojarse en su casa, pese a la desaprobación de su madre y su hermana, y ella lo había rechazado. Había salido en su busca pese a la tormenta, simplemente porque estaba preocupado por ella, arriesgando su vida. Cuando la había encontrado, había hecho todo cuanto había podido para garantizar su supervivencia. De no haber experimentado ella misma el intenso frío de esa noche, quizá le habría parecido absurda la idea de no poder sobrevivir a una noche fría.

Él no había deseado mantener una relación íntima con ella. Había abordado la cuestión de forma práctica y desapasionada. Simplemente había tratado de que ella —y él— entrara en calor. Era lógico que se sonrojara de turbación y vergüenza al recordarlo, especialmente al pensar que había gozado con lo ocurrido. Lo había hecho porque él se lo había ordenado, por supuesto, pero ¿desde cuando hacía algo simplemente porque él se lo ordenase? Incluso sospechaba, por más que no quisiera reconocerlo, que había gozado porque había sucedido con Kenneth. No podía imaginarse eso con sir Edwin... Moira desechó horrorizada ese pensamiento de su mente.

No, no podía culpar a Kenneth. Él incluso se había mostrado dispuesto a casarse con ella. Detestaba no poder culparlo, despreciarlo o achacarle algún fallo en este asunto.

No se había resfriado debido a las aventuras de esa noche, pero no obstante se sentía mal. No podía contárselo a nadie. Lo peor quizás era lo sola que se sentía, una soledad reforzada por dos hechos: el tiempo siguió siendo frío y la nieve tardó en derretirse. Cuando empezó a fundirse y se convirtió en barro, resultó incluso aún más complicado salir. Era imposible ir a Tawmouth en coche. Normalmente, ella se habría negado a quedarse en casa debido a un poco de barro y habría ido andando al pueblo, pero esa semana se sentía demasiado indispuesta, demasiado apática para hacerlo. Y había otro hecho que le impedía ir a Tawmouth y a las casas de sus amigas y vecinas. Le aterrorizaba toparse en algún lugar con Kenneth, con el conde de Haverford. Jamás podría volver a mirarlo a los ojos. ¿Cómo podía hacerlo sin recordar...? La mera idea hacía que se sonrojara.

Odiaba su cobardía.

Y le odiaba a él por ser el causante.

—Quizá deberíamos quedarnos en casa, Moira —sugirió lady Hayes el día de la fiesta en Tawmouth. Ambas habían decidido asistir al baile de Año Nuevo como hacían todos los años. A las dos les ilusionaba acudir—. Aún no te has recobrado de la larga caminata desde Dunbarton, e imagino que echas de menos a sir Edwin, aunque las dos estamos de acuerdo en que a veces su conversación pone a prueba nuestra paciencia. Sigo pensando que el señor Ryder debería verte.

El señor Ryder era un médico que tres años atrás había abandonado una lucrativa consulta en Londres para montar otra más modesta en Tawmouth.

—No necesito un médico, mamá —contestó Moira—. Pero necesito asistir a la fiesta. Las dos lo necesitamos. El tiempo nos ha obligado a permanecer encerradas aquí durante casi una semana y nos ha hundido en la depresión. Una velada bailando y conversando con nuestros vecinos nos sentará bien.

Estaba convencida de ello. No soportaba la idea de quedarse en casa un día más. Y la fiesta de Año Nuevo era uno de los acontecimientos anuales favoritos de su madre. Si ella se quedaba en casa, su madre se quedaría también, lo cual sería injusto.

—Bien, si estás segura de ello, querida —dijo lady Hayes, animándose visiblemente—. No me importa confesar que ardo en deseos de preguntar a la señora Trevellas si el parto de su hija ha tenido un feliz desenlace. Es su primer hijo.

Así pues, esa noche asistieron a la fiesta. Las fiestas en Tawmouth no eran unos acontecimientos suntuosos comparados con el baile en Dunbarton. Los salones estaban decorados con austeridad y la música corría a cargo de la señorita Pitt al piano, en ocasiones acompañada por el señor Ryder al violín. Rara vez se veía un rostro nuevo en esas reuniones y el programa era tan previsible como la cena que servían en ellas. Una no esperaba las fiestas de Tawmouth con gran impaciencia o emoción, pero era agradable estar en compañía de todos los vecinos y poder bailar. Siempre era una excelente forma de empezar un nuevo año.

Moira no sentía ningún reparo en asistir a la fiesta. La cocinera de Penwith había oído decir al hijo del carnicero, quien había oído decir a la esposa del carnicero, la cual había oído decir a una de las criadas de Dunbarton, que los invitados que se alojaban en la mansión habían empezado a marcharse. Los que quedaban sin duda serían magníficamente agasajados por su anfitrión para celebrar el Año Nuevo. Una simple reunión en el pueblo no ofrecería ningún interés para el conde de Haverford y menos aún para otro miembro de la familia Woodfall. Ninguno de ellos había asistido nunca a un baile en Tawmouth.

Moira se sentó junto a Harriet Lincoln después de dejar a su madre sentada entre la señora Trevellas y la señora Finley-Evans, y se puso a charlar alegremente sobre las novedades de la semana. El hijo mayor de los Meeson bailó la primera contradanza con ella y el señor Lincoln la segunda. Ella se sacudió de encima el abatimiento que había sentido la semana pasada y la ingrata obligación que pesaba aún sobre ella: tener que escribir pronto, mañana mismo, la carta a sir Edwin. Ya pensaría en ello mañana. Mañana no sólo sería un nuevo día, sino un nuevo año. Esta noche quería simplemente divertirse.

De improviso, cuando apenas acababa de sentarse de nuevo junto a Harriet, se produjo un movimiento en la puerta, que se había abierto para dar paso a unos recién llegados. Tanto ella como Harriet alzaron la vista con curiosidad. Todas las personas que habían confirmado su asistencia ya habían llegado. Moira sintió una nefasta premonición incluso antes de que su mente empezara a funcionar con claridad o su cerebro captara el mensaje que sus ojos le enviaban.

—Qué sorpresa tan agradable —comentó Harriet en voz baja mientras corría un animado murmullo por toda la habitación—. Más jóvenes para hacer que los ya presentes se sientan eufóricos. Y el vizconde de Ainsleigh y su esposa. Y el conde en persona, Moira. Es magnífico. ¿Crees que les complacerá nuestra modesta fiesta?

—Lo ignoro —respondió Moira débilmente. Le miró atónita, sintiendo que se le secaba la boca y el estómago se le crispaba. Con su porte alto y elegante, apuesto, aristocrático y... distante. Parecía un extraño de un mundo muy superior al de ella. *Y había estado dentro de su cuerpo.*

—Sigue siendo increíblemente guapo —murmuró Harriet, abriendo su abanico y agitándolo frente a su rostro, aunque la habitación no estaba demasiado caldeada. Los recién llegados fueron recibidos con grandes muestras de entusiasmo por el autodesignado comité de bienvenida. Se oyeron unas efusivas risas—. Más guapo de lo que imaginaba, aunque me habían prevenido al respecto. —Hacía tan sólo seis años que Harriet había venido a Tawmouth antes de casarse con el señor Lincoln—. ¿No admiras su extraordinaria apostura, Moira? ¿Crees que se casará con la señorita Wishart? Ha estado pendiente de ella desde que la joven llegó a Dunbarton con sus padres. Todos se dieron cuenta en el baile navideño. Y hace dos días él le mostró las tiendas y el puerto, acompañados por su madre y la de la señorita Wishart, por supuesto. Forman una atractiva pareja, ¿no crees?

—Sí —respondió Moira.

Harriet la miró intrigada y apoyó la mano en su brazo.

—Pobre Moira —dijo—. Debe de ser muy triste ver nacer un amor cuando las circunstancias te obligan a contraer un matrimonio que te disgusta. Perdona mi franqueza, pero las amigas deben hablarse con sinceridad.

Moira arrugó el entrecejo.

—Jamás he dicho... —protestó.

—Lo sé —se apresuró a decir Harriet, apretándole afectuosamente el brazo—. He hecho mal en mencionarlo. Estoy segura de que sir Edwin Baillie tiene unas excelentes cualidades. Harás un matrimonio eminentemente respetable. Y para ser sincera y buscarle algún defecto a esa chica, cabe decir que la señorita Wishart es demasiado joven para el conde y sin duda le aburrirá mortalmente al cabo de un mes. Bueno, espero que eso haga que te sientas mejor —añadió riendo.

Moira esbozó una sonrisa forzada. De pronto sus ojos se cruzaron con los del conde Haverford a través de la sala. Fue un momento tan angustioso como ella había imaginado. Él la miró fríamente, sin sonreír, y ella no pudo desviar la vista por más que volvió a experimentar una crispación en la boca del estómago y una sensación de vértigo. Al respirar sintió su aliento frío en sus fosas nasales. Temió que fuera a desmayarse.

Él apartó la vista, dijo algo a la señorita Wishart y le sonrió.

El desprecio que sentía hacia sí mismo salvó a Moira de la ignominia. ¿Cómo era posible que hubiera estado a punto de desmayarse por el hecho de ver a un hombre? ¿De ver a Kenneth? ¡Era inconcebible! ¡Eso nunca! Hizo lo que Harriet había hecho hacía unos minutos. Abrió su abanico y se abanicó la cara para refrescarse. De pronto sintió un calor tan intenso como el frío que había experimentado hacía unos momentos.

Capítulo 10

Los jóvenes parientes de Kenneth estaban muy animados. Las muchachas no cesaban de reírse; los jóvenes caballeros hablaban en voz demasiado alta y se reían a carcajadas. Ainsleigh, que había asumido el papel de miembro mayor y más formal del grupo, se había ofrecido para hacer de carabina, junto con su esposa, a los jóvenes. Todo indicaba que ambos estaban dispuestos a disfrutar de la velada y de la compañía de las personas que Helen había conocido en su juventud. Juliana Wishart era una joven dulce, tímida y risueña. Las gentes de Tawmouth y propiedades circundantes se mostraban sinceramente encantadas de que el número de asistentes hubiera aumentado de forma tan inesperada, especialmente debido a la presencia de tantos jóvenes, les aseguró el señor Penallen, palmoteando de gozo y frotándose las manos como si acabara de lavárselas. Y por supuesto se sentían especialmente honrados de contar con la presencia del conde de Haverford en su humilde reunión, se apresuró a añadir el reverendo Finley-Evans.

Kenneth inclinó elegantemente la cabeza ante las personas que se habían agolpado alrededor de ellos para saludarlos, pero apenas oyó los improvisados discursos de bienvenida. El corazón le latía aceleradamente y respiraba de forma trabajosa. Estaba más nervioso de lo que pudo haber imaginado. De hecho, ni siquiera había considerado el hecho de ponerse nervioso, pues asociaba el nerviosismo con la inminencia de una batalla. Tenía las palmas de las manos sudorosas. Comprendió casi de inmediato que ella estaba presente, pues vio a lady Hayes sentada cerca, junto a la señora Trevellas.

Entonces vio a Moira Hayes al otro lado de la sala, y sus ojos se encontraron con los de ella. Su vestido de color azul vivo era mucho más recatado que el que había lucido en el baile de Dunbarton. Llevaba el cabello peinado en un estilo más severo. Parecía una refinada señorita, un digno miembro de esta sociedad. Estaba integrada en su mundo como si jamás hubiera estado en la cima del acantilado, en plena noche, apuntándole al corazón con una pistola, mientras abajo en la playa los contrabandistas manipulaban sus mercancías. Como si jamás hubiera yacido en sus brazos en la cabaña del ermitaño sobre la colina y hubiera trocado su virginidad a cambio de sobrevivir. Como si jamás hubiera despreciado las convenciones sociales negándose a arrostrar las consecuencias de lo ocurrido esa noche.

Ella alzó el mentón sin apartar la vista de él. Él comprendió que si seguía mirándola con insistencia, los presentes se darían cuenta y lo comentarían. Estaba pálida. Pese a estar al otro lado de la sala, a la luz de las velas, estaba visiblemente pálida. Él desvió la vista y la fijó en Juliana Wishart sonriendo de manera forzada.

—¿Me hacéis el honor de bailar conmigo? —le preguntó.

La joven aceptó sonriendo y él se preguntó por qué no se había enamorado de ella. No había estado ciego a las miradas de envidia y admiración que algunos de sus jóvenes primos dirigían a la señorita Wishart. Pero, como era natural, ninguno había intentado captar su interés. Todos la consideraban propiedad de Kenneth. Pobre Juliana, habría gozado de una Navidad más divertida si su madre y la suya no se hubieran entrometido tanto.

Era un minueto, la música ejecutada en el piano sonaba algo más lenta de lo habitual. Él pudo conversar un poco con su pareja, lo cual hizo para distraerse y no pensar en que Moira Hayes estaba bailando con Deverall, uno de los terratenientes más ricos del otro lado del valle. Kenneth mantuvo la vista fija en Juliana.

—¿Estaréis durante la temporada social en la ciudad? —preguntó a la joven.

—Sí —respondió ésta—. Creo que papá piensa llevarnos allí, milord.

—Causaréis furor en la ciudad —dijo él sonriendo amablemente—. Seréis la envidia de todas las jóvenes damas. Tendréis a los caballeros rendidos a vuestros pies y compitiendo entre sí para presentaros sus respetos.

Por fin había verbalizado en su mente lo que sentía por ella. Un afecto como el que sentía por sus sobrinos.

Ella se ruborizó y sonrió.

—Gracias —dijo.

Él decidió que era preferible aclararle lo que sin duda ella ya sospechaba.

—No me cabe duda —dijo— de que antes de que finalice la temporada uno de esos afortunados caballeros habrá conquistado vuestra mano y vuestro corazón. Será la envidia de todos.

Vio en los ojos de la joven que ésta había captado el mensaje. Parecía... ¿aliviada?

—Gracias —dijo de nuevo.

De pronto él sospechó algo.

—¿Ya lo habéis identificado? —preguntó—. ¿Hay alguien especial?

—Milord...

El rubor de la joven se intensificó y durante unos momentos miró nerviosa a su alrededor. Pero su madre no estaba presente para dictarle lo que debía decir y cómo debía comportarse.

—Sí, hay alguien —dijo él—. Lo sospechaba. Debería obligaros a decirme su nombre y desafiar a dicho caballero a un duelo de pistolas al amanecer. —Habló con expresión risueña para que ella comprendiera que lo decía en broma, y de paso que no le había partido el corazón—. En vez de ello, os deseo toda la felicidad. Y la aprobación de vuestros padres.

Y con eso zanjó el asunto, sintiendo enorme alivio y quizás un pequeño sentimiento de culpa. Moira Hayes bailaba con su habitual elegancia y expresión de gran animación en el rostro. No le miró ni una vez durante el baile. Él tampoco lo hizo. Kenneth se preguntó si era tan consciente de su presencia como él lo era de la suya. La sensación le disgustaba, pero no estaba dispuesto a que le amargara la velada.

Cuando el minueto terminó y Ainsleigh solicitó la mano de la señorita Wishart para el próximo baile —Helen conversaba con un grupo de señoras de Tawmouth—, Kenneth atravesó con paso decidido la sala y se inclinó ante Moira Hayes y la señora Lincoln. Ésta le había visto acercarse con una sonrisa de grata sorpresa. Moira estaba hablando con ella, fingiendo que no se había percatado de que se dirigía hacia ellas. Él comprendió que con ello pretendía que captara el mensaje y cambiara de rumbo. Después de cambiar unas frases cordiales con la señora Lincoln fijó la vista en Moira.

—Se están formando las parejas para la cuadrilla —dijo—. ¿Querréis hacerme el honor de ser mi pareja, señorita Hayes?

Durante un tenso momento de silencio pensó que ella iba a negarse. Observó que la señora Lincoln se volvía para mirar sorprendida a su amiga. Pero Moira no se negó.

—Gracias —dijo con perfecta compostura. Se levantó y apoyó la mano en la suya.

—Parecéis indispuesta —dijo él cuando ocuparon sus respectivos lugares en la pista de baile. Estaba pálida y un poco ojerosa—. ¿Os habéis resfriado?

—No —respondió ella. Él supuso que rehuiría su mirada ante esta referencia indirecta a la noche que habían pasado juntos, pero ella le miró a los ojos—. Estoy perfectamente, gracias.

Él dedujo que la había enojado mostrando una preferencia por ella al pedirle que bailara con él antes de pedírselo a las otras señoras de Tawmouth. La había enojado pidiéndole que bailara con él.

—Sonreíd —le ordenó en voz baja.

Ella sonrió.

Él la observó mientras bailaban. Tenían escasa oportunidad de conversar, y ni siquiera aprovecharon las pocas ocasiones que se les presentaron. Cuando ella sonreía, mostraba uno de sus mejores rasgos, su dentadura blanca y regular. Siempre había constituido un atractivo contraste con su pelo y sus ojos oscuros. Ésta era la mujer que hacía menos de una semana se había acostado con él, pensó Kenneth —un pensamiento que le pareció irreal—, la mujer que había yacido debajo de él, respondiendo a sus caricias íntimas. No había sido un encuentro apasionado, pero en ambas ocasiones ella había respondido con ardor. Ella no había sabido utilizar ese ardor y él no se lo había enseñado, pero había estado presente.

Había tenido fundados motivos para no querer tocarla, pensó él. La respetable señorita Moira Hayes ocultaba una pasión latente. No había cambiado mucho en estos ocho años, pese a las apariencias externas. Ahora, más que nunca, temía tocarla. Y, sin embargo, no comprendía muy bien por qué. Había venido aquí para hablar con ella, para enfrentarse a ella, para reafirmar su posición. Pero quizás ése fuera el problema. No se sentía dueño de la situación frente a Moira. Y el hecho de darse cuenta le irritaba y turbaba. No estaba acostumbrado a que alguien se opusiera a su voluntad.

Al finalizar el baile, antes de que él pudiera acompañar a su pareja a su asiento junto a su amiga, anunciaron que la cena estaba servida. No se había percatado que había solicitado su mano precisamente para el baile antes de la cena. Pero él y sus amigos habían llegado tarde y las fiestas de pueblo a menudo acababan mucho antes que las fiestas en Londres. Miró a Moira arqueando las cejas y le ofreció el brazo.

—¿Queréis cenar conmigo? —preguntó.

Ella apretó los labios y respondió:

—Prefiero no hacerlo.

—Pero lo haréis. —Él agachó la cabeza para aproximarla a la suya, más irritado que antes. ¿Iba a ponerlo en ridículo y quedar ella como una maleducada?—. La gente nos observa.

Ella apoyó el brazo en el suyo.

Él decidió aprovechar ese momento tan oportuno. Si tenían que sentarse juntos a cenar, podrían hablar tranquilamente. Llegarían a un acuerdo, a un acuerdo más satisfactorio que la ambigua situación que se había producido la mañana después del baile. La mayoría de mesas dispuestas en el salón superior eran para cuatro comensales. Dos mesas situadas debajo de las ventanas estaban dispuestas para dos. Él la condujo a una de ellas y la ayudó a sentarse. La dejó allí para acercarse al bufet y llenar el plato de ella y el suyo. Cuando regresó a la mesa comprobó que les habían servido té.

—Durante la semana no he tenido noticia —observó sin perder un momento charlando de cosas intrascendentes— de que hayáis roto vuestro compromiso matrimonial.

—¿Ah, no? —respondió ella.

Él espero a que añadiera algo más, pero ella no dijo nada.

—¿Pensáis casaros con ese desdichado? —preguntó él.

—No. —Moira tenía las mejillas teñidas de rubor y sus ojos brillaron durante un momento hasta que recordó dónde se hallaba y asumió de nuevo una expresión neutra—. Al parecer pensáis que no tengo el menor sentido de la decencia. ¿Podemos hablar ahora sobre el tiempo?

—No —contestó él secamente—. Hablaremos sobre la necesidad de que nos casemos.

—¿Por qué? —inquirió ella—. No deseáis casaros conmigo, y yo no deseo casarme con vos. ¿Por qué debemos casarnos?

—Porque he estado dentro de vuestro cuerpo, Moira —respondió él sin andarse con remilgos—, donde sólo tiene derecho a estar un esposo. Porque he dejado mi semilla allí y es posible que dé fruto. Porque incluso aparte de esa posibilidad, es lo decoroso y honorable.

—¿Y el decoro y el honor —respondió ella— son más importantes que los sentimientos? ¿Los vuestros o los míos?

—¿Por qué os repele tanto la idea de casaros conmigo? —preguntó él, irritado—. Estabais dispuesta a casaros con Baillie, que para decirlo suavemente es un majadero.

Ella le miró indignada.

—Os ruego que cuidéis lo que decís en mi presencia, milord —replicó—. La respuesta debería ser obvia para vos. Sir Edwin no es responsable de la muerte de mi hermano.

Él contuvo el aliento.

—¿Me culpáis de la muerte de Sean?

—No habría participado en la Batalla de Tolosa si vos no le hubierais traicionado —contestó ella—. Y si al mismo tiempo no me hubierais traicionado a mí.

—¿Yo os traicioné? —Él sintió deseos de alargar los brazos a través de la mesa, agarrarla por los hombros y zarandearla. Pero recordó dónde se hallaba. Además, la cuestión de quién había traicionado a quién no era lo más importante en estos momentos—. Cierto, estoy de acuerdo en que Sean no habría estado allí. Podría haber colgado de una soga mucho antes de la Batalla de Tolosa. O en estos momentos podría estar viviendo en el otro extremo del mundo, encadenado a una pandilla de convictos como él. En el mejor de los casos podría estar viviendo en algún lugar, sumido en la pobreza y la deshonra con mi hermana, y en la más profunda desdicha, os lo aseguro. Esa vida no habría satisfecho a vuestro hermano. Hice lo que debía hacer.

—¿Quién os ha convertido en Dios? —le espetó ella con amargura.

Él suspiró y tomó su taza de té.

—Nos hemos desviado de la cuestión —dijo—. La cuestión es que hemos estado juntos, Moira, que hemos tenido una relación carnal. Los motivos que tuvimos para hacerlo, los sentimientos que experimentamos el uno hacia el otro, no importan en estos momentos. La cuestión es que debemos afrontar las consecuencias.

—Como un criminal debe afrontar las consecuencias de sus crímenes —dijo ella con tono quedo—. Hacéis que la idea del matrimonio parezca muy atractiva, Kenneth. A decir verdad, prefiero casarme con cualquier otro hombre en la Tierra que con vos, incluyendo a sir Edwin Baillie. Prefiero ser una solterona el resto de mi vida, que es lo que ocurrirá. Prefiero vivir en la miseria, lo cual quizá sea sólo una leve exageración de lo que me sucederá. Prefiero matarme. ¿Qué más puedo decir para convenceros de que podéis tomar vuestro sentido del honor y arrojarlo al mar?

Él sintió deseos de replicar a sus palabras en el mismo tono. Estaba furioso por su actitud desafiante, por sus acusaciones, por el desprecio que le demostraba. *Prefiero matarme.* Su instinto de sobrevivir había sido más acusado hacía unas noches, cuando había sido puesto a prueba. Entonces no había preferido morir. Él habría querido echárselo en cara, pero no tenía la libertad que tenía ella para demostrarle su desprecio. Arqueó las cejas y la miró fríamente.

—No —dijo—. Os habéis expresado con admirable elocuencia al

respecto. Por supuesto, tendréis que tragaros vuestras palabras si comprobáis que estáis encinta.

Ella apartó los ojos de los suyos durante unos instantes.

—Prefiero vivir deshonrada —dijo.

—Pero yo no puedo consentirlo —replicó él—. Ningún hijo mío será un bastardo, Moira. Si la situación se presenta, será inútil que os opongáis a mi voluntad. No ganaréis.

Al menos en esta cuestión, ella no se saldría con la suya.

—Es natural que seáis arrogante —dijo ella—. Vuestro aspecto y por supuesto vuestro linaje os lo permiten. Imagino que erais un oficial extraordinariamente eficaz.

—Mis hombres aprendieron que la mejor forma de tratar conmigo era obedecer mis órdenes.

Ella sonrió con gesto divertido.

—Pero yo no soy uno de vuestros hombres, Kenneth —dijo.

Él recordó de pronto lo diferente que era, en efecto, de sus hombres. Pero no quería recordar lo mucho que la había deseado mientras procuraba que entrara en calor, e incluso antes. Ese recuerdo sólo complicaría la cuestión.

—Os concederé lo que deseáis —dijo—, puesto que al parecer una semana de reflexión no ha conseguido que recapacitéis. Os lo concedo porque siento lo mismo que vos. Pero sólo en caso de que el hecho de habernos acostado juntos no tenga consecuencias, Moira. Si las tuviera, debéis mandarme llamar sin dilación. Quiero oíros decir que estáis de acuerdo.

—Qué gótico sois, Kenneth —respondió ella—. Esto y el látigo. ¿Debo ponerme firme cada vez que lo hagáis restallar?

Inopinadamente, y mal que le pesara, él sonrió divertido. Hasta el extremo de que se arrellanó en su silla y la miró sonriendo lentamente.

—Dudo de que necesitara un látigo —respondió sintiendo de inmediato la duda que acababa de negar.

—Lo que faltaba —replicó ella poniendo los ojos en blanco—. Os ruego que no completéis esa reflexión, pues acabo de comer. Ibais a decirme que os basta vuestro encanto para dominarme.

Él soltó una carcajada. Pero volvió a inclinarse hacia ella antes de levantarse y ofrecerle el brazo para acompañarla de nuevo al salón de baile.

—Si hay un niño, os casaréis conmigo, Moira —dijo—. Por el bien del niño si no por el vuestro. Y os juro que si tratáis de resistiros conoceréis la fuerza de mi ira.

Ella no se levantó. Incluso en un asunto tan nimio como el hecho de que él la acompañara al salón de baile estaba decidida a oponer su voluntad a la suya.

—Iré a reunirme con Harriet Lincoln —dijo, indicando con la cabeza una mesa cercana—. Gracias por acompañarme a cenar, milord, y ofrecerme el placer de vuestra compañía. Ha sido un gran honor.

Él hizo una profunda reverencia.

—El placer ha sido mío, señorita Hayes —dijo, tras lo cual se dirigió hacia el salón contiguo, sonriendo y saludando con la cabeza a las personas con las que se cruzaba.

El pulso seguía retumbándole en los oíos. Sentía deseos de cometer un asesinato, pensó. Y como no podría hacerlo, sintió la necesidad de poner a alguien un ojo a la funerala, partirle la nariz y romperle los dientes. Puesto que ninguna de esas opciones era oportuna en esta ocasión, fue a sacar a bailar a la jovencísima señorita Penallen.

Moira respiró hondo para calmarse. Confiaba en que fuera obvio para todos los presentes en la sala que Kenneth y ella se habían dedicado sólo a departir de forma cordial. Cada vez que se había acordado de sonreír, lo había hecho. Él había sonreído durante casi todo el rato. Era bastante desconcertante discutir con un hombre que no dejaba de sonreír.

Ella preferiría casarse con un sapo, pensó, pero ese pensamiento poco caritativo y un tanto estúpido sólo consiguió que volviera a irritarse. Sonrió alegremente antes de levantarse e ir a reunirse con Harriet y el señor Meeson en una mesa cercana. Pero alguien se apresuró a sentarse en el lugar que el conde de Haverford acababa de dejar vacante. Alguien que también sonreía.

—Alejaos de él —se apresuró a decir la vizcondesa de Ainsleigh. Moira arqueó las cejas.

—Las cosas os han ido muy bien —prosiguió Helen—. Una vez muerto papá, y a las pocas semanas de que mi hermano regresara aquí, os las arreglasteis para ir a visitarlo y lograr que él os devolviera la visita. Por supuesto, imagino que no tuvisteis nada que ver con esa feliz circunstancia. Fue cosa de sir Edwin Baillie. Sin duda no hicisteis nada por animarlo a ir a visitaros —añadió con tono sarcástico.

—Sir Edwin Baillie es ahora dueño de Penwith —respondió Moira con firmeza—, y ejerce su autoridad como cree oportuno. Pero en cierta ocasión estuvisteis dispuesta a desafiar esa vieja disputa, Helen. Cabría pensar que os alegraríais de que hubiera terminado.

Helen la miró furiosa durante unos momentos, pero se acordó de volver a sonreír.

—Qué oportuno para vos —dijo— que sir Edwin decidiera, por supuesto sin que le indujerais a ello, regresar precipitadamente a su casa en medio del baile organizado por Kenneth, y que Kenneth insistiera en bailar con vos una segunda vez y que luego, cuando os sentisteis demasiado preocupada por vuestra madre para aceptar su hospitalidad en Dunbarton, os acompañara personalmente a casa. Qué oportuno que él no pudiera regresar y se viera obligado a pernoctar en Penwith. Casi cabría pensar que todo había sido planeado.

—¿Creéis que yo planeé el temporal de nieve? —preguntó Moira con desdén.

No esperaba la hostilidad que Helen le había mostrado durante el baile en Dunbarton ni ahora su controlada furia.

—Supongo —respondió Helen— que no tardaremos en tener noticia de la desafortunada ruptura de vuestro compromiso matrimonial. Me pregunto quién pondrá fin a él. Sería humillante para vos que lo hiciera sir Edwin, pero una vergüenza para vos que lo hicierais vos misma. Tenéis que tomar una decisión difícil, señorita Hayes. Por supuesto, habrá valido la pena si con ello os lleváis un premio más apetecible. Mi hermano es un partido tentador, ¿verdad?

Moira arrugó el ceño y bajó la vista para dejar la servilleta junto a su plato. No comprendía ese ataque por parte de Helen. A diferencia de sus hermanos, ella y lady Helen Woodfall apenas habían tenido trato de niñas. Se habían evitado tal como sus respectivas familias les habían ordenado.

—¿Sentís amargura por lo ocurrido con Sean? —preguntó Moira.

—¿Amargura? —Helen se inclinó hacia delante en su silla—. ¿Porque me amaba y se habría casado conmigo y me impidieron hacerlo? Si queréis podéis decir que fueron mi padre y hermano quienes me lo impidieron, pero no imaginéis que no sé quién nos traicionó. ¿A quién se lo dijisteis? ¿A Kenneth? ¿Acaso ya tratabais en esa época de conquistar su favor? Siempre lo sospeché. Pero no lo conseguisteis.

—Supuse que le complacería —respondió Moira—. Supuse que trataría de ayudaros. Yo...

Qué ingenua había sido. Le había creído cuando le había dicho que la amaba. Había creído que estaba dispuesto a casarse con ella, a pelearse con su padre y el de ella con tal de conquistar su mano. Había pensado que le complacería saber que Sean y Helen se unirían a la lucha. No se le había ocurrido que la perspectiva de que Sean se casara con Helen induciría a Kenneth a hacer lo que había hecho y a decir las mentiras que había dicho. Recordarlo de nuevo hizo que se sintiera de nuevo indispuesta.

Helen la miró sonriendo.

—Supuse que erais más lista —dijo con desdén—. Imaginé que me ofreceríais una docena de negativas y explicaciones y excusas. Quizá resulte que tenéis conciencia. Alejaos de Kenneth. Va a casarse con Jualiana Wishart, un enlace que complace mucho a su familia.

—En tal caso no tenéis nada que temer de mí —replicó Moira con aspereza.

Estaba de nuevo furiosa. ¿Había pensado que al asistir a esta fiesta se sentiría más animada? De pronto recordó la tarde a primeros de diciembre, hacía menos de un mes, cuando había robado una hora para subir a la hondonada en los acantilados. Durante esa hora había pensado ilusionada, con calma y sensatez, en los cambios que iban a producirse en su vida. Y de pronto había aparecido Kenneth en el horizonte. ¡Cuántas cosas habían ocurrido desde entonces! Desde ese día su vida había quedado para siempre destrozada.

Y todo porque él había roto una promesa y había regresado a casa.

—Alejaos de él —repitió Helen, tras lo cual sonrió de nuevo, se levantó y desapareció a través de la puerta que daba al salón de baile.

¿Y Kenneth, conde de Haverford, deseaba que ella se casara con él?, pensó Moira. ¿Para convertir a Helen en su cuñada y a la condesa en su suegra? La mera idea era aterradora.

De repente Moira se arrepintió de haber comido. Pero ¿había comido? Al bajar la vista y mirar su plato comprobó que aún quedaba comida en él, aunque quizá menos que antes. Qué estupidez no recordar si había comido o no. Se había bebido la mitad del té. Sentía fuertes náuseas, seguidas del pánico al pensar en lo que indicaban.

Se comportaba como una tonta, pensó, esforzándose en desterrar esos pensamientos de su mente. Se levantó y se dirigió hacia la mesa de Harriet, sonriendo e ignorando las náuseas.

Capítulo 11

El sol que se filtraba a través de la ventana de la habitación del desayuno auguraba un buen día y un buen año nuevo. La nieve prácticamente había desaparecido, dejando la hierba un tanto pálida. Pasaría al menos un mes antes de que asomaran los primeros brotes de primavera. Las ramas desnudas de los árboles se recortaban contra un cielo azul.

Moira miró a través de la ventana, acodada sobre el pequeño escritorio en el que había estado escribiendo, con la barbilla apoyada en la mano. Ante ella estaba la carta que había terminado, mientras la tinta se secaba. Era la carta más difícil que había escrito en su vida. Quizás era adecuado que la escribiera el primer día del nuevo año.

¿Qué sería de ella?, se preguntó. ¿Qué sería de su madre? Sir Basil Hayes apenas había podido dejarles nada en su testamento. Estaban casi enteramente a merced de sir Edwin Baillie. Pero ¿cómo podían esperar ninguna generosidad de él después de que ella le hubiera humillado rompiendo su compromiso con él? Esas cosas no se hacían. De haberse movido Moira en unos círculos sociales más importantes, habría bastado para que la condenaran al ostracismo para el resto de su vida. Incluso aquí en Tawmouth le costaría mantener la cabeza alta y que sus amigos la recibieran en sus casas.

Dobló la carta con cuidado. No caería en la autocompasión. Era la única culpable del aprieto en que se encontraba ahora. Se levantó. Había llegado el momento de enviar la misiva. Iría caminando a Tawmouth. El ejercicio le sentaría bien. Esa mañana seguía sintiendo náuseas. La sensación desaparecería en cuanto hiciera lo que tenía que hacer. Era la indecisión, el sentimiento de culpa lo que había hecho que se sintiera indispuesta toda la semana. En cuanto regresara a casa, hablaría con su madre.

Pero su madre entró apresuradamente en la habitación antes de que ella alcanzara la puerta. Lady Hayes portaba una carta abierta en la mano.

—Ay, querida Moira —dijo—, es una carta de Christobel Baillie y al parecer hemos juzgado mal a sir Edwin. Creíamos que se preocupaba en exceso por la salud de su madre. Pero la pobre está en su lecho de muerte, según palabras de la propia Christobel. Tú misma puedes leerla. El médico les ha advertido que su muerte es inminente. El pobre sir Edwin está trastornado de ansiedad y dolor y es incapaz de escribirnos él mismo.

Moira tomó la carta de manos de su madre y la leyó. Al parecer era cierto. La señora Baillie agonizaba. Quizá ya hubiera muerto.

—«Sólo el convencimiento de mi hermano, señora, de que vos y su estimada prometida se sienten tan angustiadas como nosotros —había escrito Christobel— es lo que le consolará durante los próximos días. Edwin nos ha dicho que tendremos una querida madre que ocupará el lugar de nuestra adorada madre, y una nueva hermana. Por supuesto, siempre hay luz más allá de la oscuridad.»

Moira se mordió el labio con fuerza y le sorprendió comprobar que el folio que sostenía ante ella le había nublado la visión. *Estabais dispuesta a casaros con Baillie, que para decirlo suavemente es un majadero.* Con esa crueldad había despachado Kenneth anoche a un hombre. Y ella le había traicionado gravemente. Y sin embargo era un hombre que amaba a su madre y a sus hermanas y que, a su manera, quizás incluso las amaba a ella y a su madre. ¿Era eso tan estúpido?

—Sí, querida. —Sus lágrimas habían provocado también las de su madre—. Nos secaremos los ojos, tomaremos una taza de té y luego ambas les escribiremos una carta. Yo escribiré a Christobel y a sus hermanas. No creo que sea indecoroso que tú escribas a sir Edwin. Es natural que le escribas dadas las circunstancias, especialmente dado que es tu prometido. —Fue entonces cuando lady Hayes se fijó en el papel doblado que su hija sostenía en la mano—. Pero ¿ya le has escrito?

Moira estrujó el folio.

—Sí, pero esta carta ya no es adecuada —dijo—. Le escribiré otra. Pobre sir Edwin. Solía burlarme de su ansiedad, pero resulta que era fundada. Me arrepiento de haberlo hecho.

—Yo también me arrepiento, Moira —dijo su madre tirando de la campanilla para pedir que les trajeran el té—. Debemos aprender a valorar a ese joven. Es un poco pomposo y su conversación es aburrida, pero he llegado a pensar que será un marido y un yerno excelente y leal. —Lady Hayes sonrió y se enjugó los ojos con el pañuelo—. Pobre prima Gertrude.

Debió escribirle hacía seis días, pensó Moira. En lugar de buscar excusas, debió escribir a sir Edwin en cuanto el conde de Haverford se marchó la mañana después del baile y ella se levantó y tomó una bebida caliente. Ahora era más difícil enviarle esa carta. De hecho, era casi imposible, y sería aún más difícil cuando recibieran la noticia de que la señora Baillie había fallecido. Tendría que esperar un tiempo prudencial para escribirle. ¿Cuánto? ¿Una semana? ¿Un mes? ¿Más de un mes? De pronto Moira comprendió que, como es natural, sir Edwin decidiría postergar la boda, quizá durante el año que durara de luto. Le pareció un alivio temporal..., o un motivo para seguir aplazando el tema.

Moira se sentó apresuradamente en la silla más cercana, inclinó la cabeza hacia delante, con los ojos cerrados, y tragó saliva varias veces seguidas. Sólo mediante un esfuerzo de voluntad logró reprimir las ganas de vomitar. ¿Y si...? Pero se apresuró a sofocar el pánico que amenazaba con hacer presa en ella. Era sólo la culpa lo que hacía que sintiera náuseas. Se arrepentía amargamente de no haber escrito la carta hacía cinco días.

A fines de enero, Kenneth se quedó de nuevo solo en Dunbarton. Su madre había sido la última en marcharse. Había ido a pasar un par de meses con su hermana antes de regresar a Norfolk.

Era agradable estar solo. Podía concentrarse en el trabajo. Durante las Navidades se había dado cuenta de que sabía muy poco de agricultura y de administrar una extensa propiedad. Pero estaba decidido a adquirir los conocimientos precisos, de modo que durante unas semanas se dedicó a estudiar con ahínco, tanto en casa, donde leía libros sobre ambos temas, como fuera, mientras recorría los campos y prados y conversaba durante horas con los labriegos y consultaba con su administrador. La primavera estaba en puertas y quería estar preparado para tomar él mismo las decisiones oportunas sobre sus explotaciones agrícolas.

De vez en cuando sentía la tentación de marcharse. Aunque sus vecinos le habían acogido bien y nunca le faltaban invitaciones para almorzar, jugar una partida de cartas o ir de caza, se había dado cuenta de que no podría hacer amigos íntimos aquí. Le tenían en una estima demasiado alta, era demasiado respetado. De no haber hecho amigos íntimos durante sus años en el regimiento de caballería, quizás habría sentido la necesidad de establecer unos lazos profundos de amistad entre sus vecinos, pero ya contaba con unos excelentes amigos.

Nat y Eden habían decidido ir a Stratton Park en Kent para pasar una temporada con Rex. Ambos habían tenido problemas en la ciudad —lo cual era más que previsible— durante las fiestas navideñas. Eden había tenido la desgracia de que le pillaran en la cama con una mujer casada, por el marido de ésta, cuya existencia él desconocía. Nat había sentido el nudo de la soga alrededor el cuello a raíz de besar a una señorita debajo del muérdago, haciendo que la familia de la joven albergara esperanzas de un compromiso formal. Kenneth se identificaba con su amigo en esa situación. De modo que ambos habían decidido que lo más prudente era quitarse de en medio durante una temporada y alojarse en casa de Rex, y querían que él se reuniera con ellos en Stratton.

La tentación era muy fuerte. Sería agradable volver a verlos a los tres. Pero sabía lo que ocurriría al cabo de los primeros días. Se sentiría de nuevo inquieto. Además...

Además, pensó apretando los dientes unos días después de que su madre se marchara, hacía más de un mes que había concluido una disputa, y las dos familias implicadas en ella habían vuelto a tratarse. Sin embargo, no se había acercado por Penwith Manor desde la mañana después del baile en Dunbarton. Y no había visto a lady Hayes ni a Moira desde la fiesta de Año Nuevo. Les debía una visita, por más que le resultara tan poco apetecible e ingrata como sin duda les resultaría a ellas. Por otro lado, durante una visita que el reverendo Finley-Evans le había hecho la víspera, había averiguado algo que hacía imprescindible que fuera a presentar sus respetos a lady Hayes y a su hija.

Al día siguiente por la tarde se dirigió a caballo a Penwith acompañado por *Nelson*, que no cesaba de brincar junto a su montura. Era un día particularmente soleado, casi primaveral. Quizá, pensó, el tiempo había inducido a las damas a salir de casa. Casi confiaba en que así fuera, hasta que comprendió que en tal caso tendría que volver a intentarlo al día siguiente.

Lady Hayes se hallaba en casa; la señorita Hayes había ido a Tawmouth caminando, según le informó el criado que le abrió la puerta. Kenneth sintió cierto alivio, pero no duró mucho. Pasó unos incómodos quince minutos conversando con lady Hayes, expresándole sus condolencias por el reciente fallecimiento de la madre de sir Edwin Baillie. Ella apenas despegó los labios y se sentía tan incómoda como él, pero hizo un comentario bastante significativo. Sir Edwin había juzgado oportuno aplazar su boda hasta al menos el otoño, quizá durante todo el año que durara su luto.

De modo que Moira Hayes no había roto aún su compromiso.

Kenneth se marchó después de declinar la invitación de tomar el té y regresó cabalgando lentamente por el valle. No sabía si atravesar el puente sobre la cascada cuando llegara a él y tomar la carretera hacia la colina situada al otro lado, o descender por el valle hasta Tawmouth. En tal caso, quizá no se encontrara con Moira. ¿Y de qué le serviría encontrarse con ella? Había pedido a lady Hayes que le transmitiera sus condolencias. ¿Y si ella decidía casarse con Baillie pese a todo, quién era él para inmiscuirse? Dudaba de que Baillie tuviera mucha experiencia en materia sexual. Quizá ni siquiera se percataría de que su esposa no era virgen. Puede que ella consiguiera engañarlo.

Ni siquiera trataría de verla, pensó cuando llegó al puente. Hizo que su caballo se subiera a él y llamó con un silbido a *Nelson*, el cual se había adelantado. No obstante, cuando alcanzó el centro del puente se detuvo y desmontó. Hacía un día espléndido. Uno casi podía imaginar que lucía un sol cálido. El sol relucía sobre el agua que caía sobre la pequeña cascada y proseguía hacia el mar. Éste era sin duda uno de los lugares más hermosos de Inglaterra. En ambas riberas crecían frondosos helechos cuyas ramas colgaban sobre las aguas. El baptisterio se hallaba en la cima de la colina, sobre los árboles, desde la cual se divisaba un magnífico paisaje. Kenneth se volvió y alzó la vista para contemplarlo después de apoyar los brazos sobre el pretil de piedra cubierto de musgo del puente.

No recodaba las veces que se había encontrado con ella, después del primero e imprevisto encuentro en la cala cuando él era niño. ¿Diez veces? ¿Una docena? No mucho más. No era fácil para las jóvenes de buena familia salir solas, escapar de la estrecha vigilancia de sus madres, doncellas e institutrices. Y él tenía una conciencia muy acusada, más que ella. Moira solía reírse de él cuando se ponía nervioso pensando en lo que le ocurriría a ella si la descubrían. Se quitaba las horquillas del pelo y dejaba que su melena le cayera sobre los hombros. Si se hallaban en la playa, se quitaba los zapatos y las medias y los dejaba a un lado antes de echar a correr descalza sobre la arena. En su ingenuidad no se daba cuenta de que su conducta estimulaba la pasión en él. Pero en lo fundamental él se había comportado como un joven y educado caballero. Algunos besos robados...

Nelson se puso a ladrar alegremente y echó a correr por la otra ribera para ir a saludar a alguien. Ella lucía la capa y el sombrero de color gris que Kenneth ya conocía. Estaba sola. Él respiró hondo para gritar a *Nelson* que regresara, pero el perro la había reconocido y estaba claro que había rechazado toda idea de que fuera una posible enemiga. Meneaba la cola con alegría. Moira se quedó inmóvil durante unos momentos, pero enseguida bajó la mano para dar unas palmadas al animal en la cabeza cuando éste se detuvo frente a ella y la saludó restregando el morro contra su falda. Entonces alzó la vista y miró hacia el puente.

Él no fue a su encuentro cuando ella se le acercó. Se quedó donde estaba, observándola. Ella caminaba con su acostumbrada elegancia. Cuando alcanzó el extremo del puente y se detuvo, observó también que estaba muy pálida. De hecho, parecía indispuesta.

—Hola, Moira —dijo él.

—Milord.

Ella le miró con expresión seria, sin pestañear.

—He ido a visitar a lady Hayes —dijo él.

Ella arqueó las cejas pero no respondió.

—Para presentarles mis condolencias —añadió él—. Tengo entendido que sir Edwin Baillie perdió a su madre hace menos de una semana.

—Llevaba enferma desde antes de Navidad —respondió ella—, y poco después su estado se agravó. Pero pese a que sir Edwin preveía este desenlace, ha sido un golpe muy duro para él. Está muy unido a su familia.

—¿Y vos? —preguntó él—. ¿Seguís pensando en casaros con él?

—Esto sólo me incumbe a mí, milord —contestó ella—, y a él.

Kenneth seguía apoyado sobre el pretil del puente, mirándola de refilón. Hasta los labios los tenía pálidos.

—¿Habéis estado indispuesta? —le preguntó.

—Más que indispuesta, obligada a permanecer en casa durante buena parte del mes debido al mal tiempo —respondió ella—. Por fortuna, pronto llegará la primavera.

Los ojos de él se pasearon sobre su figura, examinándola. Parecía más delgada de lo habitual. No obstante, le preguntó:

—¿Estáis encinta, Moira?

Ella alzó un poco el mentón.

—Por supuesto que no —contestó—. Qué idea tan ridícula.

—¿Ridícula? —dijo él—. ¿Nunca os han explicado lo de los pájaros y las abejas?

—Si seguís pensando que tendréis que hacer el supremo sacrificio —dijo ella—, permitid que os asegure que no estoy encinta. No tenéis ninguna obligación hacia mí. Sois libre para cortejar a la señorita Wishart y declararos a ella. Supongo que lo habréis aplazado. Pues no es necesario que lo hagáis. La primavera es una época magnífica para una boda.

—Lo tendré en cuenta —dijo él—. Es muy reconfortante saber que cuento con vuestra bendición.

Ambos se miraron mientras *Nelson* atravesaba el puente y se acercaba al caballo, que pacía junto a la ribera.

—Buenos días, milord —se despidió ella por fin.

—Buenos días —respondió él—. Señorita Hayes.

Él contempló de nuevo el agua mientras ella seguía adelante. Esperó hasta experimentar una sensación de alivio, que cuando se produjera la abrumaría. Durante todo el mes le había acechado la inquietud, el temor. No sentía nada. Siempre —o casi siempre— había tratado de hacer lo correcto. Había entablado amistad con Sean contrariando las órdenes de su padre, pero había cortado su amistad con él cuando éste se había hecho mayor y más alocado. Había continuado sus citas clandestinas con Moira pese a que era una joven de buena familia y para colmo una Hayes. Pero nunca había tratado de inducirla a mantener una relación íntima con él más allá de algún que otro beso casto, y se había propuesto poner su amor hacia ella a prueba sacándolo a relucir, para reforzar su firme intención de casarse con ella. Por mor de una vieja amistad había hecho la vista gorda a las actividades delictivas de Sean, convenciéndose de que ejercer el contrabando en la zona de Tawmouth no era un asunto tan grave. Sólo había actuado al averiguar que Sean cortejaba a Helen. Quizás equivocadamente. ¿Quién sabe? Era imposible saberlo. Había seguido los dictados de su conciencia, y de paso había descubierto unas cosas sobre Moira que habría preferido ignorar. Se había roto él mismo el corazón.

No sintió el alivio que supuso que sentiría al saber que no había dejado a Moira preñada la noche del baile. *No tenéis ninguna obligación hacia mí.* La voz no le había temblado al decir eso. Lo había dicho en serio. Pero él no podía creerlo, por más que lo intentara. La había deshonrado, pero ella no permitía que aplacara su conciencia.

Aunque era absurdo, Kenneth lamentaba profundamente haber bajado a la playa y haber entrado en la cala ese día hacía muchos años, cuando era joven, para sentarse a reflexionar. Si no se hubieran encontrado ese día, su vida habría tomado un curso muy distinto.

Soltó una amarga risotada, se incorporó y se dirigió hacia la ribera, donde estaba su montura. Qué idea tan ridícula. *Qué idea tan ridícula.* Ella había pronunciado precisamente esas palabras hacía unos minutos. Para quitar hierro al asunto. Como si fuera imposible que la semilla de él hubiera arraigado en ella.

Él se preguntó cómo resolvería el sentimiento de culpa que le atormentaba durante las próximas semanas y los próximos meses.

¿Por qué lo había negado?, se preguntó Moira mientras ascendía por el valle. Se le había presentado una oportunidad perfecta, y la había desperdiciado.

¿Estáis encinta, Moira?

Por supuesto que no. Qué idea tan ridícula.

¿Imaginaba que si seguía negándolo conseguiría que no fuera verdad? Su madre quería mandar llamar al doctor Ryder, pero ella le había asegurado que se sentía indispuesta sólo porque le había hecho mal tiempo desde principios de mes. Durante la semana anterior, desde que había recibido la noticia de la muerte de la señora Baillie, no le había vuelto a preguntar el motivo de su palidez o su falta de apetito. Moira había analizado sus síntomas, incluso la ausencia de su menstruación, y había hallado una docena de explicaciones, una docena, además de la que su mente se negaba a aceptar.

Por supuesto, hacía unos días que sabía —quizás incluso por una extraña intuición desde el principio— el motivo de que se sintiera constantemente indispuesta.

Tenía que decírselo a él.

Él acababa de preguntárselo sin rodeos. Y ella lo había negado.

Tendría que escribir a sir Edwin.

La madre de éste acababa de fallecer, y él le había escrito una carta llena de conceptos pomposos, y de un profundo dolor.

Tendría que contárselo a su madre.

Mañana.

—Mañana y mañana y mañana —murmuró en voz alta. Era una cita literaria. ¿Pope? ¿Shakespeare? ¿Milton? Su mente no funcionaba. De todos modos, no era importante.

Mañana lo haría todo: hablar con su madre, escribir a sir Edwin, enviar recado a Kenneth.

Lord Pelham y el señor Gascoigne fueron a Cornualles en marzo para pasar una temporada con su amigo. Rex Adams, el vizconde de Rawleigh, no les había acompañado aunque los tres habían estado unos días juntos, primero en Stratton Park y luego en Bodley House en Derbyshire, la casa del hermano gemelo de Rex.

—Nos largamos de allí a toda prisa —explicó lord Pelham riendo mientras los tres amigos conversaban en Dunbarton durante su primera velada juntos. Seguían sentados a la mesa de cenar, bebiendo unas copas de oporto, aunque llevaban allí un buen rato y hacía mucho que los criados habían retirado las bandejas de comida—. Por el motivo que puedes imaginarte.

—¿Una mujer? —inquirió Kenneth arqueando las cejas.

—Una mujer —respondió el señor Gascoigne—. Una verdadera belleza, Ken. Y para colmo, viuda. Lamentablemente, era la única belleza en todo Derbyshire, según pudimos comprobar.

—Deduzco —dijo Kenneth sonriendo—, que no se fijó en ti, Nat, ¿me equivoco? Qué se sintió más atraída por Eden o por Rex.

—En realidad, por ninguno de nosotros —dijo el señor Gascoigne con fingida tristeza.

—Aunque para ser justos con nuestras atractivas y seductoras personas —terció lord Pelham—, debo añadir que Nat y yo no tuvimos oportunidad de tratar de encandilarla con nuestros encantos. Rex se encaprichó de ella y nos obligó a retirarnos antes de que intentáramos conquistarla. Suponemos que ella le dio calabazas.

—¿A Rex? —preguntó Kenneth sin dejar de sonreír. Se sentía tremendamente complacido de haberse reunido de nuevo con sus amigos—. Debió de ser un duro golpe para su amor propio. Es raro que una mujer le rechace.

—Se fue de Bodley sin apenas despedirse —explicó el señor Gascoigne—, arrastrándonos a nosotros con él. La señora Adams, la esposa de su hermano, debió de quedarse perpleja al comprobar que Rex se había marchado. Tiene una hermana casadera y estaba decidida a propiciar un compromiso entre ambos.

—Pero se negó a venir aquí con nosotros —dijo lord Pelham—. Decidió regresar a su casa en Stratton como un perro apaleado que anhela quedarse a solas para lamer sus heridas. Daría lo que fuera por haber escuchado la última conversación que tuvo con la apetecible, y sin duda virtuosa, señora Winters.

Todos rieron de buena gana, aunque no burlándose de su amigo. Durante ocho años se habían apoyado entre sí, se habían reído unos de otros, habían combatido juntos, y se habían ayudado mutuamente a cargar con el peso de una vida difícil y peligrosa. Durante esos años todos habían mantenido relaciones con mujeres, por lo general muy satisfactorias, a veces no. Nunca habían dejado que uno de ellos se deprimiera por un fracaso. Se habían reído del perdedor y le habían insultado hasta conseguir que saliera de su abatimiento, siquiera para contraatacar.

—Hizo bien en volver a su casa —dijo lord Pelham—. Se comportaba como un oso atado a un poste. Parecía un adolescente enamorado. No era una compañía alegre, ¿verdad, Nat?

—Trataré de convencerlo para que venga —dijo Kenneth antes de que la conversación girara en torno a él y sus amigos le exigieran un relato preciso de sus aventuras sentimentales desde su llegada a la campiña. Se negaban a creer que no hubiera tenido ninguna y en vista de que no parecía que hubiera ninguna en perspectiva, se inventaron unas historias sentimentales a cual más escandalosa referente a Kenneth hasta que los tres rompieron a reír a mandíbula batiente.

—Pero dejando aparte la imaginación —dijo por fin lord Pelham—. ¿Qué diversiones puedes ofrecernos aquí, Ken? ¿Aparte del paisaje, paseos a caballo, la caza y una buena bodega? ¿Qué haces cuando deseas tener compañía?

—Se refiere a una mujer preferiblemente joven y bonita, Ken —agregó el señor Gascoigne.

—Aquí en el campo viven varias familias —respondió Kenneth encogiéndose de hombros—, que tienen varias hijas solteras.

—Pardiez —exclamó lord Pelham—, suena como el maná en el desierto, Ken, después de las semanas que hemos pasado en Bodley.

—Ellas y sus madres se llevarán una gran alegría cuando se enteren de vuestra llegada —comentó Kenneth—. ¿Cuánto hace que habéis llegado? ¿Cuatro horas? ¿Cinco? Deduzco que todas las personas que vivan en un radio de quince kilómetros de Dunbarton ya se habrán enterado. Las invitaciones llegarán por docenas.

—Espléndido —dijo el señor Gascoigne—. Pero ¿no has conocido a ninguna que te guste, Ken? ¿Crees que nos está mintiendo, Ede?

—Supongo que sí, Nat —respondió lord Pelham—. Pero conseguiremos sonsacarle la verdad. Estaremos al tanto para descubrir a la dama que ha conseguido que los ojos le hagan chiribitas.

—Y la única mujer a la que no permitirá que nos acerquemos —apostilló el señor Gascoigne—. Seguro que será la más bonita. Confieso que empiezo a ponerme de malhumor, Ede.

Lord Pelham sonrió.

—Tómate otra copa de oporto —dijo.

Capítulo 12

Moira apenas había visto a Kenneth en los casi dos meses desde que se había encontrado con él cuando regresaba a casa andando desde Tawmouth una tarde. Se habían visto varias veces en misa y se habían saludado con una inclinación de cabeza, habían cambiado unas frases de cortesía un día en la calle cuando ella iba acompañada por Harriet, habían hablado del tiempo un minuto en casa de los Meeson una tarde cuando ella estaba a punto de dar por terminada su visita y él acababa de llegar para visitarlos, y ambos habían cambiado de dirección cuando caminaban por la cima del acantilado a fin de pasar lo suficientemente lejos el uno del otro para saludarse con una mera inclinación de cabeza.

Pero tuvo menos suerte la noche en que los Trevellas organizaron en su casa una reunión a la que lady Hayes se empeñó en asistir. Al llegar se enteraron de la noticia que todo Tawmouth comentaba. El conde de Haverford tenía dos nuevos invitados en su casa en Dunbarton, unos jóvenes caballeros de gran fortuna. Uno de ellos incluso era un barón, explicó la señora Trevellas a lady Hayes, aunque decían que el otro caballero, que no poseía ningún título, estaba también muy bien relacionado y era tan rico como el anterior.

El señor Trevellas, la única persona presente en la reunión que había visto a los dos caballeros durante el día, no se había fijado en si eran apuestos, pero, como comentó la señorita Pitt —y las otras damas asintieron como felicitándola por la sensatez de sus palabras—, si eran unos caballeros jóvenes y elegantes y amigos de lord Haverford, cabía suponer que serían al menos pasablemente apuestos.

—Han sido invitados a asistir a esta reunión —informó Harriet Lincoln a Moira con una sonrisa, tomándola del brazo y conduciéndola hacia un par de butacas alejadas del grupo de gente que se había agolpado alrededor del señor Trevellas, quien mostraba una expresión claramente triunfal—, y han aceptado. Será una velada de lo más divertida. Es una suerte que los Grimshaw hayan regresado a casa después de una ausencia de cuatro meses y hayan traído con ellos a sus cuatro hijas. Estoy convencida de que la señora Grimshaw ya habrá empezado a planificar una doble boda. Sin duda sueña con una triple boda, pero el tono de su voz cuando se refiere al conde revela que se siente un tanto intimidada por él. Creo que lo considera muy superior a ellos —añadió riendo.

—La hija mayor de los Grimshaw se ha convertido en una chica bastante atractiva —comentó Moira—. Y tiene unos modales exquisitos.

—Creo que esta noche lo pasaremos muy bien —dijo Harriet—. Especialmente dado que Edgar Meeson, que se ha convertido en un joven muy apuesto, sólo tiene ojos para la mayor de los Grimshaw. Nos quedaremos sentadas aquí y observaremos y nos reiremos de todos menos de nosotras mismas. Es de esperar que los amigos del conde sean unos caballeros apuestos, naturalmente, pero mientras se comporten con educación y muestren cierto interés en las jóvenes hijas de Tawmouth, mañana por la mañana todos afirmarán que son los hombres más guapos que jamás han visto. Te lo aseguro.

—Supongo —dijo Moira— que el conde de Haverford asistirá también.

—Seguramente —respondió Harriet—. Pero no nos ocuparemos de él, Moira, aparte de echar un rápido vistazo a su belleza. Frecuenta a gente de mucha alcurnia para considerarlo un trofeo matrimonial al alcance de alguien de esta vecindad. Imagino que uno de estos años irá a Londres y regresará con una condesa que nos dejará a todos tan mudos de admiración como nos dejó su madre en Navidad.

—Quizá la señorita Wishart —dijo Moira.

—No lo creo —contestó Harriet—. Apenas demostró interés en ella. En el baile de Dunbarton y en la fiesta del pueblo bailó contigo tantas veces como con ella. ¿Crees que habrá baile esta noche? Imagino que alguien lo propondrá. A fin de cuentas, una velada sin baile sería desperdiciar la compañía de unos jóvenes y apuestos caballeros. Pero tú y yo permaneceremos sentadas aquí como unas severas matronas y observaremos a los demás. Supongo que no te apetecerá bailar, Moira. Se te ve muy desmejorada desde las Navidades. El señor Lincon dijo que apenas te reconoció el domingo en la iglesia.

—Me encuentro mejor desde que ha llegado la primavera —respondió Moira.

—Ah, la fiesta va a empezar —dijo Harriet—. Ya han llegado.

Durante los dos últimos meses Moira había decidido un centenar de veces actuar, hacer algo con respecto a su estado. Escribiría a sir Edwin, hablaría con su madre, iría a ver a Kenneth, siempre eran esas tres cosas. Y, sin embargo, cuanto más decidida estaba, más lo iba aplazando. Y cuanto más lo aplazaba, más imposible le resultaba hacer algo. Como si su problema fuera a desaparecer si no hacía nada al respecto.

Hacía tres meses que no se había sentido bien ni un día. Sabía que su madre estaba preocupada por ella, y el señor Ryder, quien por fin había sido llamado a Penwith, se había mostrado desconcertado por los síntomas que ella le había explicado —al médico no se le había ocurrido ni por asomo llegar a la conclusión obvia—, y le había recetado un tónico. Pero ella sabía que se sentiría mejor en cuanto hubiera confiado su secreto a las tres personas más directamente concernidas. Era una estupidez aplazarlo. Si seguía aplazándolo por más tiempo, no haría falta que dijera nada. La idea de que esas tres personas averiguaran la verdad de esa forma la horrorizaba.

Pero aún no había hecho nada al respecto.

—Moira —murmuró Harriet, acercando la cabeza a la de su amiga—, esto se pone cada vez más interesante. ¿Has visto alguna vez juntos a tres caballeros más guapos? Nuestro conde tiene la ventaja de su estatura y ese glorioso pelo rubio, pero uno de esos caballeros tiene los ojos más azules que he visto: confieso que nunca he podido resistirme a unos ojos azules, y el otro tiene una sonrisa capaz de hacer que hasta una matrona se derrita de gozo.

Moira no se había fijado en los otros dos caballeros. Sólo había visto a Kenneth, que tenía un aspecto muy apuesto y distinguido con su traje negro de etiqueta. Y había comprendido que le resultaba totalmente imposible hablar con él. Se sentía fea, aburrida y vieja, y se odiaba a sí misma por sentirse inferior. Jamás sería capaz de ir a verlo, ni de esperarlo en el salón de Dunbarton donde en cierta ocasión le había esperado con sir Edwin, para contárselo. Jamás sería capaz de hacerlo. No podía. Ni siquiera podía dar crédito a la realidad de esa noche en el baptisterio, lo cual era una estupidez en vista de su estado.

Kenneth conversaba con la señora Trevellas mientras el señor Trevellas presentaba a los amigos de éste a sus vecinos. Aún así, él no cesaba de mirar a su alrededor. Moira observó que sus ojos se detenían un momento en su madre, antes de seguir paseándose por la habitación. Pasaron sobre ella un segundo y luego volvieron a posarse en ella. Acto seguido frunció el ceño y desvió la vista.

No debería haberse puesto ese vestido color morado, pensó ella. Era el vestido más insulso que tenía; que era justo lo que pensaba desde que se lo habían confeccionado con el rollo de ese tejido. Lo había lucido sólo en tres o cuatro ocasiones, siempre en casa. Pero encajaba con su estado de ánimo cuando se había vestido esta noche. Sabía que no la favorecía. Pero ¿qué importaba eso?

El señor Trevellas se había detenido ante ella y Harriet para presentarles a lord Pelham, el caballero de los ojos muy azules, y al señor Gascoigne, el caballero de la atractiva sonrisa. Sí, pensó Moira con cierta amargura cuando se alejaron tras cambiar unas breves y cordiales frases, eran dignos amigos de Kenneth. La apostura de éste no eclipsaba del todo a la de esos caballeros.

—Creo que el señor Gascoigne debe de ser un caballero muy amable y lord Pelham un verdadero donjuán —comentó Harriet cuando se hubieron alejado—. ¿No estás totalmente de acuerdo conmigo, Moira?

—Pero una sonrisa amable puede resultar tan seductora como unos ojos azules —respondió ésta. Y el pelo rubio y unos ojos de color gris pálido resultaban aún más seductores.

Harriet había estado en lo cierto. El señor y la señora Trevellas se habrían conformado con que todos sus invitados se entretuvieran jugando a los naipes o conversando hasta la hora de cenar, pero los jóvenes tenían otras ideas, y fue la segunda hija de los Grimshaw quien por fin se atrevió a pedir que tocaran una giga al piano y quien tomó al joven Henry Meeson de la mano y le obligó a levantarse de la silla para reforzar su petición.

—Señorita Pitt, haced el favor de tocar para nosotros —le rogó la joven con una alegre sonrisa—. Me moriré si no bailamos.

Pero la señorita Pitt seguía delicada después de una larga indisposición que la había mantenido en cama un mes. Moira se levantó, deseosa de retirarse al otro extremo del salón y permanecer allí oculta el resto de la velada.

—Tocaré yo —dijo—. Quedaos junto al fuego y disfrutad del baile, señorita Pitt.

—Ah, querida señorita Hayes, qué amable sois —respondió la señorita Pitt—. Muy bien. Supongo que, en ausencia del estimado sir Edwin Baillie, no os apetece bailar.

La hija mayor de los Grimshaw y la señorita Penallen habían elegido a sus parejas, que estaban muy solicitadas, para esta giga, según observó Moira mientras se sentaba ante el instrumento y empezaba a tocar una animada giga. Las jóvenes bailaron con los invitados que se alojaban en Dunbarton. Kenneth no bailó, sino que se contentó con observar, junto con el reverendo Finley-Evans, hasta que Moira se percató de que el vicario se inclinaba sobre la silla de la señorita Pitt y miró inquieta a su alrededor, casi haciendo que sus dedos se enredaran sobre el teclado.

Kenneth había atravesado la habitación hacia el piano y se detuvo a pocos pasos de ella, observándola con gesto serio. Estaba solo.

Moira se centró de nuevo en la música que interpretaba. Él estaba lo bastante cerca como para poder hablar con ella, y se hallaban lo bastante alejados del resto de los presentes como para mantener una conversación en voz baja sin temor a que les oyeran. Si él permanecía allí hasta el fin de la giga, ella podría hablar con él antes de que los jóvenes estuvieran dispuestos a iniciar otro baile cambiando de pareja. Lo que tenía que decirle le llevaría poco tiempo. El suficiente para pronunciar una sola frase. Nada más.

Estaba decidida a hacerlo. Sin pensárselo dos veces. Antes de que le flaquearan las fuerzas. La música casi había terminado.

Moira sintió que tenía las manos sudorosas debido al temor.

Él se quedó asombrado al verla. La había visto unas cuantas veces durante los dos últimos meses e incluso había hablado brevemente con ella en un par de ocasiones. En cada una de esas ocasiones había observado que estaba pálida y parecía abatida, pero esa noche, cuando tuvo ocasión de observarla más detenidamente, le asombró el cambio que se había operado en ella. Estaba casi irreconocible. Cuando él la había buscado con la mirada alrededor de la habitación después de ver a su madre, al principio no había reparado en ella.

Llevaba el cabello peinado en un estilo severo que no contribuía a dulcificar su rostro, que estaba pálido a excepción de las ojeras de color lavanda. Tenía las mejillas hundidas, lo cual daba a su rostro un aspecto más alargado y afilado que de costumbre. Su insulso vestido le robaba el poco color que pudiera tener. Estaba muy desmejorada. De no conocerla, de haberla visto esta noche por primera vez, habría pensado que era poco agraciada y mucho mayor que sus veintiséis años.

Moira siempre había tenido una figura esbelta, pero ahora estaba extremadamente delgada, pensó él cuando la vio ponerse en pie y atravesar la habitación hacia el piano. Tenía un aspecto demacrado. Él se había mostrado cordial con todos desde su llegada. Había conversado con su anfitrión y con un grupo de señoras. No había tenido que preocuparse de que Nat y Eden se divirtieran. Nada más llegar habían sido presentados a las jóvenes asistentes a la fiesta —para deleite de éstas y de ellos, por supuesto—, entre las cuales había cuatro hermanas que Kenneth no había visto hasta esa noche. Pero aunque conversó y sonrió e incluso escuchó a medias a sus interlocutores, no podía dejar de pensar en Moira Hayes. Hacía tres meses que no lo hacía, pensó con tristeza, pero ahora, esta noche, su sentimiento de culpa y frustración volvió a hacer presa en él. Era preciso que hablara con ella.

Tocaba muy bien, pensó Kenneth cuando se acercó al piano y se detuvo junto a él, observándola sentada de espaldas al resto de la sala. Le chocó que no la hubiera oído tocar nunca, aunque recordaba que de jovencita le había hablado de su afición por la música. Tocaba de memoria. No había ninguna partitura sobre el atril ante ella.

Kenneth esperó a que concluyera la giga. Cuando la música cesó oyó risas y animadas voces a su espalda. Moira alzó la vista y le miró. Tenía la mandíbula crispada en un gesto de obstinación que él conocía bien. Ella abrió la boca y respiró hondo.

No, él no estaba dispuesto a que lo despachara.

—¿Esto es lo que yo os he hecho, Moira? —preguntó en voz muy baja.

Ella se quedó inmóvil sin decir lo que se había propuesto decirle.

—Conseguisteis escapar a las peores consecuencias de esa noche —dijo él—. Vos misma me lo dijisteis a fines de enero. Pero no habéis podido desterrar la culpa de vuestra mente. Ha destrozado vuestra vida.

Qué injusta era la vida con las mujeres, pensó él. Por más que lo intentara dudaba de poder recordar con cuántas mujeres se había acostado exactamente. Y sin embargo para una mujer, para una dama, el hecho de acostarse siquiera con un solo hombre fuera del matrimonio podía cambiar el curso de su vida en sentido negativo. Pero Moira, en su empecinamiento, se negaba a casarse con él, simplemente porque le odiaba.

Por una vez ella no dijo nada. Le miró con ojos angustiados y el ceño levemente fruncido.

—Imagino que esta noche no deseáis bailar porque sir Edwin Baillie no está presente —dijo él, repitiendo lo que la señorita Pitt había dicho a Moira hacía un rato—. ¿De manera que seguís prometida a él? Quizá no comprendí que deseabais realmente casaros con ese hombre. Os pido disculpas por lo que dije de él si con ello os ofendí.

Ella frunció más el ceño.

—Me parece muy probable —continuó él—, que sir Edwin no se percate de la verdad cuando contraiga matrimonio con vos. Y quizá no sea un engaño por vuestra parte casaros con él sin confesárselo todo. Al fin y al cabo, en realidad no le habéis sido infiel. No de corazón. Y jamás lo sabrá por mí. Ni él ni nadie. A menos que vos se lo hayáis contado a alguien, cosa que dudo, sólo hay dos personas en este mundo que lo saben.

Ella volvió a abrir la boca para decir algo, pero se limitó a pasar la punta de la lengua sobre su labio superior.

—No es necesario que sufráis de este modo —dijo él—. No ocurrió nada tan terrible, Moira. Nada tan grave como para que afecte vuestra salud de este modo. Debéis cerrar este capítulo, olvidaros de él. Hace tiempo que yo lo he olvidado.

Ella esbozó una sonrisa que no se reflejó en sus ojos.

—¿De veras, milord? —contestó—. Pero ¿a qué os referís? ¿Qué es lo que habéis olvidado? Confieso que no lo recuerdo. Este invierno contraje un resfriado y aún no me he recuperado del todo. Espero hacerlo rápidamente ahora que hace mejor tiempo.

Él no debió fingir que lo había olvidado. Fue una torpeza y una estupidez decir semejante cosa. Percibió la ira que se ocultaba detrás de la voz de ella. Pero él también estaba furioso. Si ella se comportara como es debido, se habría casado con él hacía casi tres meses y él no tendría que vivir con la culpa que le reconcomía desde entonces, sólo con Moira y su eterna presencia en su vida.

—Os pido perdón, señora —dijo inclinándose fríamente y volviéndose hacia el resto de los presentes. Al mismo tiempo las parejas de baile, situadas en una doble hilera, las damas frente a los caballeros, pidieron a la señorita Hayes que tocara una contradanza.

—Había olvidado —dijo el señor Gascoigne— lo animadas que son las fiestas campestres. Y, ¡pardiez!, lo bonitas y alegres que son las jóvenes campesinas.

—La hija mayor de los Grimshaw era sin duda la chica más guapa de la fiesta —declaró lord Pelham—. ¿No tuviste la impresión,

Nat, de que ese joven de cabello color cobrizo deseaba meternos una bala entre los ojos cada vez que la sacábamos a bailar o entablábamos con ella una conversación sobre tocados femeninos?

—La señorita Sarah Grimshaw es más amable —dijo el señor Gascoigne—. Y bastante atrevida. ¿Estás realmente dispuesto a organizar un baile en Dunbarton, Ken?

Kenneth se encogió de hombros.

—Accedí a ello cuando me lo pidieron —respondió—. Supongo que cumpliré mi promesa.

El señor Gascoigne se reclinó en el asiento del carruaje y observó durante un momento a su amigo en silencio.

—No nos has facilitado ninguna pista, Ken —dijo—. ¿Es posible que no te atraiga ninguna de esas jóvenes damiselas? ¿O tratabas de despistarnos haciendo caso omiso de la que te gusta?

—Pretendía despistarnos, Nat —dijo lord Pelham—. Aunque debemos tener presente que Ken vive aquí y debe ser precavido a la hora de mostrar una excesiva galantería o una marcada preferencia por una determinada mujer. De lo contrario acabarían poniéndole los grilletes antes de que se diera cuenta.

El señor Gascoigne se rió.

—Esta noche se ha mostrado más que precavido, Ede —dijo—. En lugar de bailar con una de las jóvenes, siguió a la pianista a través de la habitación y se quedó escuchando su música. Ahora, si hubiera sido joven y bonita, podríamos deducir algo de ello.

—¿Ese pálido espantapájaros? —dijo lord Pelham—. Aún podemos hacerlo, Nat. Mi teoría es que ella es la misteriosa mujer. Nuestro Ken se ha enamorado de una mujer mayor, de un cadáver exangüe. Quizá las jóvenes y rollizas bellezas le aburren después de haberlas frecuentado durante tanto tiempo.

—No seas cruel, Ede —protestó el señor Gascoigne—. Parece como si esa mujer estuviera tísica.

—Ah, quizá nuestro Ken se ha enamorado apasionadamente... —empezó a decir lord Pelham.

—Y quizá —le interrumpió Kenneth—, deberías mantener la boca cerrada, Eden, a menos que sepas hablar con sensatez.

Lord Pelham se estremeció con gesto teatral.

—Intuyo en eso un desafío, Nat —dijo—. He descubierto el secreto de Ken. Se ha enamorado apasionadamente de ese espantapájaros. Pero ella le ha rechazado. Confía en atrapar a un duque.

—Creo, Ede —dijo el señor Gascoigne—, que Ken se siente ofendido por la forma en que te refieres a una de sus vecinas. Y apuesto que está en efecto tísica. No puede evitar la edad que tiene, su delgadez o su nulo atractivo.

—Te aseguro —dijo lord Pelham enderezándose y adoptando un tono menos frívolo—, que no pretendía ofenderte, Ken. Te ruego me disculpes.

Kenneth sonrió.

—Entiendo —respondió—, que las señoritas Grimshaw desean mostraros la playa y el muelle. Supongo que no necesitaréis mi presencia. Sin mí, cada uno de vosotros dispondrá de dos muchachas, una para cada brazo.

—Por lo que a mí respecta —dijo lord Pelham—, prefiero tener una en un solo brazo, si la playa y el muelle tienen calas, cuevas o lugares apartados.

—Confiemos —añadió el señor Gascoigne— que mañana luzca el sol.

—Mañana —dijo Kenneth—, debo escribir a Rex. Si le han herido en su amor propio, más vale que venga aquí a reponerse de la ofensa.

Pero el intento de convencer al vizconde de Rawleigh para que viniera a Cornualles no dio resultado. Poco más de una semana después de que llegaran sus amigos y antes de que pudiera recibir una respuesta a su carta, Kenneth recibió una carta dirigida a todos ellos. Rex había regresado a Derbyshire después de pasar menos de un día en Stratton, y dentro de una semana iba a contraer matrimonio con la señora Winters. Se proponía llevar a su esposa de regreso a Stratton y confiaba en que sus amigos fueran a visitarlo allí.

Sus dos amigos se turnaron en leer la carta. Luego se miraron asombrados. ¿Rex iba a casarse? Probablemente ya estaba casado. ¿Con una mujer que hacía poco había rechazado sus intentos de conquistarla y le había obligado a volver a su casa en Stratton?

—Es un misterio —dijo Kenneth—. Un misterio fascinante.

—¡El muy ladino! —exclamó lord Pelham—. Imagino que la deshonró y se vio obligado a regresar y hacer lo correcto. A instancias de Claude, si no me equivoco. Claude es bastante más respetable que su hermano gemelo.

—A Claude no le hará ninguna gracia —observó el señor Gascoigne.

—Ni tampoco a Rex —observó lord Pelham secamente—. No tuve la impresión de que pensara en el matrimonio cuando cortejaba a esa mujer.

—Y deduzco que tampoco le hará gracia a la señora Winters —apostilló el señor Gascoigne—. Ya no debe de ser la señora Winters, claro está, sino la vizcondesa de Rawleigh. ¡Maldita asea! ¡El viejo Rex casado!

—Si estás en lo cierto, Eden —dijo Kenneth con tono quedo—, y el honor le ha obligado a hacerlo, no será un hombre feliz. Pero hubiera sido peor que ella le hubiera impedido hacer lo correcto. Al menos Rex ha tenido la oportunidad de restituir su honor.

—No imagino a ninguna mujer rechazando a un hombre que la ha deshonrado —apuntó lord Pelham—. No creo que Rex corriera el riesgo de perder su honor de forma permanente. ¿Iremos a Stratton?

—¿Tan pronto? —preguntó el señor Gascoigne—. Si acabamos de llegar aquí. Y el baile de Ken se celebrará la semana que viene.

—Puedo aplazarlo. Estoy muerto de curiosidad —dijo Kenneth—. No conozco a esa señora.

—Y ninguno conocemos la verdadera historia detrás de esa precipitada boda —dijo lord Pelham.

—Además —añadió el señor Gascoigne, torciendo el gesto—, puede que Rex necesite nuestro apoyo moral. No podemos defraudarle.

Así pues, fueron a Stratton. Kenneth fue porque le picaba la curiosidad y por el sincero deseo de ver a su amigo recién casado y desearle felicidad, si era posible que fuera feliz en un matrimonio que había empezado de forma tan poco propicia. Fue porque todo el trabajo al que se había dedicado y todos los compromisos sociales a los que había asistido e incluso la agradable semana que había pasado con sus amigos no habían conseguido animarlo o eliminar su sentimiento de culpa.

Ni su ira. Estaba furioso con ella. Si la culpa que ella sentía la afectaba tanto, ¿por qué no se casaba con él? Si estaba decidida a no hacerlo, si estaba decidida a casarse con Baillie, ¿por qué no procuraba desterrar esos recuerdos que la atormentaban? Era impropio de Moira no luchar contra ello. A Kenneth le irritaba que su aspecto desmejorado suscitara en él tales remordimientos. Había tratado de hacer lo honroso, y ella se lo había impedido. Casi envidiaba a Rex.

Fue porque su ausencia quizá liberara a Moira. Quizá no pudiera casarse con Baillie mientras él estuviera de luto, pero podía empezar a planear su futuro, despojándose del recuerdo y de las consecuencias del desafortunado incidente que había empañado su felicidad. Pero ¿cómo podía ser feliz casándose con un cretino como Baillie? En cualquier caso, no era asunto suyo. Si se ausentaba —y permanecía fuera un tiempo— quizá la beneficiaría a ella y él se libraría en parte de su sentimiento de culpa.

Jamás había imaginado que fuera posible sentir tanto rencor u odio por alguien como sentía él hacia Moira Hayes. E incluso su rencor y su odio pesaban sobre su conciencia.

Capítulo 13

*H*abía llegado una carta a Penwith expresando el afectuoso deseo de sir Edwin Baillie de que lady Hayes y la señorita Hayes le hicieran a él y a sus queridas hermanas el honor de pasar un par de semanas con ellos en Pascua. Había confiado en que se produjera un evento más feliz que alegrara la primavera, pero, como es natural, eso había quedado descartado. No obstante... La carta era bastante extensa y sir Edwin la remataba asegurándoles que les enviaría su coche y a varios fornidos criados para transportar a las distinguidas damas a su humilde hogar, donde él y sus hermanas esperarían su llegada con tanta ilusión como las penosas circunstancias de sus vidas permitieran.

—Es muy amable por su parte querer agasajarnos en estos momentos —dijo lady Hayes a su hija—. Aunque comprensible, desde luego. Creo que sir Edwin siente auténtico afecto por ti, Moira. Y sus hermanas tendrán curiosidad por conocerte, especialmente dado que eres prima lejana de ellas.

—Es una invitación muy amable —convino Moira.

Pero su madre la miró arrugando el ceño.

—Entonces, ¿iremos? —preguntó—. Aun no te has restablecido, Moira, a pesar del tónico que te recetó el señor Ryder. Temo que un viaje de cincuenta kilómetros sea demasiado para ti.

Moira estuvo a punto de asegurar a su madre que un cambio de escenario y la compañía de nuevas amistades era cuanto necesitaba para recobrar su buen humor. El momento de las mentiras y las evasivas se había terminado. Y el último lugar al que deseaba ir era a casa de sir Edwin. Durante unos instantes pensó que quizá sería mejor ir y hablar con él cara a cara, pero sabía que no podía considerar seriamente esa idea. Sonrió y tomó la carta de manos de su madre.

—Con tu permiso, mamá —dijo—, yo misma responderé a la carta de sir Edwin. Puedes leerla y darme tu aprobación antes de que la envíe.

Al pensar en ello sintió una opresión en el estómago. Pero estaba claro que había llegado el momento de hacerlo.

De hecho, había llegado el momento de escribir más de una carta. Era evidente que no tenía valor para decir nada a ninguno cara a cara. De modo que tenía que escribirles. Se sentó al escritorio en el saloncito que daba al este y les escribió a los dos. Cuando terminó miró el reloj sin dar crédito. ¿Era posible que hubiera tardado dos horas en escribir dos breves misivas? Tardó otros veinte minutos en hacer acopio del suficiente valor para ir en busca de su madre.

Lady Hayes acababa de entrar del jardín con un ramo de flores primaverales para colocarlas en los jarrones. Sonrió a su hija.

—Esta espléndida primavera nos resarcirá del duro invierno que hemos pasado —dijo—. ¿Irás a Tawmouth andando para enviar la carta? Creo que el ejercicio te sentará bien.

—Siéntate, mamá —respondió Moira.

Su madre la miró, preocupada al intuir que algo iba mal, y se sentó. Tomó la carta dirigida a sir Edwin de manos de Moira y la leyó.

—Vaya —dijo, alzando la vista al cabo de unos momentos—, has declinado la invitación. Quizás hayas hecho bien, querida. Pero confío en que sir Edwin no se sienta dolido u ofendido. ¿Le has explicado que no te sientes bien? Estoy segura de que si lo supiera sería el primero en pedirte que te quedaras en casa.

—Sigue leyendo —dijo Moira.

Su madre leyó la carta en silencio. Cuando terminó la depositó en su regazo y tardó unos momentos en poner sus pensamientos en orden.

—¿Crees que esto es prudente, Moira? —preguntó—. ¿Qué será de nosotras?

—Lo ignoro —contestó Moira. Se había levantado y se había acercado a la ventana, aunque en realidad no veía el hermoso jardín al otro lado del cristal.

—Ha sido una reflexión egoísta e indigna de mí —dijo lady Hayes—. Mi futuro no tiene importancia. Nunca me he engañado pensando que este matrimonio te haría feliz. Pero me convencí de que sería un matrimonio respetable que aseguraría tu futuro. A fin de cuentas, has cumplido veintiséis años.

—Soy una solterona —dijo Moira mordiéndose el labio.

Debió decir sin rodeos que se quedaría para vestir santos.

—Debemos pensar en la posibilidad de que ésta sea quizá tu última oportunidad de casarte —dijo lady Hayes—. Has tenido otras oportunidades, Moira, y las has rechazado. Es posible que ésta sea la última. ¿No crees que deberías ir a casa de sir Edwin y verlo de nuevo? ¿Y conocer a sus hermanas? Quizá comprendas que es preferible casarte con él que quedarte soltera sin perspectivas de contraer matrimonio.

—No puedo, mamá —respondió Moira en voz baja.

Sostenía la otra carta en su mano. La entregaría personalmente después de echar la de sir Edwin al correo. Quizá recibiría una respuesta mañana o incluso esta noche. No obstante, no tenía ánimos para contarle nada más a su madre. Antes de que se produjera esta penosa situación, jamás habría creído que fuera capaz de semejante cobardía como había demostrado durante los tres últimos meses.

Lady Hayes suspiró.

—Romper un compromiso formal puede hacer que recaiga sobre ti el deshonor, Moira —dijo.

—Lo sé —respondió ella.

—Quizá compruebes que nuestros vecinos se niegan a recibirnos a partir de ahora —añadió su madre.

A recibirnos. La deshonra caería también sobre su madre, por supuesto. Eso era lo peor. Si las consecuencias se limitaran tan sólo al pecador, sería más fácil soportarlas, pensó. Pero ella no sería la única que sufriría. También sufriría su madre, sir Edwin y, por supuesto, sus hermanas.

—Lo lamentaré, mamá —dijo Moira—. Lo lamentaré por ti más de lo que soy capaz de expresar. Pero no puedo casarme con sir Edwin.

Media hora más tarde, echó a andar hacia Tawmouth por el valle, al que la primavera había conferido un maravilloso color verde. Las relucientes aguas del río serpenteaban hacia el mar y en las colinas sonaba el canto de los pájaros. Pero Moira era incapaz de gozar de cuanto la rodeaba. Dentro de poco las dos cartas saldrían de sus manos y comenzaría un ciclo de acontecimientos que ella debió poner en marcha hace tiempo. Pero se había producido el fallecimiento de la madre de sir Edwin —una pobre excusa para aplazarlo durante tanto tiempo— y la continuada presencia de lady Haverford en Dunbarton, una excusa aún más pobre. En cualquier caso, la condesa había partido hacía más de dos semanas. Pero al poco de marcharse ella habían llegado otros visitantes.

Eso no era una excusa, desde luego. Quizás había sido la llegada de sus amigos lo que había inducido a Kenneth a asistir a la reunión ofrecida por los Trevellas hacía una semana. Moira había tenido allí una oportunidad perfecta. Había estado decidida a hablar con él. Había abierto la boca y había respirado hondo.

Pero él se le había adelantado. Se había mostrado frío, enojado porque consideraba que ella estaba sacando las cosas de quicio. Enojado porque el hecho de verla le recordaba su propia culpa.

Conseguisteis escapar a las peores consecuencias de esa noche. Vos misma me lo dijisteis a fines de enero.

No ocurrió nada tan terrible, Moira. Nada tan grave como para que afecte vuestra salud de este modo. Debéis cerrar este capítulo, olvidaros de ello. Yo hace tiempo que lo he olvidado.

Moira se estremeció ante el dolor que sus palabras le causaban y sintió de nuevo la ira que había propiciado su imprudente respuesta, haciendo que él se alejara antes de que ella pudiera decirle todo lo que se había propuesto.

De modo que hoy había tenido que decírselo por carta. Hoy debía prescindir del hecho que hubiera unos visitantes en Dunbarton. Su presencia no era una excusa para evitar ir allí. Si se encontraba cara a cara con ellos, daba lo mismo. Sólo confiaba en no encontrarse cara a cara con *él*, precisamente hoy, no antes de que él hubiera leído su carta. Por supuesto, podía haber enviado a uno de los sirvientes de Penwith para que entregara la carta en Dunbarton, pero le había parecido importante hacerlo ella misma.

Era una larga caminata, primero hasta Tawmouth, subir luego la cuesta hasta la cima de la colina y por último echar a andar por la carretera sobre el valle hasta Dunbarton Hall. El sol lucía en lo alto cuando llegó a la mansión, y comprobó que hacía un calor inusitado para esta época del año. El sombreado camino de acceso tenía un aspecto muy distinto del que presentaba la última vez que ella lo había visto, pensó Moira estremeciéndose.

Su señoría no se hallaba en casa, le informó el lacayo que le abrió la puerta. Moira le explicó que había venido tan sólo para entregar una carta al conde de Haverford.

—¿Harás que se la entreguen a su señoría? —preguntó al lacayo, extendiendo la mano en la que sostenía la carta. El corazón le latía con tal furia que se preguntó si el criado podría oírlo. Cuando éste tomara la carta de sus manos...

Pero en ese momento apareció el mayordomo en el recibidor, y el lacayo se apartó a un lado.

—¿Se trata de una invitación, señora? —preguntó el mayordomo después de hacerle una breve reverencia y comprobando con gesto de desaprobación que no la acompañaba una doncella—. En tal caso, debo informaros que su señoría no podrá aceptarla. Se ha ausentado de casa.

—¿De casa? —preguntó ella. Un paseo vespertino no le impediría aceptar todas las invitaciones que recibiera.

—Su señoría partió esta mañana para Kent para pasar allí una temporada, señora —dijo el mayordomo—. No espero que regrese en breve.

Moira se quedó mirándole, con la mano extendida. *Esta mañana. No espero que regrese en breve.* Sintió en su cabeza una frialdad que le resultaba familiar.

—¿Deseáis sentaros un rato, señora? —le preguntó el mayordomo, observándola con preocupación.

—No. —Ella dejó la caer la mano y le sonrió—. No, gracias. Debo irme.

Salió apresuradamente a través del patio y no aminoró el paso hasta llegar a casa. Cuando descendió por la empinada carretera del valle, se abstuvo de mirar hacia la derecha, donde se hallaba el pintoresco baptisterio de piedra que se alzaba sobre el valle y la pequeña cascada.

Transcurrió más de una semana antes de que ella regresara a Dunbarton y solicitara hablar con el administrador del conde de Haverford. Tuvo que esperar casi media hora mientras iban a buscarlo, pues no se hallaba en la casa, y el hombre se mostró claramente sorprendido por su presencia de Dunbarton y por la petición que ella le hizo. Pero accedió a incluir la carta en el informe que enviaría a su señoría esta semana.

Ya estaba hecho, pensó ella mientras regresaba a casa, abriendo el paraguas para protegerse de la llovizna. Todo estaba ahora fuera de sus manos, al menos de momento, aunque todavía no se lo había dicho a su madre.

Kenneth había encontrado justo la medicina que necesitaba, al menos, eso se dijo para convencerse. Solía involucrarse rápidamente en los problemas de otras personas. El vizconde de Rawleigh se hallaba en Stratton con su esposa la mañana que sus tres amigos llegaron de Cornualles. De hecho, había salido de casa con ella y se hallaban de pie sobre el puente por el que el carruaje del conde debía pasar. Kenneth se inclinó hacia delante y golpeó con los nudillos en el panel delantero para indicar al cochero que se detuviera mientras lord Pelham y el señor Gascoigne saltaban del vehículo al tiempo que se oían voces y risas y los excitados ladridos de un pequeño chucho. Kenneth estaba impaciente por volver a ver a Rex y conocer a su esposa.

Pero cometió de inmediato un nefasto error. Se bajó del coche, abrazó a Rex, lo saludó, le dio una palmada en el hombro y se volvió para ver a su esposa, que charlaba y se reía con Nat y Eden. Y en cuanto sus ojos se posaron en ella, la reconoció. La había visto en Londres hacía seis años, cuando había regresado a casa para recuperarse de sus heridas. Incluso había bailado con ella un par de veces en unos bailes organizados por la alta sociedad. Era la hija de Paxton, del conde de Paxton.

—Lady Catherine —dijo antes de percatarse de la expresión de asombro y perplejidad que reflejaban los ojos de la dama. Medio segundo más tarde, observó también asombro en los ojos de sus tres amigos, una expresión que Rex se apresuró a disimular. De pronto se acordó. Eden y Nat la habían llamado señora Winters, una viuda. No habían dicho que fuera la hija de Paxton, lady Catherine Winsmore. Winters y Winsmore eran unos nombres muy parecidos. ¿Había estado casada? ¿Había enviudado? ¿Qué hacía en Derbyshire? ¿Vivía allí de incógnito? ¿Desconocían los amigos de Rex —y el propio Rex— su verdadera identidad?

Las voces y las efusivas risas continuaron, pero Kenneth comprendió que el daño estaba hecho. Y sus temores se confirmaron cuando al cabo de un rato se quedó por fin a solas con Nat y con Eden. No, no lo sabían, le aseguraron, y parecía una suposición razonable, dada la rápida y controlada reacción de Rex, que éste tampoco lo supiera. ¿Se había casado con una mujer sin conocer su verdadera identidad? ¿Se había casado con ella sin saber que hacía seis años había quedado deshonrada debido a su relación con el peor canalla y sinvergüenza de Londres? Incluso se rumoreaba que se había quedado encinta y había desaparecido de repente. Kenneth recordó ahora estos hechos, pero ya era demasiado tarde.

—¿Creéis que Rex me oyó llamarla lady Catherine? —preguntó a sus amigos confiando a medias que le dijeran que no.

—Por supuesto que lo oyó —respondió lord Pelham.

—Y le sorprendió.

No tuvo que articular las palabras como si fuera una pregunta.

—Rex jamás habría podido dedicarse al teatro —comentó el señor Gascoigne—. Es un pésimo actor.

No obstante, durante el resto del día se comportó con toda naturalidad, risueño, amable y pendiente en todo momento de su esposa.

Era una gran belleza, tal como sus amigos habían informado a Kenneth y como él la recordaba cuando la había conocido hacía seis años. Tenía el cabello rubio y los ojos color avellana.

Pero no podían quedarse en Stratton. Pese a la fachada de naturalidad casi perfecta por parte de Rex, convinieron que existía una tensión casi insoportable entre éste y su esposa. Lo mejor que podían hacer era dejarlos solos, fingir que habían venido a pasar sólo un par de días antes de dirigirse a Londres.

Así pues, al día siguiente partieron para Londres, pero antes lord Rawleigh les llevó aparte y les aseguró que conocía la historia de su esposa, que siempre la había sabido. Los otros dedujeron que ella se lo habría contado ayer. La terrible metedura de pata de Kenneth casi había hecho que olvidara sus propios problemas. Temía haber destruido un matrimonio que en cualquier caso había empezado con mal pie. Pero ¿cómo podía haberse casado lady Catherine con Rex sin contarle que había caído en la deshonra? ¿Y cómo reaccionaría Rex al descubrir la verdad cuando ya estaba casado con ella? Por supuesto, a él no le incumbía, según trató de convencerse.

Pero al cabo de poco más de una semana comprobó que sí le incumbía. El vizconde de Rawleigh y su esposa se presentaron de improviso en la ciudad un par de días después de que él llegara, y Rex pidió a sus tres amigos que asistieran al baile de Mindell, al que estaba decidido a llevar a lady Rawleigh, aunque era muy posible que los miembros de la alta sociedad le hicieran un desaire. Necesitaba todo el apoyo moral —y suficientes parejas de baile para su esposa— que pudiera recabar.

El baile asumió un significado especial cuando otro invitado llegó más tarde, sir Howard Copley, precisamente el hombre que había deshonrado a lady Rawleigh hacía seis años. La dama no vio llegar a sir Howard, pues estaba bailando, y al verla éste se dirigió apresuradamente a la sala de cartas. Pero tras una rápida consulta los cuatro amigos decidieron poner en marcha un plan. Kenneth fue el designado para bailar la próxima cuadrilla con lady Rawleigh mientras los otros tres abandonaban el salón de baile. Cuando la cuadrilla terminó, lord Pelham le informó de la previsible noticia: el duelo se celebraría pasado mañana, a primera hora de la mañana. Eden sería el padrino oficial de Rex, pero, como es natural, Nat y Kenneth asistirían también.

Kenneth había logrado apartar de su mente Dunbarton y sus problemas. Se habían convertido en una onerosa carga que le provocaba muchas noches en vela y angustiosas pesadillas cuando conseguía conciliar el sueño. Los problemas de Rex eran mucho más reales que los suyos. Durante la última semana había comprendido una cosa con toda claridad: era evidente que Rex estaba perdidamente enamorado de su esposa, y si él no andaba equivocado, ella le correspondía plenamente. Ese pensamiento le reconfortó, siempre y cuando Rex sobreviviera al duelo. Había escapado a la muerte mil veces durante las guerras, y era un experto tirador; el duelo era a pistola. Pero nadie podía tener ninguna seguridad en un duelo, especialmente cuando el oponente era un canalla como Copley. Según decían, probablemente con razón, lady Rawleigh no había sido su única víctima.

El día siguiente —el anterior al duelo— se hizo interminable. Lady Rawleigh había invitado a los tres amigos de su esposo a cenar, y más tarde se sentaron en el salón, charlando y riendo, y, a petición de la dama, recordando sus tiempos de juventud. Quería que le hablaran sobre los años que habían pasado juntos. Daba la impresión de ser una velada muy animada, pero cuando llegó a casa se sintió cansado y preocupado. De haber sido él quien se enfrentara al duelo mañana, se habría sentido trastornado por los nervios y aterrorizado. Pero al menos eran unas sensaciones familiares. Las había experimentado antes de cada batalla en que había participado, y habría desmentido a cualquier soldado que se jactara de no haberlas experimentado. Pero también sabía que cuando el peligro era real y tenía que enfrentarse a él, los sentimientos negativos daban paso a una fría concentración y su brazo derecho era tan firme como una roca. Pero no era él quien se enfrentaba al duelo. Resultaba más duro saber que tendría que permanecer a un lado, impotente, viendo cómo un hombre apuntaba al corazón de uno de sus mejores amigos.

Había estado a punto de no abrir el paquete que había llegado ese día de Dunbarton, escrito con la pulcra letra de su administrador. El paquete podía esperar. Esta noche no podía concentrarse en asuntos de negocios. Pero tampoco pudo pegar ojo, según comprobó. Su mente estaba agitada. Quizás el hecho de leer unos aburridos informes le calmarían. Quizás, vana esperanza, incluso le ayudarían a conciliar el sueño. Al abrir el paquete vio que contenía los esperados informes, y una carta escrita de un puño y letra distinto. Una caligrafía femenina, si no estaba equivocado. La curiosidad hizo que la abriera antes de leer los informes.

«Milord —había escrito ella—, he roto mi compromiso con sir Edwin Baillie. Estoy encinta de tres meses. Ésta no es una petición de ayuda. No obstante, he llegado a la conclusión de que tenéis derecho a saberlo. Vuestra humilde servidora, Moira Hayes.»

Contempló la carta durante varios minutos antes de doblarla con cuidado por sus pliegues originales y luego estrujarla y arrojarla al otro lado de la habitación. Tres meses. ¡Maldita fuera esa mujer! ¡La muy desgraciada! ¿Tres malditos meses? Crispó la mano en un puño y cerró los ojos.

¿Cuándo le había preguntado si estaba en estado? Fue en el valle, a fines de enero. Hacía dos meses..., o más. Ella ya debía de saberlo. Él se lo había preguntado sin ambages. *Por supuesto que no*, había respondido ella. *Qué idea tan ridícula.* Él recordaba con toda nitidez su expresión de altivo desdén. Y sin embargo ya debía de saberlo. Y en casa de los Trevellas, una semana antes de que él partiera de Dunbarton, tampoco le había dicho nada. Había hablado con ella, había tratado de mostrarse amable, había tratado de liberarla de su sentimiento de culpa, pero ella se había limitado a mirarlo con gesto desafiante y fingir que había olvidado el incidente. Y en esos momentos ya estaba encinta de casi tres meses.

¡La muy desgraciada!

Había esperado a que él se marchara para informarle fría y escuetamente que estaba encinta de tres meses y asegurarle que no suplicaba su ayuda. Había firmado de modo muy formal como «su humilde servidora».

—¡Humilde! —Él pronunció la palabra en voz alta entre dientes—. La humilde y obediente señorita Moira Hayes. Eso serás durante el resto de tu condenada vida, te lo juro. Da gracias a la providencia de que en estos momentos no estés al alcance de mis manos. Reza para que mi furia se haya calmado cuando llegue a Cornualles.

Una licencia, pensó. Necesitaría una licencia especial. Conseguiría una lo antes posible por la mañana y partiría enseguida. Pero Rex se iba a batir en duelo a la mañana siguiente temprano. Quizá no sobreviviera. Habría un funeral...

Kenneth se levantó apresuradamente y se pasó los dedos de ambas manos por el pelo.

—¡Maldita sea esa mujer! —exclamó.

Soltó una retahíla de palabrotas. En cualquier caso, pensó riendo, no faltaría pasión en su matrimonio. La pasión de un intenso odio.

Su matrimonio. *¡Su matrimonio!* Iba a convertirse en un hombre casado. Dentro de seis meses sería padre. Y Moira Hayes no suplicaba su ayuda.

—Maldita seas —murmuró—. Maldita seas, Moira.

Rex Adams, vizconde de Rawleigh, sobrevivió al duelo que había librado contra sir Howard Copley. Sir Howard no sobrevivió, ni merecía hacerlo, pues aparte de sus pecados pasados, que eran legión, había contravenido las reglas del duelo y había disparado su pistola prematuramente, antes de que se diera la señal. Había herido a lord Rawleigh en el brazo derecho, pero no le había dejado malherido. A continuación había tenido que permanecer de pie, esperando a que su oponente apuntara contra él lenta y concienzudamente, como pensando en si debía matarlo o simplemente herirlo, y le había matado.

El señor Gascoigne había apuntado otra pistola contra Copley después de que éste hubiera disparado y se hubiera extendido una mancha de color rojo vivo sobre la manga de la camisa del vizconde. Kenneth y lord Pelham se habían quedado helados. No sabían cuán grave era la herida.

Pero cuando todo terminó, Rex se acercó a ellos con expresión sombría, y empezó a vestirse sin comprobar lo que el médico y el padrino de Copley hacían inclinados sobre el cuerpo de éste. Se volvió apresuradamente antes de ponerse la chaqueta para vomitar sobre la hierba, pero era una reacción a la batalla que acababa de librar que les resultaba familiar a todos. Uno nunca se endurecía lo suficiente ni en el momento de afrontar la muerte ni al causarla.

—Vamos a desayunar —dijo, con su rostro demacrado pero decidido cuando terminó de vestirse—. ¿En White´s?

—En White´s. —El señor Gascoigne le dio una afectuosa palmada en el hombro—. De todos modos, ése no habría sobrevivido, Rex. Si tú no lo hubieras hecho, lo habría hecho yo.

—Quizá sea preferible mi casa que White´s —observó lord Pelham—. Tendremos más privacidad.

Kenneth respiró hondo.

—Tengo que partir de inmediato —dijo—. Debo regresar a Dunbarton.

De haber podido evitarlo no se hubiera ido, pero era imposible. Todos se volvieron y le miraron sorprendidos.

—¿A Dunbarton? —preguntó lord Rawleigh, arrugando el ceño—. ¿Ahora, Ken? ¿Esta mañana? ¿Antes de desayunar? Pensé que ibas a permanecer aquí durante toda la temporada social.

De pronto, al tener que expresarlo de palabra, lo comprendió en toda su cruda realidad.

—Cuando llegué a casa anoche había una carta esperándome —dijo. Trató de sonreír pero comprendió que era imposible ocultar sus verdaderos sentimientos a estos tres hombres que le conocían casi tan bien como él mismo—. Al parecer, voy a ser padre dentro de seis meses.

Se produjo un extraño silencio, habida cuenta que estaban presentes los cuatro y que acababa de librarse un duelo. El médico seguía arrodillado junto al cadáver de sir Howard Copley,

—¿De quién se trata? —preguntó por fin lord Pelham—. ¿Alguien que conocimos cuando estuvimos allí, Ken? ¿Una dama?

—No la conocisteis —respondió Kenneth con gesto sombrío—. Una dama, sí. Tengo que regresar a casa para casarme con ella.

—¿Me permites comentar que no pareces complacido ante la perspectiva? —preguntó el señor Gascoigne, arrugando el entrecejo. Todos le miraron con la misma expresión de perplejidad y preocupación.

Kenneth se rió.

—Su familia y la mía han sido enemigas desde que tengo uso de razón —dijo—. No creo haber sentido jamás una antipatía tan intensa por una mujer como la que siento por ella. Y espera un hijo mío. Debo casarme con ella. Deseadme suerte.

Volvió a reírse sintiendo al mismo tiempo que había cometido una grave deslealtad. No debió decir eso, ni siquiera a sus mejores amigos.

—Ken —dijo lord Rawleigh—, ¿hay algo que no nos has dicho?

Pero les había contado lo suficiente. Incluso demasiado. Ella iba a convertirse en su esposa, y él les había revelado la antipatía que sentía por ella. Y Eden había comentado que parecía un pálido espantapájaros y un cadáver exangüe.

—Nada que quiera divulgar —respondió—. Debo irme. Me alegro de que todo haya terminado bien esta mañana, Rex. Haz que el médico te examine el brazo antes de marcharte de aquí. Celebro que no erraras el tiro adrede. Temí que lo hicieras. Los violadores no merecen vivir.

Acto seguido echó a andar hacia su caballo sin mirar atrás. Tenía que adquirir una licencia. Suponía que el trámite se resolvería rápidamente. Luego tenía que realizar un largo viaje en el menor tiempo posible.

Y al final del viaje tenía que enfrentarse a una mujer. Moira Hayes. Su futura esposa. La madre de su hijo. Que Dios la asistiera..., y a él.

Capítulo 14

Sir Edwin Baillie había respondido a la carta de Moira con una clara misiva. Felicitaba a la señorita Hayes por ser una mujer de una sensibilidad fuera de lo común. Sin duda había comprendido, escribió, que él se había arrepentido de la precipitación con que había perseguido su propia felicidad en unos momentos en que su madre estaba gravemente enferma. La señorita Hayes debía de haberse percatado del sentimiento de culpa que el grato afecto que sentía por ella había suscitado en él cuando tenía tres hermanas huérfanas bajo su protección y tutela. De modo que la señorita Hayes había tenido el valor, la generosidad y la bondad de liberarlo de su compromiso. Deseaba que ella y su estimada madre le hicieran el honor de considerar Penwith Manor su hogar, al menos hasta que él se sintiera libre para mudarse allí, quizá dentro de un año o dos. Firmaba asegurándole que era su humilde servidor.

—Es una carta extraordinariamente amable —dijo lady Hayes cuando la leyó—. De manera que podemos estar tranquilas durante uno o dos años, Moira.

—Sí —respondió su hija.

—Y tú te habrás librado del problema que te agobiaba —dijo su madre—. No creas, Moira, que no me he dado cuenta de los remordimientos y la preocupación que te habían afectado de forma tan negativa. Ahora, por fin, podrás recobrar la salud. ¿Sigues tomándote el tónico que te recetó el señor Ryder?

Moira sonrió sin responder. Había decidido conceder al conde de Haverford dos semanas. A partir de ese momento, no habría más demoras. Al menos su madre tendría que saberlo. De hecho, de no ser una idea tan impensable, ya lo habría sospechado. Pese a su visible pérdida de peso, el vientre de Moira iba aumentando progresivamente debajo de sus holgados vestidos estilo imperio, muy de moda a la sazón.

Había visto ansiedad en los ojos de su madre. Sabía que temía por ella y había tratado de convencerse de que el aire primaveral y el tónico —y la liberación que había supuesto ahora para Moira la carta de sir Edwin— le devolverían el color a las mejillas y su salud. Era injusto por su parte dejar que su madre temiera que se estuviera muriendo cuando podía explicarle el verdadero motivo de su indisposición.

Había llegado a despreciarse.

Él se presentó una tarde lluviosa a primeros de abril. Era imposible salir y existían escasas posibilidades de que un visitante se aventurara a desplazarse hasta Penwith. Por lo demás, Moira no estaba segura de que sus vecinos vinieran a visitarlas aunque hiciera buen tiempo. Había contado a Harriet que sir Edwin y ella habían acordado poner fin a su compromiso matrimonial, y había dejado que su amiga divulgara la noticia. A esas alturas seguramente lo sabría todo el mundo. Moira y su madre estaban sentadas en el cuarto de estar, bordando, mientras la lluvia batía con tal furia en la ventana que era incluso imposible contemplar el jardín a través del cristal.

De pronto alzó la cabeza y aguzó el oído durante unos momentos. ¿Un carruaje? Pero se encontraban en la parte trasera de la casa y llovía con fuerza. Era casi imposible oír el sonido de un carruaje. Además, era una aventura arriesgada conducir un coche a través del valle. Bajó la cabeza y siguió bordando, pero la levantó de nuevo rápidamente al oír el inconfundible sonido de la aldaba contra la puerta principal.

—¿Quién habrá venido a visitarnos con este tiempo tan horrible? —preguntó lady Hayes, animándose visiblemente. Clavó la aguja en su labor, la dejó a un lado y se levantó justo antes de que la doncella abriera la puerta del cuarto de estar.

—El conde de Haverford, señora —dijo haciéndose a un lado.

No hubo tiempo de reaccionar. Él entró en el cuarto de estar inmediatamente después que la muchacha. Alto, elegante, viril y fríamente enojado, pensó Moira conteniendo el aliento.

—¿Lady Hayes? —Kenneth dio un taconazo e hizo una breve reverencia—. ¿Señorita Hayes?

Moira observó que su madre parecía sorprendida.

—Lord Haverford —dijo—, hace una tarde de perros para salir, aunque por supuesto estamos encantadas de veros. Sentaos, por favor.

—Gracias, señora —respondió él—. ¿Me permitís unos momentos a solas con la señorita Hayes? Aquí o en otra habitación.

Lady Hayes parecía aún más desconcertada.

—¿Con mi hija, señor? —preguntó—. ¿A solas?

Pero Moira se puso en pie.

—Está bien, mamá —dijo—. Llevaré a su señoría a la biblioteca de... de papá.

Sin dar a su madre oportunidad de protestar, atravesó rápidamente la habitación hacia la puerta, rozando con sus faldas al conde de Haverford cuando pasó junto a él. Pero él alcanzó la puerta antes que ella y la abrió para dejarla pasar.

—Gracias, señora —dijo a la madre de Moira antes de seguirla por el pasillo hacia la biblioteca en la que su padre solía pasar muchos ratos cuando vivía.

—No os entretendré mucho rato.

Moira entró rápidamente en la habitación, dejando la puerta abierta tras ella, y se situó junto a la ventana. Apenas veía la arboleda por la que era tan agradable pasear cuando hacía buen tiempo. Oyó la puerta cerrarse tras ella y durante unos segundos se produjo un silencio casi insoportable.

—Entiendo —dijo él con tono gélido y casi alarmantemente bajo—, que no me supliquéis ayuda.

Ella inspiró lentamente.

—No —respondió.

—Pero pensasteis que tenía derecho de estar informado —dijo él.

—Sí.

—Debo daros las gracias por vuestra amabilidad —dijo él.

Ella se pasó la lengua por los labios. No sabía adónde quería ir él a parar con esta conversación.

—A un hombre le agrada estar informado de que dentro de seis meses nacerá su bastardo —siguió diciendo él.

Moira apoyó una mano en el borde de la repisa de la ventana.

—No consiento que utilicéis esa palabra en mi presencia —dijo.

—¿De veras? —replicó él con tono afable pero no menos inquietante—. Entonces, ¿cómo debo llamarlo? ¿Un hijo ilegítimo? Supongo que esa palabra también os parece ofensiva. ¿Un hijo fruto del amor? Pero no es eso, ¿verdad? No fue concebido durante un acto de amor.

Fue un comentario inesperado e hiriente.

—No —respondió ella—. Hace mucho que sé que sois incapaz de amar. Y esa noche ni siquiera lo fingisteis.

—¿Por qué diablos —preguntó él, dejando por primera vez que su voz denotara cierta ira—, me mentisteis, Moira?

—Yo no... —dijo ella, pero era inútil añadir otra mentira.

—Sé por qué lo hicisteis.

Ella sujetó la repisa de la ventana con ambas manos y a duras penas logró reprimir un sobresalto. La voz de él sonaba justo detrás de su hombro.

—Lo hicisteis porque en la fiesta de Tawmouth os dije categóricamente que si había un niño os casaríais conmigo. Lo hicisteis porque os ordené que me mandarais llamar sin dilación si averiguabais que estabais encinta. Lo hicisteis porque sois capaz de cualquier cosa con tal de desafiarme.

—Sí. —Ella estaba furiosa, y aunque no era prudente dado que lo tenía tan cerca, se volvió rápidamente hacia él—. Hace muchos años que os odio y desprecio, milord. Y si el odio se atemperó con los años, durante los cuatro últimos meses se ha reavivado. La idea de depender de alguna forma de vos me resulta detestable. La idea de hacer algo simplemente porque vos me lo ordenáis me resulta...

—¿Repugnante? —sugirió él, arqueando las cejas—. ¿Os ha

abandonado vuestra elocuencia, Moira? Una lástima. Os expresabais muy bien. Vuestra obstinación y puerilidad nos ha colocado a ambos en una situación profundamente embarazosa. La verdad no puede ocultarse.

Ella emitió una amarga carcajada.

—De modo que nuestro hijo tendrá que cargar siempre con el estigma de ser casi ilegítimo —dijo él.

—Completamente ilegítimo —replicó ella, sabiendo lo imprudente que era ceder a la tentación de desafiarlo en estos momentos—. La criatura que va a nacer será ilegítima. No me importa. Yo...

—Dejad de comportaros como una niña —le espetó él con tal frialdad que ella le miró unos instantes estupefacta—. Nos casaremos mañana por la mañana.

—No —contestó ella, sabiendo que era una discusión que no podía, ni deseaba, ganar. La racionalidad siempre la abandonaba cuando se enfrentaba a Kenneth. Lo único que sentía era un intenso odio—. Los bandos...

—He traído una licencia especial —dijo él—. Nos casaremos mañana. Procurad haceros a la idea, Moira. Aprenderéis a dominar la repugnancia que os inspiro. Quizá no os resulte tan insuperablemente difícil. No imagino que desearé pasar mucho tiempo en vuestra compañía. Y aprenderéis a obedecerme. No os resultará tan espantoso como suponéis. Tendré presente que sois mi esposa y no uno de los hombres de mi regimiento. Sugiero que regresemos junto a vuestra madre. ¿Lo sabe ya?

—No —respondió Moira—. Mañana es imposible. Es demasiado pronto. Necesito tiempo.

—Tiempo —respondió él fríamente— es justamente lo que no tenéis, Moira. Habéis desperdiciado demasiado. Mañana a estas horas os convertiréis en la condesa de Haverford. Viviréis en Dunbarton. Sugiero que informéis a vuestra doncella que puede...

Pero ella no oyó nada más. Sintió un aire helado a través de sus fosas nasales, una estridente campana que retumbaba en sus oídos y la alfombra bajo sus pies se elevó hacia su rostro.

—Mantened la cabeza agachada —decía una voz a lo lejos, una voz suave pero firme, una voz en la que ella confió instintivamente—, y dejad que la sangre fluya rápidamente hacia ella. Respirad hondo.

Sintió una mano firme y tranquilizadora apoyada en la parte posterior de su cabeza. Estaba sentada. La campana que sonaba de forma incesante empezó a perder intensidad, dando paso a una leve sensación de mareo. Sintió el reconfortante tacto de una mano grande y tibia sobre las suyas, frías y sudorosas.

Empezaba a recuperar el conocimiento. Se había desmayado. Estaba en la biblioteca, con el conde de Haverford. Respiró profunda y acompasadamente mientras mantenía la cabeza agachada hasta apoyarla casi en sus rodillas y los ojos cerrados.

Él tenía una rodilla apoyada en el suelo, delante de la silla en la que la había sentado, oprimiéndole con una mano la cabeza hacia abajo y sosteniéndole con la otra sus dos manos, tratando de calentárselas. Se sentía profundamente preocupado y avergonzado. Había sofocado su primer instinto de abrir la puerta y llamar a lady Hayes. Moira le había dicho que ésta no sabía nada. Sin duda había otros medios menos alarmantes de que su madre averiguara la noticia.

—¿Estáis bien? —pregunto él—. ¿Queréis que llame a vuestra madre?

—No —respondió ella débilmente. Él entendió que respondía a su segunda pregunta.

Su primera impresión al verla había sido que estaba muy desmejorada. Estaba muy delgada, incluso encorvaba un poco la espalda. Su pelo debajo del sombrero había perdido brillo. Su rostro, más que pálido tenía un color ceniciento. Incluso sus labios estaban pálidos. Tenía un aspecto demacrado, poco atractivo, avejentado. Incluso peor del que tenía en casa de los Trevellas.

De alguna forma, el hecho de verla no había sino azuzado la furia que le había hecho regresar a casa sin detenerse siquiera para comer o descansar. Parecía la viva imagen de una mujer que sufre y ha sido abandonada por su hombre. Él había sentido casi deseos de matarla. ¿Cómo se atrevía a hacerle esto?

Estaba enferma. Quizás ella misma había provocado ese estado guardando innecesariamente unos secretos, negándose empecinadamente a mandarlo llamar para que él pudiera librarla al menos de su problema más acuciante. Pero era indudable que estaba enferma. No era el momento de arremeter contra ella. Necesitaba un hombre en el que apoyarse, aunque él sabía que ella no lo reconocería ni en mil años.

Estaba enferma. Iba a tener un hijo, y estaba enferma.

Él retiró la mano de su cabeza y le frotó las manos con las suyas.

—En la reunión teníais mala cara —dijo—. Cuando nos encontramos en el valle teníais mala cara. En casa del señor Trevellas parecíais enferma. Cuando llegué esta tarde, antes de que viniéramos aquí a hablar, parecíais enferma. ¿Cuánto hace que estáis enferma?

—Creo que es debido a mi estado —respondió ella.

—No lo creo. —Él le tocó la mejilla con el dorso de la mano. Estaba aún muy fría—. Haré que el médico, el señor Ryder, os examine en Dunbarton pasado mañana. Tengo entendido que antes de establecerse aquí tenía una afamada consulta en Londres. Si su diagnóstico no nos convence, os llevaré a Londres para que os vea un médico allí. No podéis seguir así, Moira. Debisteis pedir ayuda antes.

No la riñas, se dijo él.

—No necesito ayuda. —Ella alzó la cabeza, pero fijó la vista en sus manos en lugar de en el rostro de él—. Voy a tener un hijo. Es algo que debo hacer sola.

—Sin ayuda de vuestra madre, de un médico o del padre de vuestro hijo —dijo él, tratando de reprimir su renovada ira—. La independencia de espíritu es admirable, incluso en una mujer. La terquedad, no. Mañana renunciaréis a buena parte de vuestra independencia. Os aconsejo que os hagáis a la idea de renunciar también a vuestra terquedad, si esperáis hallar alguna compatibilidad en nuestro matrimonio.

—No tengo más remedio que casarme con vos, Kenneth —contestó ella, mirándole por fin a los ojos—. Está claro. Pero quiero que entendáis una cosa. Me caso con vos porque debo hacerlo. No espero comprobar que somos o podemos ser compatibles. No haré ningún esfuerzo por adaptarme a vuestra forma de ser. Os desprecio a vos y vuestra forma de ser.

Él se esforzó en sofocar su ira y le sorprendió comprobar que se sentía tan dolido como enojado. Tenían un problema mutuo, que sólo podía solventarse de una forma. ¿Le odiaba ella hasta el punto de preferir ser desdichada toda su vida que tratar de sacar el mejor partido de una situación?

—No me conocéis ni a mí ni mi forma de ser, Moira —replicó él—. Nos encontramos aproximadamente una docena de veces cuando éramos muy jóvenes. No tuvimos trato alguno durante más de ocho años. Ni siquiera vivíamos en el mismo país. En los cuatro meses desde mi regreso, hemos tenido unos breves encuentro y otro desgraciadamente más prolongado en la cabaña del ermitaño. No nos conocemos en absoluto. Pero mañana nos convertiremos en marido y mujer. ¿No podemos ponernos de acuerdo para iniciar una nueva etapa en nuestras vidas? ¿No podemos hacer al menos el esfuerzo de tolerarnos y respetarnos mutuamente?

Ella parecía reflexionar sobre la cuestión.

—No —respondió al fin—. No puedo olvidar fácilmente el pasado.

Él le soltó las manos y se levantó.

—Quizá seáis más sincera que yo —dijo—. Yo tampoco puedo olvidar fácilmente la noche que estabais en la hondonada sobre el acantilado apuntándome al corazón con una pistola y me dijisteis que me fuera a casa y no me inmiscuyera en lo que no me incumbía cuando la víspera me habíais besado y sonreído en esa misma hondonada al deciros que os amaba.

—Debí soltar una carcajada en lugar de sonreír —dijo ella— al oír semejante mentira.

Él se dirigió hacia la puerta y la abrió. Pero no había nadie en el pasillo. Lo atravesó y llamó a la puerta del cuarto de estar donde le habían recibido hacía un rato. La voz de lady Hayes le dijo que pasara.

—Os ruego que vengáis a la biblioteca, señora —dijo él inclinándose ante ella.

Ella le miró tan sorprendida como lo había hecho antes, pero se levantó sin hacérselo repetir y le siguió por el pasillo.

—¿Moira? —dijo entrando apresuradamente—. ¿Qué ha ocurrido? ¿Has vuelto a sentirte mal? Ha estado indispuesta durante buena parte del invierno, milord —explicó volviéndose hacia él, que se hallaba junto a la puerta con las manos enlazadas a la espalda—. Confío en que...

—La señorita Hayes ha aceptado casarse conmigo mañana por la mañana, señora —dijo él.

Lady Hayes le miró estupefacta.

—Estoy encinta de más de tres meses, mamá —dijo Moira, alzando la vista y fijándola en los ojos como platos de su madre—. La noche del baile navideño no la pasé en Dunbarton. Traté estúpidamente de regresar a casa caminando pese a la tormenta. Lord Haverford salió en mi busca y me encontró refugiada en el baptisterio. Nos vimos obligados a pasar el resto de la noche allí.

Por fortuna lady Hayes se encontraba cerca de una silla y se sentó apresuradamente en ella. Miró a Kenneth frunciendo los labios.

—A la mañana siguiente lord Haverford me ofreció matrimonio —se apresuró a decir Moira. No era estrictamente verdad. Ella no había permitido que le hiciera ese ofrecimiento—. Posteriormente me lo ofreció en reiteradas ocasiones. Incluso trató de insistir. Pero yo le rechacé. La misma mañana que escribí a sir Edwin le escribí a él. Pero cuando llevé la carta a Dunbarton averigüé que había partido hacía unas horas para Kent. Regresó en cuanto le mandé recado. Nada de esto es culpa suya.

Él esbozó una media sonrisa. ¿Moira defendiéndolo?

—Debí hablar con vos, señora —dijo— cuando acompañé a Moira a casa esa mañana. Debí escribir yo mismo a sir Edwin Baillie esa mañana. De no haber cometido yo unos graves errores habría evitado mucha angustia. Me culpo a mí mismo. Pero no adelanto nada reprochándome mis anteriores fallos. He adquirido una licencia especial y la señorita Hayes y yo nos casaremos mañana. Al día siguiente haré que la examine un médico.

Lady Hayes se llevó las manos a las mejillas.

—Doy gracias, milord —dijo—, que ni vuestro padre ni mi esposo estén vivos en este momento. —Se volvió hacia su hija—. ¿Por qué no me lo dijiste, Moira? ¿Por qué no me lo dijiste?

—Supongo —respondió Moira— que pensé que si no hablaba de ello ni pensaba en ello, esta terrible pesadilla desaparecería. Al parecer, desde Navidad no he hecho más que cometer una torpeza tras otra. —Miró a Kenneth—. Por supuesto, eso no desaparecerá nunca. Cargaré con ello toda la vida.

Él se acercó a la campanilla.

—Con vuestro permiso, señora —dijo—, llamaré a vuestra doncella. Creo que a vos y a Moira os sentaría bien una taza de té.

—¿Moira? —dijo lady Hayes arrugando el ceño.

No le había pasado inadvertida la familiaridad con que él se había referido a su hija. Pero ahora ya no importaba. Al día siguiente la señorita Moira Hayes sería su esposa. Mañana se convertiría en Moira Woodfall, condesa de Haverford, para quien la pesadilla del presente persistiría toda la vida.

Él tiró de la campanilla con gesto adusto.

La iglesia de Tawmouth estaba casi vacía cuando el conde de Haverford contrajo matrimonio con la señorita Moira Hayes. Aparte de ellos y del reverendo Finley-Evans, las únicas personas presentes eran lady Hayes, la señora Finley-Evans, Harriet Lincoln y el señor Lincoln, los cuales habían sido invitados a última hora, y el administrador de su señoría.

No se parecía en nada a la boda con la que ella había soñado tiempo atrás, cuando era joven, pensó Moira. No sólo debido a la ausencia de invitados. No había un novio al que mirar con adoración. Sólo Kenneth, el cual, como es natural, estaba impresionantemente guapo, vestido de forma tan impecable como si se dirigiera a la corte para presentar sus respetos al rey, o al príncipe regente. Lucía un atuendo de color azul pálido y blanco que le sentaba maravillosamente con su pelo rubio. Parecía un príncipe de cuento de hadas. Aunque ella lucía uno de sus vestidos blancos favoritos, el cual había estado a punto de ponerse para el baile navideño en Dunbarton, sabía muy bien que no estaba guapa. La apostura de él hacía que se sintiera aún más fea.

Y esa mañana, cuando se había levantado de la cama, se había sentido tan indispuesta que durante unos minutos pensó en enviar recado a Kenneth informándole de que era preciso aplazar la boda. Pero era imposible, por supuesto. Tal como él le había dicho y ella comprendía, había dejado pasar demasiado tiempo. Se sentía muy mal en todos los aspectos: le dolía la cabeza, estaba mareada y tenía náuseas, frío y se sentía apática. Detestaba sus síntomas, su autocompasión. Deseaba salir corriendo y no detenerse. Deseaba lo imposible. Quizá, pensó con sombrío humor, sentía el deseo de morir.

No era la boda con la que hubiera soñado una mujer. Y, sin embargo, era sorprendentemente real. A fin de cuentas, no era un desagradable trámite por el que tenía que pasar para restituir la decencia a su vida. Era una boda. Era algo que uniría su suerte a la de Kenneth para el resto de sus vidas. Quizá porque la ceremonia representó para ella una dura prueba física, asumió asimismo una dura realidad. Escuchó cada palabra que pronunció el reverendo Finley-Evans y cada palabra parecía algo novedoso, como si no hubiera asistido nunca a la ceremonia de una boda. Escuchó la voz de Kenneth, grave, agradable y muy varonil, y oyó las palabras que dijo. Dijo que la adoraba con su cuerpo. Escuchó su propia voz y lo que dijo. Prometió amarlo y obedecerle. Sintió el reluciente anillo de oro sorprendentemente cálido sobre su piel. Observó cómo Kenneth lo deslizaba sobre su nudillo y se lo colocaba en el dedo. Oyó detrás de ella un sollozo que alguien se apresuró a reprimir. ¿Su madre? ¿Harriet? Sintió el beso que él le dio, cálido, firme, con los labios ligeramente entreabiertos, su cálido aliento sobre su mejilla.

Kenneth. Cuando él alzó la cabeza ella le miró a los ojos. Él sostuvo su mirada, pero sus ojos no le indicaban nada. Carecían de expresión. *Kenneth. Te amaba con locura. Eras mi sueño dorado. Lo eras todo para mí.*

—Por favor —murmuró él, inclinándose sobre ella cuando el reverendo Finley-Evans tomó de nuevo la palabra—, no llores. No me hagas esto.

Pero estaba equivocado. Creía que eran lágrimas de repugnancia. Eran lágrimas de tristeza por los sueños e ideales de juventud. Tiempo atrás ella había creído en héroes y en la perfección y en el amor romántico, todo ello encarnado en Kenneth. Cuando había despertado a la realidad, todo se había derrumbado. Si no le hubiera amado, pensó Moira, quizá tampoco le habría odiado.

Pero le parecía imposible reaccionar a Kenneth sin algún tipo de pasión. Por desgracia, jamás se sentiría indiferente a él.

Su madre la abrazó y besó; Harriet y la señora Finley-Evans, ambas con una expresión de perplejidad y curiosidad, la besaron en la mejilla; el reverendo Finley-Evans, el señor Lincoln y el señor Watkins, el administrador de Dunbarton, se inclinaron ante ella y le besaron la mano. Y de pronto, curiosamente, todo había terminado. Ella abandonó la iglesia del brazo de su esposo, que la ayudó a montarse en su carruaje. Los demás se trasladarían en otros dos carruajes a Dunbarton para desayunar.

Todo le pareció a Moira más real cuando se quedaron solos, sentados uno junto al otro, sin tocarse, mirando por las ventanillas opuestas del coche.

—Si te sientes demasiado indispuesta para desayunar —dijo él cuando el coche empezó a ascender la empinada cuesta más allá del pueblo—, debes retirarte a tus habitaciones. Si te sientes con ánimo de unirte a nuestros invitados, te agradeceré que te esfuerces en sonreír un par de veces.

—Sí —dijo ella—. Sonreiré.

—Al menos —dijo él—, procura no llorar.

—Sonreiré —dijo ella—. Es la primera orden que me dais, milord, y obedeceré.

—El sarcasmo es innecesario —dijo él.

Ella emitió una breve risita y volvió la cabeza, pestañeando deliberadamente. Él jamás volvería a verla llorar. No volvería a ver su faceta vulnerable.

Kenneth. Sentía un nostálgico anhelo por el hombre al que había amado, como si no fuera el mismo que estaba sentado ahora junto a ella, casi rozándole el hombro con el suyo. Su marido. El padre de la criatura que llevaba en su vientre.

Capítulo 15

Kenneth decidió que el cuarto de estar era demasiado grande para dos personas. En adelante tendrían que buscar otra habitación más pequeña donde pasar juntos las veladas, salvo cuando tuvieran invitados. El techo abovedado, pintado y dorado, las gigantescas puertas, la chimenea de mármol y los inmensos cuadros enmarcados conseguían empequeñecer a su esposa cuando se sentaba junto al fuego, inclinada sobre su labor.

¡Su esposa! Sólo ahora, la noche del día de su boda, cuando los invitados se habían ido, tuvo tiempo para asimilar la realidad de la semana pasada..., ni siquiera una semana. Pese a la decisión que había tomado con anterioridad de convertir Dunbarton en su hogar, se había propuesto instalarse en Londres para disfrutar de la temporada social con Nat y Eden. Estaba dispuesto a participar plenamente en todas las frivolidades, excesos y libertinajes que la ciudad tenía que ofrecer,

El hecho de estar en Dunbarton, cerca de Penwith, cerca de ella, se le había hecho insoportable. La había odiado y amado. La había despreciado y deseado. La había detestado y admirado. En esos momentos, quizá, no había reconocido la dualidad de sus sentimientos. Pero se había sentido impotente. Ella le había rechazado. Ahora sabía que incluso había llegado a mentirle con el fin de librarse de él.

Ella alzó la vista de su labor y su mirada se cruzó con la de él, que estaba sentado al otro lado de la habitación. Su mano, con la que sostenía la aguja y el hilo de seda, estaba suspendida sobre su labor.

A pesar de su palidez y su desmejorado aspecto, seguía poseyendo una gracia natural. Pero estaba muy delgada. Tenía las mejillas hundidas. El vestido de noche que se había puesto para cenar le quedaba ancho. ¿No debía ser lo contrario al cabo de tres meses de gestación?

Se miraron largo rato en silencio.

—Estás cansada —dijo él—. ¿Quieres que te acompañe a tu habitación?

—Aún no —respondió ella.

Ella había estado a punto de caer rendida de agotamiento cuando su madre, la última de los invitados, se había ido. Pero se había negado a no estar presente a la hora de la cena —aunque apenas había probado la comida— y había insistido en sentarse más tarde en el cuarto de estar porque, según sospechaba Kenneth, él le había sugerido en ambas ocasiones que se retirara a sus apartamentos. De haberle dicho, con tono brusco y autoritario, que esperaba que le hiciera compañía durante la cena, ella probablemente se habría quedado arriba desafiándole a que subiera para obligarla a bajar.

—¿Qué haces? —preguntó ella.

Él miró el papel que estaba ante él sobre el escritorio y la pluma que sostenía en la mano.

—Escribo a mi madre —respondió—, y a mi hermana.

Ella bajó aguja, aunque no estaba cosiendo.

—Se llevarán una alegría —dijo.

—Lo que piensen me tiene sin cuidado —contestó él—. Eres mi esposa. Vamos a tener un hijo dentro de menos de seis meses. No tienen más remedio que aceptar estos hechos con alegría.

—Con alegría. —Ella sonrió—. Por poco les da un síncope cuando temieron que yo pasaría la noche aquí después del baile navideño.

—Exageras —dijo él—. De haberles consultado al respecto, sin duda habrían insistido en que te quedaras en lugar de poner en peligro tu vida regresando a casa.

Ella siguió sonriendo.

—Decidí poner en peligro mi vida Kenneth —contestó— cuando las oí manifestarte sus reparos a mi continuada presencia en Dunbarton.

¿Era posible? Él supuso que ella decía la verdad. Ambas se habían mostrado contrariadas. Por eso se había marchado tan apresuradamente de su casa a pesar de la tormenta.

—Te pido disculpas —dijo él—. Seguramente no imaginaron que oirías lo que decían.

—Las personas que se dedican a escuchar conversaciones a escondidas rara vez oyen nada bueno sobre ellas —dijo Moira—. Al menos, eso dicen. Cuando lean tus cartas y hagan algunos cálculos, quizá se arrepientan de no haberme pedido que me quedara. Una noche en Dunbarton y se habrían librado de mí para siempre.

—Lo que puedan pensar carece de importancia —contestó él—. Y puedes estar segura de que te tratarán con la máxima educación.

Ella volvió a sonreír antes de volver a tomar la aguja. Él la observó durante unos minutos antes de concentrarse de nuevo en la complicada carta. Ambas se sentirían horrorizadas al averiguar la identidad de su esposa, la forma en que se habían casado, las circunstancias que habían dictado la premura. Pero acabarían aceptándola. No tendrían más remedio si querían seguir tratándose con él.

Cuando terminó la primera carta empezó la segunda antes de alzar de nuevo la vista. Al hacerlo, vio que ella había dejado la labor sobre su regazo y tenía los ojos cerrados.

—¿Qué te ocurre? —preguntó levantándose y apresurándose hacia ella.

—Nada.

Ella tomó de nuevo la aguja.

—Deja tu labor —dijo él—. Te llevaré a la cama.

—¿Otra orden? —preguntó ella.

Él apretó los dientes.

—Como quieras —dijo—. Si prefieres hacer que este matrimonio sea intolerable tanto para ti como para mí obligándome a darte órdenes e insistir en que las obedezcas, sea. Si deseas convertir nuestro matrimonio en una especie de juego en el que yo sea siempre el opresor y tú la víctima, no puedo impedírtelo. Pero en estos momentos estás cansada e indispuesta y debes acostarte. Te llevaré a la cama. Si quieres, puedes levantarte y tomarme del brazo. Si te niegas, tendré que obligarte a levantarte de la silla y llevarte arriba en brazos. Como ves, la elección depende de ti.

Ella se tomó su tiempo para ensartar la aguja en el tejido, doblarlo con las sedas dentro y dejarlo a un lado antes de ponerse de pie. Se apoyó tan pesadamente en su brazo mientras la conducía escaleras arriba que él comprendió que estaba muy cansada.

—Mañana enviaré recado a Ryder —dijo—. Veremos qué puede hacer por ti, Moira. No puedes seguir así.

Ella se abstuvo de discutir con él la verdad de esa última frase. Apoyó la cabeza en su hombro, lo cual le alarmó. La sentó en una silla en su vestidor, tiró de la campanilla para llamar a su doncella y se puso en cuclillas ante ella para tomar sus manos en las suyas.

—Yo te he hecho esto —dijo—. Los hombres escapamos sin sufrir ningún perjuicio en estas cuestiones. Pero procuraré aliviar todos tus sufrimientos excepto éste, Moira. Trataré de ser un buen marido. Si lo intentamos, quizás aprendamos a llevarnos bien.

—Quizás.

Ella le miró a los ojos. Era la primera concesión que hacía.

Él acercó las manos de ella a sus labios, una seguida de otra, y cuando apareció la doncella las soltó y se levantó.

—Buenas noches —dijo a su esposa. Bajó de nuevo para terminar la carta a Helen, pero no permaneció en el cuarto de estar hasta tarde. Se desnudó en su vestidor, se puso una bata sobre su camisa de dormir y se situó junto a la ventana de su dormitorio, que estaba a oscuras, hasta altas horas de la noche.

No era la noche de bodas con la que soñaría un hombre. No era el matrimonio con el que soñaría un hombre. Y sin embargo era real. Durante la ceremonia de su boda había comprendido una cosa con alarmante claridad. Al pronunciar sus votos, había articulado cada palabra con absoluta sinceridad. Había oído decir que la ceremonia nupcial era una farsa religiosa, que los novios estaban obligados a pronunciar unos votos solemnes y ridículos que ninguno de ellos tenía la menor intención de cumplir. Él temía que no tendría más remedio que cumplir los suyos.

No era un pensamiento grato. Tenía la sensación de que hoy se había condenado a ser perpetuamente infeliz.

Y, sin embargo, tiempo atrás los términos «felicidad» y «Moira» le habían parecido sinónimos. Ella parecía hecha para ser feliz: esbelta y atractiva, aunque no bonita en un sentido convencional, y rebosante de salud, vitalidad y buen humor. Había hecho caso omiso de la disputa familiar que debía mantenerlos separados y de las restricciones sociales que la obligaban a ir siempre acompañada de una carabina. Había hecho caso omiso de las normas del decoro propio de una dama que la obligaban a llevar el pelo recogido e ir siempre calzada con medias y zapatos y caminar a paso lento. La recordaba corriendo por la colina que se alzaba sobre la cascada, con el sombrero de él en sus manos mientras la perseguía para rescatarlo, y correteando por la playa, con los brazos abiertos, su rostro alzado al sol, y sentada en la hondonada sobre el acantilado, rodeándose las rodillas con los brazos, contemplando el mar, preguntándose cómo debía de ser la vida en otros países. Charlando, sonriendo, riendo..., riendo casi siempre. Y besándole con cálido ardor y sonriendo cuando él le juraba que la amaba.

Era difícil —casi imposible— creer que era la misma mujer que él había dejado sentada en una butaca en el vestidor junto al suyo. Excepto que el dolor que le oprimía el corazón le decía que sí lo era y que él tenía la culpa de la diferencia que apreciaba en ella.

—Moira —murmuró, pero el sonido de su voz le sorprendió y turbó.

Cerró los ojos y apoyó la frente contra el cristal de la ventana.

Era una habitación extraña en una casa extraña: espaciosa, de techo alto, caldeada. La cama era grande y confortable. Todo era muy superior al dormitorio que tenía ella en su casa, su antigua casa. Pero no podía conciliar el sueño.

Se preguntó dónde estaba él, y dónde estaban sus aposentos. ¿Cerca de los suyos? ¿Tan alejados de los suyos como era posible?

Había estado muy antipática con él durante todo el día. Ni ella misma se lo explicaba. Él se había esforzado en mostrarse cortés, incluso amable. Ella lo había tergiversado todo, había frustrado sus intentos continuamente. Se había comportado como una niña consentida. No había podido evitarlo. Pero estaban casados. No podía seguir portándose así el resto de su vida.

Pasó el pulgar sobre la alianza de oro que lucía en el dedo. Kenneth y ella estaban casados. Había alcanzado la cima de sus sueños juveniles. Él era sin duda el hombre más guapo del mundo, había pensado antes..., y aún lo pensaba.

Mañana procuraría portarse mejor. Mañana se mostraría amable con él. Ningún matrimonio era tan espantoso que un pequeño esfuerzo por ser amable no pudiera hacer soportable, a menos que el marido maltratara a su mujer o padeciera una adicción que no pudiera controlar. Ninguno de estos supuestos se aplicaba a su matrimonio. Mañana trataría de portarse mejor.

No podía dormir. Le parecía como si la habitación se inclinara más allá de sus párpados cerrados, provocándole las habituales náuseas, la cabeza le retumbaba y los músculos de su vientre se contraían de forma involuntaria causándole molestias e incluso dolor. Moira se preguntó si el parto se desarrollaría con más normalidad ahora que había desaparecido su ansiedad, las dudas, el secretismo y su sentimiento de culpa. Se preguntó si el señor Ryder podría recetarle algo que hiciera que volviera a sentirse bien. Sería bochornoso confesar la verdad al señor Ryder, dejar que la examinara. Se preguntó si Harriet había sospechado la verdad, y la señora Finley-Evans. Le parecía imposible que no lo hubieran sospechado. Se sentía muy cansada. Estaba convencida de que si lograba conciliar el sueño dormiría toda una semana.

De pronto se despertó, esforzándose en salir de una angustiosa pesadilla que la había dejado acalorada y sudorosa, boqueando para librarse de unas zarpas que la atenazaban y se clavaban en su piel. Fijó la vista en el baldaquín sobre su lecho, respirando trabajosamente a través de la boca. Sabía que sólo una parte de lo sucedido había sido un sueño. Permaneció muy quieta, con los ojos cerrados, tratando de calmarse. Casi lo había conseguido cuando ocurrió de nuevo.

Junto a la cama había una campanilla. En su vestidor, otra. Se había olvidado de ambas. Se encaminó descalza y trastabillando hacia la puerta de su alcoba y la abrió. Pero ignoraba dónde se encontraba él. La casa le era extraña. Todo le era extraño.

—Kenneth —dijo. Respiró hondo y gritó—. ¡Kenneth!

Oyó que se abría una puerta cercana mientras se sujetaba al marco de la puerta de su alcoba; luego sintió dos manos que la tomaban por los brazos, atrayéndola contra la sedosa tibieza de una bata. Sepultó su rostro contra el pecho de él, tratando de que le transmitiera parte de su cordura.

—¿Qué ocurre? —le preguntó él—. ¿Qué ha sucedido?

—No lo sé —respondió ella. Pero empezaba a ocurrir de nuevo y se agarró a él, gimiendo—. Kenneth...

—Dios mío.

Él la tomó en brazos y la depositó de nuevo en la cama. Pero ella se agarró a su cuello, aterrorizada.

—No me dejes —le imploró—. Por favor. Por favor.

Él la abrazó, acercando su cabeza a la suya, hablándole.

—Moira —repitió una y otra vez—. Amor mío. Moira.

Él debió de tirar de la campanilla. Había otra persona en la habitación, una persona que sostenía una vela. Él ordenó a esa persona que fuera a por el médico de inmediato y le informara que se trataba de una grave urgencia. Empleó el tono que debía de emplear en el campo de batalla, pensó ella. Y el dolor volvió a hacer presa en ella.

No sabía cuánto tiempo transcurrió hasta que llegó el señor Ryder. Pero comprendió lo que sucedía mucho antes de que llegara. Estaba sumida en una pesadilla, despierta, sintiendo un dolor lacerante sin el consuelo de la alegría que experimentaría cuando todo terminara. Su doncella estaba en la habitación. Al igual que el ama de llaves, y él, hablándole, acariciándole la cabeza, refrescando su rostro con un paño empapado en agua fría. Al cabo de un rato oyó otra voz masculina —la del señor Ryder—, diciendo a Kenneth que saliera, pero él se negó.

No se fue hasta que todo terminó y Moira oyó al señor Ryder

decirle —supuso que no había pretendido que ella lo oyera— que no creía que la vida de su señoría corriera peligro. Pero regresaría mañana temprano.

—¿Moira? —La voz de Kenneth. Ella abrió los ojos—. Tu doncella se quedará aquí contigo. Vendrá a avisarme si me necesitas. No dudes en pedírselo. Ahora procura dormir. Ryder te ha administrado un brebaje que te ayudará a conciliar el sueño.

Su rostro era una máscara fría e impasible.

Ella volvió a cerrar los ojos. Oyó a alguien emitir una risa sofocada.

—Qué maravillosa ironía —dijo alguien, ¿quizás ella misma?—. Un día demasiado tarde.

—Duerme —dijo él, y su voz denotaba la misma frialdad que traslucía su rostro.

Él se sentía profundamente apenado, un sentimiento que le sorprendió. Aparte del hecho de que el embarazo de Moira les había forzado a contraer matrimonio y la indisposición debida a su estado le había causado una gran preocupación, no había tenido realmente tiempo de pensar en la criatura que iba a nacer, su hijo. Una persona. Una parte de él y de ella. Un hijo o una hija. Ahora ya no nacería y él lloraba su pérdida..., y la que había sufrido Moira.

Especialmente la que había sufrido Moira. Aún temía por su salud, por su vida. Cuando entró de nuevo en la alcoba de ella a primeras horas de la mañana después de vestirse, ella yacía en la cama muy quieta y en silencio, de espaldas a él. Pero al acercarse vio que tenía los ojos abiertos. Tenía la mirada fija al frente. Él miró a la doncella arqueando las cejas, y la chica le hizo una reverencia y salió de la habitación.

—¿Has podido dormir? —preguntó, con las manos enlazadas a la espalda. Esta mañana no se atrevía a tocarla.

—Supongo que sí —respondió ella después de un prolongado silencio.

—Te sentirás mejor cuando hayas descansado —dijo él. Percibió la frialdad de su voz—. Habrá más oportunidades de... tener hijos.

Él cerró los ojos. Lo que había dicho era una estupidez. ¿Por qué no se había limitado a dolerse con ella por la pérdida que habían sufrido? Pero sentía que no tenía derecho a su dolor. No había experimentado el sufrimiento que había provocado la pérdida de su hijo. Lo único que había hecho era procurar que ella entrara en calor en una noche fría. Ella no le agradecería que tratara de compartir su dolor.

—Si esta criatura hubiera tenido la sensatez de morirse un día antes —dijo ella con voz apagada y monocorde—, esta mañana no nos enfrentaríamos a una sentencia de por vida, milord.

Las palabras eran más brutales que el azote de un látigo. Él se estremeció de dolor. Se quedó inmóvil, sin saber qué decir. No había nada que decir. No había palabras con que expresar lo que sentía.

—Sí, dentro de unos días me sentiré mejor —dijo ella—. ¿Cómo no iba a hacerlo? Soy la condesa de Haverford, dueña y señora de Dunbarton Hall. ¿Quién lo habría imaginado de la hija de un mero baronet? ¿Y para colmo una Hayes?

—Procuraremos superarlo —dijo él. Es cuanto podemos hacer. Las personas se casan por motivos que nada tienen que ver con el amor o el afecto. Las mujeres sufren abortos espontáneos. Los niños mueren. Pero aun así, la gente sigue adelante. Sigue viviendo, intentando superar las adversidades.

Trataba desesperadamente de convencerse con sus palabras. ¿Cómo consiguen las personas seguir adelante después de caer en el desconsuelo?

Pero ella se había vuelto hacia él y le miraba con ojos hostiles.

—Las mujeres sufren abortos espontáneos —dijo—. Las otras mujeres no me importan. Yo he sufrido un aborto. No me importa que mueran otros niños. Mi hijo ha muerto. Por supuesto, no tiene importancia al cabo tan sólo de tres meses. No era realmente un bebé. No era nada. Por supuesto que debo seguir adelante con mi vida. Por supuesto que debo tratar de superarlo. Qué estúpida soy de sentirme esta mañana algo abatida.

Él abrió y cerró las manos a su espalda.

—Moira... —dijo.

—Sal de aquí —replicó ella—. Si te queda algo de decencia, sal de aquí. El hecho de que fuera tu hijo quizá debería hacer que lo detestara. Pero el niño no tenía la culpa de quién era su padre. Yo amaba a mi hijo.

—Moira...

Él sintió que perdía el control. Pestañeó varias veces.

—Fuera de mi vista —dijo ella—. Eres un hombre frío, de corazón frío. Siempre lo has sido. Ojalá no hubiera vuelto a verte nunca. No sabes cuánto lo lamento.

Él la observó unos instantes, sintiendo un frío que le caló hasta el corazón, dio media vuelta y salió de la alcoba. Cerró la puerta silenciosamente tras él y se cubrió la cara con ambas manos al tiempo que sofocaba un sollozo. La terrible experiencia de esa noche la había trastornado, pensó. Se negaba a creer que cuando recobrara la salud y su buen humor fuera capaz de decir esas cosas o siquiera de pensarlas. No debió venir a verla tan pronto. Debió esperar a que llegara el médico. Debió... ¡Maldita sea, debió medir mejor sus palabras!

Pero nada de lo que pudiera decir la habría consolado. Sentía hacia él un intenso odio que era muy real, por más que sobrepasara la realidad de los hechos. Todo indicaba que era imposible salvar su matrimonio. Ella había accedido a casarse con él con gran reticencia sólo debido a su estado. Y ahora, menos de veinticuatro horas después de la boda, había perdido al niño que esperaba. Una ironía, como ella había observado anoche. El motivo por el que se habían casado —al menos según ella— le había sido arrebatado, pero el matrimonio había sido bendecido y era indisoluble.

Él entró de nuevo en su vestidor para ponerse unas ropas adecuadas para salir a caminar, y al cabo de unos minutos echó a andar hacia las colinas, precedido por un exuberante *Nelson*, que brincaba entusiasmado. Media hora más tarde cayó en la cuenta de que ni siquiera había esperado a que llegara el médico.

Moira se hallaba en el acogedor saloncito que formaba parte de sus apartamentos, recostada en una *chaise longue*. No leía ni cosía. Durante la pasada semana apenas había hecho nada. Pero su apatía empezaba a irritarla. Dudaba que fuera capaz de obedecer las órdenes del médico de permanecer confinada en sus habitaciones durante otra semana. No le convenía salir hasta dentro de un mes. Pero decidió que saldría mucho antes.

Su madre se había marchado hacía una hora, Harriet hacía tan sólo cinco minutos. Pobre Harriet. Había aceptado, al menos aparentemente, el mito de que el resfriado, que había durado desde Navidad hasta casi el presente, había culminado el día después de su boda en una grave pero breve indisposición, de la que por fin se estaba recuperando. Nadie había mencionado la verdad, pero Moira estaba segura de que Harriet la sabía por más que no comprendiera cómo era posible. Durante los dos últimos días habían acudido otras señoras a visitarla, las cuales se habían mostrado perplejas e intrigadas, pero, eran demasiado educadas para hacer preguntas indiscretas sobre su apresurado matrimonio después de la ruptura de su compromiso con sir Edwin o su indisposición. Estos días las conversaciones en los cuartos de estar de Tawmouth debían de ser muy animadas, pensó Moira con tristeza.

Apenas había visto a su marido en toda la semana. Desde la mañana después de su boda —y el aborto que había sufrido— él aparecía sólo una vez al día junto a la puerta de su cuarto de estar para interesarse por su salud, para saludarla con una reverencia y marcharse.

Ella procuraba no pensar en él ni en su matrimonio..., ni en su aborto. Pero era difícil no hacerlo.

Moira. Amor mío. No mueras. No dejaré que mueras. Amor mío. ¡Amor mío! Por favor, no mueras. No me dejes. ¡Ah, Moira! Amor mío.

Ella le había oído decir esas cosas esa noche, o creía haberle oído decirlas. Había visto la angustia en su rostro demacrado, incluso lágrimas, o creía haberlas visto.

Es curioso cómo la mente y la memoria pueden hacer que imagines cosas que no existen. Quizás era gracias a eso que había logrado conservar la cordura. El hecho de haber perdido a su hijo era innegable. De modo que se había consolado imaginando palabras, imaginando miradas. ¿Era posible que hubiera imaginado esas cosas?

De no ser así, estaba claro que él no había sido sincero. Contra toda razón, contra su criterio, incluso contra los dictados de su corazón, ella había confiado en que él regresara, que la mirara de nuevo de esa forma, que le dijera esas mismas palabras. Confiaba en sentir de nuevo su mano sobre su cabeza. Confiaba en que él hiciera algún comentario sobre la pérdida del hijo que esperaban. Algo para consolarla y aliviar el intenso dolor de su sufrimiento.

Habrá más oportunidades de tener hijos. Su voz áspera y fría, como acusándola de exagerar las cosas. *Las mujeres sufren abortos espontáneos. Los niños mueren. Las personas siguen viviendo.*

Ella había deseado volver a amarlo. Ahora lo sabía, por más que le avergonzara reconocerlo. Durante su boda había deseado amarlo. Había resistido la necesidad de descansar durante el resto del día, y ahora comprendía que ése era el motivo por el que había estado tan antipática con él. Antes de que él saliera de su vestidor, ella había reconocido por fin que quizá consiguieran salvar su matrimonio. Luego, pese al horror de su aborto...

Había deseado amarlo.

Ahora sólo podía odiarlo con renovada pasión. Era un hombre carente de sentimientos. ¿Cómo podía ser tan despiadado?

Alguien llamó con los nudillos a la puerta, de una forma que ella reconoció. Él nunca entraba en su habitación sin llamar. Al menos debía reconocerle ese detalle.

—Pasa —dijo ella.

Él se inclinó ante ella, su rostro frío e impasible.

—¿Cómo os sentís hoy? —preguntó.

—Bien, gracias —respondió ella.

—El médico opina que estáis fuera de peligro —dijo él—. Tenéis mejor aspecto. Debo haceros una pregunta, señora.

Hacía una semana que él no la llamaba por su nombre.

Ella arqueó las cejas, sorprendida.

—Hace una semana —dijo él—, me dijisteis que lamentabais haberme vuelto a ver. En esos momentos quizá no estabais en vuestros cabales. ¿Seguís pensando lo mismo que entonces? ¿Seguís lamentándolo?

Kenneth. ¿Era posible que la vida les hubiera conducido hasta este momento? ¿Por qué había regresado él a Dunbarton? ¿Por qué? Unas preguntas sin sentido, unos pensamientos sin sentido.

—Sí —respondió ella.

Él hizo otra reverencia, más elegante, más ceremoniosa que la última.

—Entonces os concederé lo que deseáis, señora —dijo—. Partiré para Londres mañana temprano. No os molestaré antes de marcharme. Si me necesitáis, mi administrador sabrá dónde localizarme en todo momento. Adiós.

Era un momento irreal. Ella se había casado hacía una semana. Había estado encinta de más de tres meses. Ahora había perdido el niño y no tenía un marido. Pero estaba atrapada para siempre en un matrimonio desdichado.

—Adiós, milord —respondió ella.

Se quedó mirando la puerta largo rato después de que él la cerrara a su espalda.

Capítulo 16

*Y*o prefiero Brighton —dijo lord Pelham—. El príncipe Jorge y toda la flor y nata estarán allí. No puedo por menos de recordar que el año pasado por esta época nos disponíamos a afrontar la Batalla de Waterloo. Hay mucha vida que celebrar en un mundo que por fin está en paz. Y yo me propongo celebrarlo.

—Quizá regrese a casa —dijo el señor Gascoigne—. Mi padre está enfermo, y llega un momento en que...

Se encogió de hombros.

Paseaban a caballo por Hyde Park a primeras horas de una mañana de últimos de mayo. Charlaban de lo que harían cuando terminara la temporada social.

—¿Y tú, Ken? —preguntó lord Pelham.

—¿Yo? —Kenneth se rió—. Lo siento, estaba distraído. Mejor dicho, admiraba los tobillos de esa doncella que pasea a unos perros. No, no puedes ir a saludarlos o a aterrorizarlos, *Nelson*. No me mires con esa cara de pena. ¿Que qué haré? Seguir a la flor y nata a Brighton con Eden, supongo. O tal vez ir a París. Sí, me apetece ir a París, o a Viena o a Roma. Incluso a Norteamérica. El mundo es para disfrutarlo y, desgraciadamente, no hay tiempo para disfrutar de todo cuanto ofrece siquiera en una vida.

—¿No piensas regresar a casa? —inquirió el señor Gascoigne.

—¿A casa? —Kenneth se rió de nuevo—. Ni mucho menos, Nat. Hay cosas más agradables que hacer que encerrarme en Cornualles. Como, por ejemplo, cortejar a la atractiva señorita Wilcox. ¿Sabíais que cuando bailó conmigo el último baile en casa de los Pickard anoche rompió su promesa de hacerlo con el hijo mayor de Pickard? Durante un momento creí que éste iba a arrojarme el guante a la cara. La joven pasará el verano en Brighton, lo cual es un excelente motivo para no ir a París, ¿no creéis? Claro que podría aplazar mi viaje a París hasta el otoño.

—Esa mujer es una coqueta impenitente —comentó lord Pelham—, y de dudosa reputación, Ken.

—De lo contrario no me perseguiría, ¿verdad? —replicó su amigo—. ¿Estás celoso, Eden?

—Supuse que querrías estar en Inglaterra durante el otoño, Ken —dijo el señor Gascoigne—. Lady Hav...

—Estabas equivocado.

Kenneth espoleó a su caballo para ponerlo al trote y contempló el césped y los árboles, el puñado de jinetes que paseaban también a caballo por el parque y los pocos viandantes. *Nelson* corría alegremente junto a él. Lo estaba pasando estupendamente. Londres ofrecía más diversiones que horas tenía el día. Había numerosos caballeros con quienes conversar, numerosas damas con quienes flirtear y apenas tenía tiempo para pensar o sentirse melancólico. Los ratos que estaba solo, por lo general era tan tarde por la noche o tan temprano por la mañana que caía inmediatamente rendido de sueño.

Su madre llevaba unas semanas en la ciudad, al igual que Helen y Ainsleigh. Él les había informado de su matrimonio, pero no les había explicado nada sobre el acontecimiento ni el hecho de que vivía separado de su esposa. No les había enviado las cartas que les había escrito el día de su boda. A sus preguntas de asombro e indignación se había limitado a responder que no tenía más que añadir, pero que si se les ocurría decir algo ofensivo sobre la flamante condesa de Haverford, les aconsejaba que se abstuvieran de hacerlo en su presencia.

A Nat y a Eden simplemente les había participado su matrimonio. Puesto que eran sus mejores amigos, al parecer habían comprendido instintivamente que no quería decir nada más sobre el tema y lo habían evitado..., o casi. Como es natural, de vez en cuando le hacían alguna pregunta, como había ocurrido hacía unos minutos.

No sabía lo que haría durante el verano, pensó Kenneth. Pero debía decidirse pronto. La temporada terminaría dentro de un mes y la alta sociedad abandonaría Londres. Podía viajar por el mundo entero y disfrutar de la experiencia, una idea que le agradó. Sólo había un lugar en la Tierra al que no podía ir, pero era un lugar apartado, dejado de la mano de Dios, que no podía suscitar el interés de nadie más allá de unos momentos de admiración por la belleza de sus parajes.

Era un lugar en el que no dejaba de pensar de día y de noche.

Ella se había restablecido, según le había informado Watkins. No le había escrito personalmente. Pero él tampoco le había escrito a ella.

Hace una semana me dijisteis que lamentabais haberme vuelto a ver. ¿Seguís lamentándolo?

Sí.

Eden y Nat se reían de algo.

—Cuesta imaginar a Rex montando un cuarto para los niños —comentó el señor Gascoigne—. Pero parecía muy satisfecho de sí mismo cuando nos explicó que Brighton no era el lugar idóneo para la salud de lady Rawleigh y que había decidido llevarla a casa a fines de junio. El significado de sus palabras no podía estar más claro.

—Corremos el peligro de convertirnos en unos padres de familia vulgares y corrientes, Nat —dijo lord Pelham—. Dos de cuatro. ¿Tendremos que luchar solos para preservar la libertad de la que todos gozábamos hace menos de un año? ¿Mientras los otros dos hacen que aumente la población y consiguen algo tan aburrido y respetable como asegurar su descendencia?

—¿Entonces has decidido que los dos serán varones? —preguntó el señor Gascoigne—. Ken, ¿qué...?

Pero Kenneth espoleó a su montura para que se lanzara a galope y se alejó.

Más tarde, ese día, todo salió por fin a relucir. El señor Gascoigne y el conde de Haverford habían compartido un carruaje para dirigirse a un baile —su amigo había acompañado a una tía y a una prima en su propio coche—, y de regreso a casa decidieron que esa noche no irían en pos de más diversiones. Pero el señor Gascoigne había aceptado la invitación de entrar en la casa del conde de Haverford en Grosvenor Square para beber una copa antes de regresar a casa andando.

—La señorita Wilcox está empeñada en atraparte —dijo, sentándose con una copa en la mano—. Bailó tres bailes contigo. ¿Me equivoco o te pidió ella el tercero?

—¿Qué puedo hacer si soy irresistible? —preguntó Kenneth sonriendo.

—Quiere acostarse contigo —dijo el señor Gascoigne—. Es del dominio público que no serías el primero, Ken. Pero conviene que tengas presente que por ligera de cascos que sea, pertenece a la alta sociedad y podrías verte en un aprieto.

—Sí, mamá.

Kenneth alzó su copa al tiempo que arqueaba una ceja.

—No sería prudente —dijo el señor Gascoigne.

—No puede atraparme para que me case con ella —contestó Kenneth.

Su amigo se repantigó en su butaca y le observó con aire pensativo.

—Esto es muy duro de aceptar, Ken —dijo—. Durante los dos últimos meses has sido el tipo más divertido de la ciudad. Has conseguido que Ede y yo parezcamos y nos sintamos como un par de tías solteronas en comparación contigo. Te has comportado como un barril de pólvora esperando a que salte una chispa para estallar en mil pedazos. Estamos preocupados por ti, lo mismo que Rex. Dice que es imposible que un matrimonio imprevisto y complicado funcione si no tienes a tu esposa a tu lado. Supongo que habla por experiencia.

—Rex debería ocuparse de sus propios asuntos —replicó Kenneth—. Al igual que tú y Eden.

—¿Acaso es una mujer tan... insoportable? —preguntó el señor Gascoigne.

Kenneth se inclinó hacia delante y depositó bruscamente su copa en la mesa junto a él.

—Déjalo estar, Nat —dijo—. No quiero hablar de mi mujer.

Su amigo movió un poco su copa de brandy y fijó la vista en ella.

—¿Estás dispuesto a dejar que tu hijo o tu hija crezca sin apenas tener trato con él o ella? —preguntó.

Kenneth se reclinó de nuevo en la butaca y suspiró lentamente.

—Siempre fuiste... bastante alocado —dijo el señor Gascoigne—. Todos lo éramos. Pero nunca irresponsables. Siempre he creído que éramos básicamente unos hombres decentes y que cuando llegara el momento de sentar cabeza...

Alzó la vista de su copa y se detuvo, estupefacto.

Kenneth agarraba los brazos de su butaca con fuerza.

Tenía los ojos cerrados.

—No habrá un hijo, Nat —dijo—. Lo perdimos la noche de nuestra boda.

¿Por qué había dicho «lo perdimos»? Era ella quien lo había perdido. Y no había sido realmente un niño. Moira estaba sólo de poco más de tres meses. Pero de pronto él se dio cuenta de algo, algo que explicaba el estupor y el silencio de Nat. Estaba llorando.

Se levantó rápidamente y se encaminó trastabillando hacia la ventana para situarse junto a ella de espaldas a la habitación.

—Ken —dijo el señor Gascoigne al cabo de un rato—, debiste contárnoslo, viejo amigo. Habríamos tratado de consolarte.

—¿Por qué habríais de consolarme? —preguntó—. La criatura fue concebida durante el encuentro de una noche con una mujer por la que no siento simpatía alguna. Ignoraba la existencia de esa criatura hasta una semana antes de mi boda. Ella sufrió un aborto la misma noche de mi boda. No necesito consuelo.

—No te había visto llorar nunca hasta esta noche —observó el señor Gascoigne.

—Y no volverás a verme llorar, puedo asegurártelo. —Kenneth se sentía profundamente abochornado—. Maldita sea. Maldita sea, Nat, ¿es que no tienes la decencia de marcharte?

Se produjo un largo silencio.

—Recuerdo el día —dijo por fin el señor Gascoigne— en que el médico tuvo que sacarme un proyectil con el bisturí y temí que fuera a desmayarme o a ponerme en ridículo antes de que me extrajera la bala. Te insulté, te imploré que te fueras, que regresaras al regimiento. Tú te quedaste de pie junto a la camilla durante todo el rato. Más tarde también te insulté. Nunca te he dicho lo mucho que significó para mí tenerte a mi lado en esos momentos. Los amigos están para compartir el dolor, no sólo el placer, Ken. Háblame de ella.

¿Qué podía decirle sobre Moira Hayes, sobre Moira Woodfall, condesa de Haverford? Apenas se había fijado en ella durante su infancia cuando solía acompañar a Sean y se entretenía sola mientras los dos chicos jugaban y se peleaban. Era una niña delgaducha, morena, no especialmente bonita ni interesante. Era simplemente una chica, nada más. Pero había experimentado una notable transformación cuando él volvió a verla tras pasar varios años en un internado. Moira, alta, esbelta, hermosa, prohibida para él debido a la disputa entre sus familias y porque pertenecía a la pequeña aristocracia. Por lo que él no había podido resistirse a su atracción.

Había concertado encuentros con ella tan a menudo como le resultó posible, aunque no lo suficiente. Había conversado con ella, había reído con ella, la había amado, aunque la relación física entre ambos nunca había pasado de hacer manitas y unos pocos besos castos. Él le había declarado su amor. Ella, quizá más consciente de lo imposible de su relación, siempre se había limitado a sonreír en respuesta. El hecho de no saber lo que ella sentía por él le sacaba de quicio. Había decidido desafiar a su padre y al de ella y en caso necesario al mundo entero con tal de casarse con ella. Pensaba que le sería imposible vivir sin ella.

—Pero ¿ganó tu padre? —preguntó el señor Gascoigne—. ¿Y el de ella? ¿Por eso compraste tu nombramiento militar, Ken?

Su amistad con Sean Hayes se había deteriorado durante los años de la juventud de ambos hasta que sólo quedó entre ellos una enemistad. Él podría haber disculpado, aunque no justificado, la vida disipada de Sean a pesar de que sus deudas de juego debieron de costarle una fortuna a su padre y sus relaciones licenciosas le hicieron enfermar de sífilis. Pero era más difícil —imposible— disculpar la forma en que empezó a hacer trampas a las cartas y los dados para recuperar algunas de sus pérdidas y a fingir para obtener el favor de cualquier mujer que le atrajera antes de que ésta se lo concediera libremente. Kenneth habría podido disculpar algún que otro devaneo con el contrabando, el cual había dejado de ser un negocio lucrativo en Tawmouth y área circundante. Pero no podía disculpar la forma en que Sean había tratado de construir su negocio reuniendo en torno suyo a una pandilla de malhechores, recurriendo al acoso, a la intimidación y a la violencia. Sean había sido lo bastante listo para mantener durante buena parte del tiempo el centro de sus actividades lejos de su localidad.

—¿Rompiste con la hermana debido al hermano? —preguntó el señor Gascoigne.

Kenneth había averiguado dos cosas: la primera, que Sean planeaba un desembarco en la cala de Tawmouth, y segundo, que había estado coqueteando con Helen. La misma Moira se lo había contado, aunque no lo había llamado un «coqueteo». Esa relación la complacía. Creía que a él también le complacería. Había pensado que quizá los cuatro juntos podrían acabar con una disputa familiar que había durado demasiado tiempo.

Él había decidido resolver personalmente el asunto. Sorprendería a Sean cuando estuviera practicando el contrabando y al día siguiente le daría un ultimátum. O le denunciaba por contrabandista o él renunciaba a su repentino interés por la fortuna de Helen. ¿Un chantaje? Por supuesto que habría sido un chantaje, lisa y llanamente. Pero cuando apareció esa noche en el acantilado sobre la cala, se había encontrado con alguien que estaba de guardia, alguien que le había apuntado al corazón con una pistola. Moira.

—Ella formaba parte de la banda, Nat —le explicó—. De esa banda de delincuentes y matones. Iba armada con una pistola. De haberse tratado de otra persona que no fuera yo, sin duda habría disparado.

—¿Estás seguro? —preguntó Nat—. Quizás ella...

—Me dijo que me fuera a casa y me olvidara de lo que había visto —dijo Kenneth—, o me mataría. O haría que me mataran.

Él se había ido a casa y había contado a su padre que Sean se dedicaba al contrabando y sus escarceos secretos con Helen. Esto último había resultado ser mucho más serio de lo que él había imaginado. La pareja planeaba fugarse. Al parecer, Sean había supuesto que el conde de Haverford, el padre de Helen, jamás consentiría la boda, pero quizás entregara a su hija su dote con tal de evitar el escándalo. El conde había obrado con cautela. Había dado a Sean la oportunidad de elegir entre ser juzgado por contrabandista o alistarse en el ejército. Sean había elegido alistarse, aunque sir Basil Hayes había suavizado su suerte adquiriendo para él un nombramiento militar en un regimiento de infantería. El joven había muerto en la Batalla de Tolosa.

—Y yo compré mi nombramiento —dijo Kenneth—. No podía perdonar a Moira, ni ella a mí. No era la mujer que yo había creído que era. Juré que no regresaría jamás a Dunbarton. Pero regresé. Y ahora es mi esposa.

—Traicionaste su confianza —dijo el señor Gascoigne—. Y ella quería proteger a su hermano, incluso contra ti. Un mal asunto.

—Era un delincuente —contestó Kenneth—. No era el tipo de hombre al que una mujer debería proteger, a menos que fuera tan despiadada y perversa como él.

—Era su hermano, Ken —observó el señor Gascoigne—. ¿Aún la amas?

Kenneth soltó una carcajada.

—Suponía que la respuesta a esa pregunta habría sido más que obvia durante los dos últimos meses —respondió.

—Cierto —dijo el señor Gascoigne—. Durante la última media hora han quedado claras muchas cosas. Durante estos dos últimos meses era más que obvio, según nos hizo comprender Rex, que seguías enamorado de ella.

—¿El hecho de dejarla una semana después de casarnos, de haber decidido no regresar jamás a casa indica que aún la amo? —preguntó Ken, volviéndose desde la ventana y mirando a su amigo con gesto interrogante.

El señor Gascoigne se levantó y depositó su copa vacía en la mesa.

—Es hora de que me vaya a casa —dijo—. Nos pareció impropio de ti abandonar a una esposa por la que sientes mera indiferencia. Y ya sabes lo que dicen sobre el amor y el odio. ¿Me permites sugerir que un hombre no llora porque su esposa sufra un aborto a los pocos meses de quedarse encinta a menos que experimente unos sentimientos muy profundos por ella? ¿Odio o amor?

—Me sentía responsable —respondió Kenneth—. Sufrió mucho, Nat. Me dijo que lamentaba haberme vuelto a ver. Atribuí su rencor a que hacía pocas horas que había tenido el aborto. Le di una semana. Cuando volví a preguntárselo, me repitió lo mismo. De modo que si imagináis que he abandonado cruelmente a una esposa que llora mi ausencia, estáis muy equivocados.

—Ella te dijo eso una semana después de sufrir el aborto —observó el señor Gascoigne—. Una semana, Ken. ¿Y tú la creíste?

—¿Desde cuándo eres una autoridad en materia de mujeres? —preguntó Kenneth.

—Desde que tengo cinco hermanas y una prima que vive con nosotros —respondió el señor Gascoigne—. Nunca dicen lo que sienten realmente cuando están alteradas, Ken. En este sentido son como los hombres. Me voy. Hice bien en negar mi dolor después de que el médico me extrajera la bala y maldecirte por haberme ofrecido palabras de consuelo y láudano, pues me recobré más rápidamente. Pero no estoy convencido de que tú te recuperes si niegas tu dolor. Y tras estas sabias palabras, me voy. ¿Nos veremos en White's por la mañana?

Kenneth se fue a la cama después de despedirse de su amigo. Pero al cabo de una hora, cuando amaneció, seguía despierto con la vista fija en el techo. Se entretuvo un rato imaginando a Nat Gascoigne atado de pies y manos y sometido a toda suerte de exquisitas torturas. Pero dado que era imposible deleitarse con el sufrimiento de un amigo, se levantó de la cama, se puso una bata y bajó a la biblioteca para escribir una carta.

La depositó en una bandeja en el recibidor para ser enviada con el correo de la mañana antes de volver a la cama..., y conciliar el sueño.

En efecto, Moira había recobrado su salud y al parecer renovadas energías. Aunque Penwith no era una gran mansión y era su madre quien se ocupaba de su intendencia, Moira se impuso la abrumadora tarea de aprender a ser la dueña y señora de Dunbarton pese a las referencias negativas que el ama de llaves le hacía a veces sobre la forma en que la condesa de Haverford hacía las cosas. Moira ya había recordado a la señora Whiteman —y a sí misma— que ahora la condesa de Haverford era ella.

Pasaba mucho tiempo al aire libre, consultando con el jardinero, sugiriendo cambios en el patio y en el parque. Al poco tiempo la fuente del patio, que durante años había sido un mero objeto ornamental, empezó de nuevo a manar agua, y los céspedes que la rodeaban ostentaban coloridos macizos de flores.

Visitaba o recibía visitas casi a diario, negándose a ocultarse por temor a lo que pudieran decir de ella sus amistades y vecinos. Ignoraba lo que pudieran pensar sobre la ruptura de su compromiso con sir Edwin Baillie, sobre su precipitada boda, sobre su enfermedad, sobre el hecho de que ahora viviera sola. No daba explicaciones y todas sus amistades —incluida Harriet— eran demasiado educadas para preguntárselo. Pero, por supuesto, la aceptaban. A fin de cuentas, en su vida todo era respetable e incluso más que respetable. Pronto averiguó que la diferencia entre ser la señorita Hayes y ser la condesa de Haverford era como la diferencia entre la noche y el día. Todos se afanaban en buscar su compañía, al igual que sus invitaciones.

Daba largos paseos, por lo general sola. A pesar de lo grande que era el parque de Dunbarton, no lo era tanto como para que le cansara recorrerlo. Caminaba por los acantilados, por la playa, por las cimas de las colinas, por el valle. Observaba cómo transcurría la primavera y empezaba a sustituirla el verano.

Se convenció de que era muy afortunada. Se había salvado de un matrimonio de conveniencia que le resultaba detestable. Se había salvado de la alternativa de la pobreza. Tenía una casa tan magnífica como cualquier mansión en Inglaterra, y suficiente dinero para gastos menores como para poder adquirir todo cuanto necesitara. De hecho, cuando encargó ropas nuevas después de recobrar la salud, supuso que le enviarían la factura, pero cuando por fin preguntó al señor Watkins al respecto, éste la miró sorprendido y le aseguró que su señoría ya se había ocupado de ello. Tenía su futuro asegurado, al igual que su madre. Cuando sir Edwin decidiera que su madre debía abandonar Penwith, iría a vivir a Dunbarton.

Era mucho más de lo que podía haber soñado hacía unos pocos meses. Y nada la inducía a temer que la grata rutina de su vida cotidiana pudiera verse alterada. Él se había marchado para siempre. No regresaría jamás. Ella se alegraba de que todo hubiera terminado. Incluso se consolaba del aborto que había sufrido pensando que ahora él ni siquiera regresaría a casa debido al nacimiento de su hijo. Se sentía más a gusto sola. Realmente no deseaba volver a verlo jamás.

Por consiguiente, quizá fue un tanto extraño que reaccionara como lo hizo una mañana cuando, al regresar de un paseo matutino por los acantilados, el mayordomo le entregó el correo y al examinarlo de pie en el recibidor, se detuviera al ver una carta, palideciera y se tambaleara un poco, tras lo cual subió la escalera apresuradamente, entró en su saloncito privado y apoyó la espalda contra la puerta, con los ojos cerrados, como si pretendiera mantener a un ejército a raya.

Supuso que era una carta interesándose por su salud. O para regañarla por haber gastado demasiado dinero con la modista. O censurarla por el gasto innecesario de mandar reparar la fuente y plantar los macizos de flores. O bien... Abrió los ojos y miró la carta. Observó que la mano le temblaba. ¿Por qué? ¿Qué la había inducido a reaccionar de esta forma ante una carta de él?

Se sentó en la *chaise longue* y la abrió. Vio que era muy breve. Entonces sería una simple carta de negocios. ¿Qué había imaginado? ¿Una carta personal? Al final de la misma firmaba simplemente *Haverford*.

«Señora —había escrito—, me complacería que dos días después de recibir esa carta partáis para Londres. Mi administrador se encargará de todos los detalles. Cuando lleguéis podréis disfrutar aún de las últimas semanas de la temporada social. Vuestro servidor, Haverford.»

Ella la miró durante largo rato. Él le pedía que fuera a Londres. *Me complacería... Vuestro humilde servidor...* Eran unas cortesías sin sentido. Era una petición imperiosa, una orden. Pero ¿por qué? ¿Por qué le complacería? ¿Qué le importaba que ella gozara de unas semanas de la temporada social? ¿Por qué quería volver a verla?

No iría. Le escribiría una carta no menos breve y sucinta informándole de que a ella no le complacía viajar a la capital y que su temporada social no le interesaba lo más mínimo.

Podía ir a Londres. En cierta ocasión, cuando tenía dieciséis años, había ido a Bath. No había estado en ningún otro lugar en toda su vida. Podía ir a Londres durante la temporada social. Habría bailes, reuniones, conciertos, teatro, Vauxhall Gardens y Hyde Park. Había oído hablar de todas esas cosas, había soñado con ellas, pero nunca había pensado que las vería o experimentaría personalmente.

Podía partir... pasado mañana.

Volvería a verlo a él. Sintió un dolor tan intenso en la parte baja de su abdomen que agachó la cabeza y alzó la carta hacia su rostro. Era como si volviera a verlo. Volvía a verlo en su imaginación.

Podía castigarse de nuevo y alterar de nuevo la paz de su existencia.

Volvió a incorporarse y fijó la vista en el infinito. Él le pedía que fuera. Había dado al señor Watkins órdenes. Ella había jurado obedecerle. Muy bien, le obedecería.

Iría a Londres.

Volvería a verlo.

Capítulo 17

*D*esde hacía más de una semana, Kenneth había hecho unos cálculos mentales, siempre con idénticos resultados. Si su mensajero había tardado el menor tiempo posible en dirigirse a caballo a Dunbarton, y si Watkins había podido hacer los trámites necesarios en los dos días que le había dado, y si su coche tardara el menor tiempo posible en llegar a Londres, ella llegaría, como muy pronto, mañana. Probablemente llegaría pasado mañana o quizás al otro día, especialmente si la lluvia dificultaba el viaje. Trataría de no pensar en que llegaría mañana.

Lo más prudente era no esperar que viniera. Había tardado una hora en redactar una y otra vez su breve misiva. Había evitado ordenarle que viniera, informándole simplemente que le complacería que lo hiciera. Tratándose de Moira, una orden tendría menos efecto que una petición. Si no deseaba venir, o si quería desafiarle a toda costa, simplemente se abstendría de venir.

Y entonces, ¿qué haría él? ¿Ir a buscarla? Sabía que no lo haría. Si ella se negaba a venir, él zanjaría la cuestión de inmediato, se olvidaría de Dunbarton, olvidaría que era un hombre casado. Viajaría por todo el mundo. Quizá tomaría una amante y la llevaría con él. Procuraría rehacer su vida de alguna forma. No se lamentaría por una esposa que no le amaba. En cuanto a tener un hijo y heredero, ¡al cuerno con ello!

Como muy pronto, ella llegaría mañana.

Él sabía que si se quedaba en casa se sentiría como un oso enjaulado. De modo que asistió a una recepción al aire libre en Richmond y pasó una agradable tarde alternando con otros invitados, paseando con lady Rawleigh, conversando con la señorita Wishart y su flamante prometido, un simpático joven del que saltaba a la vista que estaba muy enamorada, disputando una partida de croquet con la señora Herrington, una descocada viuda que la semana pasada le había dicho que buscaba un nuevo amante y le gustaban los hombres altos y rubios, y evitando a la señorita Wilcox.

Más tarde fue a White's a cenar con un grupo de amigos entre los que se hallaban Nat y Eden. Decidió no asistir al teatro más tarde ni a la reunión en casa de la señora Sommerton. Quizá se pasaría luego por Almack's, según dijo a unos amigos que se iban a la ópera.

—Pareces un oso enjaulado, Ken —observó lord Pelham.

Kenneth sonrió y dejó de tamborilear con los dedos sobre el mantel.

—Supongo —dijo lord Pelham— que estás pensando en si debes aceptar o no la propuesta de la viuda. Me lo contó todo ella misma, cuando pensó que yo iba a hacerle una proposición.

—¿Y estaba en lo cierto, Ede? —preguntó el señor Gascoigne, riendo—. ¿Ibas a hacerle una proposición?

—Acabas de instalar cómodamente a tu pequeña bailarina —terció Kenneth.

Lord Pelham sonrió satisfecho.

—La cual demuestra tanta energía en el escenario como fuera de él —comentó éste—. Simplemente me mostré galante con la señora Herrington.

—Ya —dijo el señor Gascoigne.

—Debe de ser una mujer fascinante, Ken —observó lord Pelham—. Me dijo que los hombres rubios la vuelven loca. Ése fue el término que empleó, sobre todo si también son altos, poseen un empaque militar y tienen los ojos fríos y plateados. Lo juro por Dios.

Alzó la mano derecha mientras sus dos amigos prorrumpieron en carcajadas, a las que él se unió.

—En estos momentos no busco una amante —dijo Kenneth, levantándose—. ¿Queréis venir a tomar una copa a Haverford House? ¿Os apetece que nos pasemos más tarde por Almack's?

—Más vale que no lleguemos un segundo pasadas las once —dijo el señor Gascoigne—, o las feroces comadres no nos dejarán entrar, aunque te coloquemos a ti delante, Ken, para encandilarlas con tu pelo rubio, tu empaque militar y tus fríos ojos plateados.

Todos rompieron de nuevo a reír cuando abandonaron el comedor.

Seguían riéndose cuando llegaron a Haverford House en Grosvenor Square. Recreaban la Batalla de Waterloo, evitando el baño de sangre en que había degenerado organizando un combate cuerpo a cuerpo entre un paladín francés y un paladín inglés que aniquilaría a su enemigo con su atractivo pelo rubio, su empaque militar y sus ojos plateados, fríos como el hielo y penetrantes como puntas de lanza. La capacidad de reírse y de centrarse en lo absurdo les había resultado muy útil durante los años en que la vida les había ofrecido escasos momentos divertidos.

—Haz que nos suban oporto y brandy al cuarto de estar —ordenó Kenneth a su mayordomo.

—Sí, milord —respondió éste—. Milord...

—Podríamos haber enviado a Ede contigo como tu escudero —dijo el señor Gascoigne—. Sus ojos azules han hecho estragos entre ciertas personas que han tenido la mala fortuna de fijar la vista en ellos.

—Si hubiéramos podido convencer al viejo Bonaparte de que enviara a una mujer como paladín... —comentó lord Pelham suspirando.

—Probablemente habría resultado que ésta prefería a los amantes morenos y latinos —dijo Kenneth—, con el pelo negro y grasoso y mostachos rizados y engominados.

Todos reían a mandíbula batiente cuando Kenneth les condujo al cuarto de estar y abrió la puerta.

Se detuvo en seco nada más entrar. Una mujer se levantó de una butaca junto a la chimenea, una mujer alta, elegante y con una figura curvilínea. Lucía un elegante vestido azul pálido, sencillo dentro de su elegancia. Llevaba el pelo, oscuro y lustroso, peinado en suaves rizos alrededor de su rostro y recogido en un moño alto. Su rostro largo y ovalado se asemejaba de nuevo al de una virgen renacentista.

Tenía las mejillas sonrosadas y sus ojos emanaban una luz especial. Ofrecía un aspecto rebosante de salud. Estaba muy guapa.

Él era consciente del silencio que se había hecho en la habitación y se apresuró a avanzar unos pasos antes de detenerse e inclinarse ante ella. Ella hizo una reverencia sin apartar sus ojos oscuros de los suyos.

—Señora —dijo él—, celebro que hayáis llegado puntualmente. ¿Estáis bien?

—Perfectamente. Gracias, milord —respondió ella.

—Confío en que hayáis tenido un viaje cómodo y no excesivamente fatigoso —dijo él.

—Ha sido muy agradable, gracias —dijo ella.

Él se sentía tan impresionado que apenas podía articular palabra. Le parecía irreal que ella estuviera aquí, que Moira estuviera en Londres. Había venido. No le había desafiado. Kenneth avanzó otros dos pasos.

—¿Me permitís el honor de presentaros a mis amigos? —preguntó—. El señor Gascoigne y lord Pelham. —Se volvió y les señaló, observando las miradas corteses y curiosas de ambos—. Caballeros, la condesa de Haverford.

—Señor Gascoigne. Lord Pelham —dijo ella haciendo una reverencia.

—Milady.

—Señora.

Ambos se inclinaron ante ella.

Todo resultaba frío y embarazosamente formal.

—Pero ahora caigo en que ya os conocíais —dijo él.

Nat fue el primero en reconocerla.

—Cuando nos alojamos unos días en Dunbarton —dijo—. Una noche tocasteis el piano para que la gente bailara. Es un placer volver a veros, señora.

El semblante de Eden era una máscara impasible que ocultaba, como sospechaba Kenneth, una profunda turbación.

—Demostrasteis un gran talento para el piano, señora —dijo.

Ella sonrió.

—Por favor, volved a sentaros, querida —dijo Kenneth, maldiciéndose por haber utilizado un término afectuoso que sonaba muy artificial—. He pedido que nos suban una botella de oporto. ¿Queréis que pida que suban también la bandeja del té?

—Sí, por favor.

Ella se sentó en la butaca de la que se había levantado al entrar ellos y sonrió a los invitados de Kenneth mientras él tiraba de la campanilla y se situaba luego junto a su butaca.

—Mi esposa ha venido de Cornualles para gozar de las últimas semanas de la temporada social —les explicó. Habría sido más sencillo haberles informado de que esperaba su llegada. Pero había temido quedar como un débil ante sus amigos si ella se negaba a venir.

—Comprobaréis que la ciudad está más atestada de gente que de costumbre, señora —dijo lord Pelham—, debido a la afluencia de ex oficiales como nosotros.

—Es la primera vez que vengo a Londres, milord —respondió ella—. No he salido nunca de Cornualles salvo una vez, de niña, en que fui a Bath.

Kenneth la miró asombrado. Eso no lo sabía. Había supuesto que Hayes la había traído a la capital al menos en una ocasión para que gozara de la temporada social.

—Entonces preparaos para dejaros sorprender y maravillar, señora —dijo el señor Gascoigne—. Estar en la ciudad durante la temporada social es una experiencia que nadie debería perderse.

—Estoy impaciente por conocer la ciudad, señor —respondió ella, sonriendo—. ¿Conocisteis a mi esposo en el ejército?

De pronto Kenneth cayó en la cuenta que sólo la había visto mostrarse sumamente incómoda en compañía de sir Edwin Baillie, y furiosa, desafiante y hostil hacia él antes y después de la fatídica noche que habían pasado juntos. Ahora, de pie junto a su butaca, tuvo la impresión de que de alguna forma era como si la viera por primera vez. Se mostraba afable y encantadora, interesada e interesante. Observó fascinado cómo sus amigos se relajaban y caían bajo el hechizo de ella durante media hora hasta que Nat, seguido de inmediato por Eden, se levantó, se despidió con una reverencia y se marchó.

—No es necesario que nos acompañes a la puerta, Ken —dijo lord Pelham, alzando una mano cuando Kenneth hizo ademán de salir con ellos de la habitación—. ¿Lady Haverford? Ha sido un honor y un placer conoceros, señora.

Cuando se fueron, Kenneth se quedó mirando la puerta cerrada unos momentos, en silencio.

—Bien, señora —dijo por fin, volviéndose hacia ella, que estaba de pie junto a la chimenea.

Su rostro había perdido en parte su luz y su calor, pero seguía teniendo las mejillas arreboladas. Él apenas daba crédito al cambio que había experimentado ella, en sentido positivo, en dos meses. No mostraba señal alguna de haber llorado su ausencia. ¡Qué idea tan ridícula!

—Bien, milord —dijo ella en voz baja sentándose de nuevo. Él observó que su espalda no rozaba siquiera el respaldo de la butaca, pero mostraba una postura elegante y natural.

Él se acercó a la chimenea vacía y apoyó una mano en la repisa y un pie en el hogar, contemplando los carbones sin encender. Se sentía turbado de hallarse a solas con ella y durante un momento maldijo haberse precipitado en haberle pedido que viniera.

—No sabía si vendríais —dijo—. Pensé que quizás os negaríais.

—Cuando me casé vos —respondió ella—, juré obedeceros, milord.

Él se volvió para mirarla unos momentos antes de fijar de nuevo la vista en los carbones. Casi sonrió. No creía en su fingida humildad.

—Tenéis buen aspecto —observó.

—Gracias.

Ella no hizo intento alguno de llevar el peso de la conversación, como había hecho cuando sus amigos habían estado presentes. No parecía complacida por el elogio que él acababa de hacerle. Se produjo un largo silencio.

—¿Por qué habéis venido? —preguntó él—. Aparte de pensar que teníais el deber de obedecerme.

—Quería venir —respondió ella—. Deseaba conocer Londres.

Deseaba verlo durante la temporada social. Deseo participar en algunas de las diversiones que ofrece. No sería humana si no hubiera deseado venir.

—¿No deseabais volver a verme? —preguntó él.

Ella sonrió ligeramente pero no respondió. Era una pregunta estúpida. Se produjo de nuevo un silencio.

—Lo cierto —dijo él por fin—, es que estamos casados.

—Sí.

—Ninguno de los dos lo deseaba —dijo él—. Y ni siquiera tuvimos la fortuna de sentir una indiferencia mutua cuando nos vimos obligados a casarnos. Ha habido una inquina, incluso una hostilidad entre nosotros durante tanto tiempo, que hasta nos costaba comportarnos con cortesía cuando estábamos juntos.

—Sí —respondió ella.

—Hace dos meses me dijisteis —prosiguió él—, en dos ocasiones distintas, que lamentabais haberme vuelto a ver. Yo satisface vuestros deseos porque eran análogos a los míos. Pero desde entonces se me ha ocurrido que en esos momentos ambos pensábamos con nuestras emociones, puesto que hacía poco habíais sufrido un aborto. Pienso que ahora que nos hemos distanciado un poco de ese penoso acontecimiento, quizá deberíamos volver a plantearnos la decisión de vivir separados.

—Sí —dijo ella.

Parecía extraño estar hablando con una Moira que no le llevaba la contraria. ¿Se mostraba fríamente obediente? ¿Fríamente indiferente? ¿O había reflexionado también y había llegado a unas conclusiones similares? ¿Le parecía el presente estado de su vida tan insoportable como a él le parecía el suyo, o se había ablandado su corazón, como le había ocurrido a él la noche en que Nat había hecho que su corazón se deshelara y le había reducido a la ignominia de las lágrimas?

—Como condesa de Haverford —dijo él—. Tenéis derecho a que os presente a los miembros de la alta sociedad. Las actividades de la temporada social en Londres son muy agradables. Imagino que durante las últimas semanas aumentarán tanto en número como en calidad. No puedo reprocharos que hayáis venido para participar en ellas, aunque no hayáis venido por otro motivo. Confío en que me hagáis el honor de dejar que os acompañe a algunas de las celebraciones y os presente como mi condesa.

—Me parece razonable —respondió ella.

—Y quizá de paso —añadió él—, podamos decidir entre los dos si es posible salvar nuestro matrimonio.

Se produjo otra larga pausa. Pero cuando él se volvió para mirarla de nuevo, ella le devolvió la mirada sin perder la compostura.

—Eso también me parece razonable —dijo ella.

—Al término de la temporada social no os daré ninguna orden —dijo él—. Cada cual tomará la decisión que crea oportuna. Ninguno de nosotros sabemos aún si la convivencia en nuestro matrimonio puede ser tolerable. Espero que ambos lleguemos a la misma decisión. En caso contrario, confiemos en que al menos lleguemos a un acuerdo amistoso. Si vivir juntos siquiera durante un tiempo resulta imposible, podréis regresar a Dunbarton y vivir allí vuestra vida. Yo me dedicaré a viajar por el mundo. Y no volveré a ordenaros que os reunáis conmigo. Aunque no os lo planteé como una orden, Moira, sino como una petición.

Él percibió el resentimiento que destilaba su voz y confió en que ella no hubiera reparado en ello.

Moira esbozó una media sonrisa.

—¿Acaso la petición de un esposo no es lo mismo que una orden? —le preguntó.

—No —contestó él secamente—. No este esposo. Y este esposo es el único que tenéis. No permitiré que discutáis conmigo continuamente como hacíais en Cornualles, Moira. Quiero que me tratéis con afabilidad y cortesía.

—¿Es una orden, milord? —preguntó ella.

Él abrió y cerró la mano que tenía apoyada en la chimenea.

—Hace unos minutos convinisteis en dar a nuestro matrimonio una oportunidad —dijo—. He tratado de explicaros que os concederé el mismo derecho que pueda tener yo en tratar de solventar el problema que tenemos. ¿Aún queréis intentarlo?

—Sí —respondió ella—. Supongo que sí. Sí, estoy dispuesta a pasar estas semanas con vos o, al menos, parte de ellas. Aquí tenéis a vuestros amigos y sin duda desearéis verlos de vez en cuando. Sería intolerable que pasáramos juntos cada momento de cada día, ¿no creéis? Pero podemos pasar juntos parte del tiempo.

Al pronunciar la palabra «día» ella le había mirado a los ojos. Era algo sobre lo que él se había mostrado indeciso. Aún lo estaba, y quizá debía guardar silencio hasta saber al menos lo que quería. Pero la palabra permaneció suspendida entre ellos, junto con el hecho de que ambos eran conscientes de que había anochecido y se encontraban solos en esta casa, aparte de los sirvientes. Y que eran marido y mujer.

—Otra cosa —dijo él—. Lo dejo a vuestra elección. ¿Deseáis mantener relaciones conyugales conmigo durante estas semanas? Decidme lo que preferís.

Por primera vez, ella pareció perder la compostura. Se sonrojó, pero no movió ni bajó la cabeza.

—Sería poco aconsejable —contestó.

—¿Poco aconsejable?

Él tuvo la sensación de que la atmósfera de la habitación se había tornado opresiva.

—Se hace por amor —dijo ella en voz baja—. Y entre nosotros no hay amor.

—En muchos casos no hay amor en un matrimonio —replicó él—. A veces se hace simplemente por placer. A veces, por otras razones.

—No habría placer —dijo ella—. Hemos convenido en averiguar durante las dos próximas semanas si existe alguna posibilidad de que podamos vivir juntos, al menos de vez en cuando. Soy consciente de que debemos tratar de hallar esa posibilidad. Sois un hombre con dinero y propiedades y deseáis tener un heredero de vuestra propia sangre que os suceda. Pero en este momento, milord, entre nosotros no hay nada excepto la voluntad de intentarlo y una velada hostilidad que esta noche ha provocado cierta irritación en más de una ocasión.

Él debió de suponer que Moira se mostraría brutalmente sincera. ¿Se sentía decepcionado? No tenía reparos en reconocer que la deseaba. Y si no podía tenerla a ella, no quería a ninguna otra mujer, al menos hasta que hubieran tomado la decisión de no volver a vivir juntos. Pero ¿no era preferible evitar las complicaciones emocionales que una relación física comportaría inevitablemente? No estaba convencido de que lo fuera, ni que no lo fuera.

—¿Ésa es vuestra respuesta definitiva? —preguntó—. ¿No habrá una relación conyugal entre nosotros?

Ella se detuvo para reflexionar.

—No —respondió—, no es una respuesta definitiva. He venido para que pasemos un tiempo juntos, para que gocemos juntos de algunas de las diversiones que ofrece la temporada social, para que tomemos una decisión sobre el futuro. De momento, esta noche, la respuesta es no.

—Entonces, ¿puedo volver a preguntároslo dentro de unos días? —inquirió él.

—Sí —respondió ella mirándole a los ojos—. Pero no puedo prometeros que mi respuesta sea distinta.

Él asintió con la cabeza y dijo:

—Me parece justo.

Sí, se sentía decepcionado. El hecho de que ella era su esposa se le impuso de pronto en toda su realidad. Y de que estaba aquí, en Haverford House, segura de sí, elegante y muy bella. Y que era Moira.

—Debéis de estar cansada —dijo, mirando el reloj en la repisa de la chimenea—. Es muy tarde. ¿A qué hora habéis llegado?

—A tiempo para cenar —respondió ella—. Salimos a primera hora de esta mañana para no tener que pernoctar otra noche en carretera.

—Entonces permitid que os acompañe a vuestra habitación —dijo él, apartándose de la chimenea y avanzando unos pasos hacia la butaca que ocupaba Moira.

—Gracias.

Ella se levantó y apoyó la mano en la muñeca de él. Al verla de pie a Kenneth le complació comprobar de nuevo lo alta que era. Estaba cansado de bailar y pasear con mujeres que no le llegaban siquiera al hombro, como por ejemplo la señorita Wilcox y la señora Herrington.

Subieron la escalera y se dirigieron por el pasillo hacia el gabinete de Moira en silencio. Él vio un haz de luz debajo de la puerta y supuso que su doncella estaba esperándola para ayudarla a prepararse para irse a la cama.

—Mañana por la mañana me sentiré honrado de quedarme en casa para ayudaros en lo que necesitéis —dijo—. Pero no os sintáis obligada a levantaros antes de haber descansado lo suficiente.

—Gracias —dijo ella.

Él se inclinó y le besó la mano antes de abrirle la puerta para que entrara.

—Buenas noches —dijo—. Me complace volver a veros y comprobar que os habéis restablecido.

—Buenas noches.

Ella sonrió brevemente, pero no le devolvió el cumplido. Era una reacción muy típica de Moira. Nunca le decía nada simplemente porque él se lo hubiera dicho antes a ella. De niña él le había dicho, en más de una ocasión, que la amaba. Ella jamás se lo había dicho a él.

Él emitió un largo suspiro al tiempo que cerraba la puerta detrás de ella. No sería fácil tenerla aquí, verla a diario y no poder tocarla. Pero quizás ella había tomado la decisión acertada. Fuera lo que fuere que no funcionaba en su matrimonio no lo arreglarían acostándose juntos. Puede que sólo sirviera para complicar las cosas, especialmente si él la dejaba de nuevo en estado.

¡Pero pardiez que no sería fácil!

Moira se detuvo junto a la ventana de su alcoba, jugando distraídamente con la gruesa trenza que se había echado sobre un hombre mientras contemplaba la plaza. En la casa de enfrente había unas luces encendidas y dos carruajes junto a la puerta. Los cocheros estaban sentados en los estribos de los coches, sin que pudieran verlos desde el interior de la casa, charlando y riendo. Moira oía los sonidos. Londres era un lugar concurrido y bullicioso, pensó.

Se preguntó si lograría conciliar el sueño pese a lo cansada que estaba. Todo le resultaba nuevo. Al entrar en Londres había tenido la sensación de penetrar en otro mundo. Y al ver de nuevo a Kenneth...

No sabía si las decisiones que había tomado durante la última semana habían sido acertadas. Pensó que sería mucho más fácil tomar decisiones si una supiera siempre lo que convenía o no convenía, o si al menos pudiera calcular las consecuencias de cada decesión. ¿Había hecho bien en venir a Londres? Su vida, desde que se había recobrado de su indisposición, había sido apacible y provechosa. Y como él había dicho hacía un rato, su carta no había sido una orden sino una petición. Ella podía haberse negado a venir.

¿Había hecho bien en acceder a que él la acompañara a las celebraciones de la alta sociedad durante lo que quedaba de temporada? ¿Tratar de disfrutar de la temporada social con él? Pero ¿qué sentido habría tenido venir si no estaba dispuesta a acceder al menos en eso? ¿Había hecho bien en acceder a que ambos intentaran salvar su matrimonio? ¿Cómo iban a conseguirlo cuando sentían una hostilidad mutua tan profunda? Pero ¿cómo no iban a intentarlo? Estarían casados el resto de sus vidas, aunque después de pasar estas semanas juntos no volvieran a verse jamás.

¿Había hecho bien en negarse a mantener relaciones conyugales con él? Si querían intentar salvar su matrimonio, tendrían que comportarse como un auténtico matrimonio. Pero ¿cómo podía ceder ella? Era imposible. Si dejaba que él acudiera a su lecho no podría tomar una decisión ecuánime sobre su matrimonio, sobre su futuro. Eso lo había comprendido en cuanto lo había visto esta noche, mucho antes de que él le formulara la pregunta.

Lo había visto entrar en la habitación seguido de sus amigos, riendo, sin saber que ella se encontraba allí, y ella se había sentido casi abrumada por la emoción. No lo llamaría amor, pues no lo amaba. De hecho, lo que sentía por él era todo lo contrario. Tampoco lo llamaría lujuria, aunque había sentido un deseo sexual por él muy intenso, casi aterrador. No sabía muy bien cómo llamarlo. Pero sabía que las experiencias que había vivido hacía casi nueve años y las que había vivido hacía unos meses le habían demostrado que era un hombre del que no podía fiarse ni respetar plenamente. No creía, aunque procuraría mantener una actitud objetiva, que los acontecimientos de las dos próximas semanas la hicieran cambiar de opinión sobre él de forma significativa. Pero sabía, instintivamente, que si le permitía que gozara de las intimidades que los maridos gozan con sus esposas, como las que habían compartido la fatídica noche de la tormenta, quizás ello le impidiera tomar una decisión racional. Perdería su autoestima.

Temía —la idea la aterraba— que sería muy fácil enamorarse de Kenneth. No amarlo, sino enamorarse de él. Y si se enamoraba de él, quizá decidiera que deseaba permanecer a su lado, por más que su parte lúcida le dijera que jamás hallaría la felicidad con él.

—Kenneth —murmuró.

Se preguntó si él se había percatado de cuánto le había deseado al verlo de pie junto a la chimenea, con un pie apoyado en el hogar y una mano sobre la repisa, en una postura desenvuelta y varonil, apuesto, elegante y un tanto distante. Seguía deseándole.

Emitió un largo suspiro.

Me complace volver a veros.

Sí. Y a ella, mal que le pesara, le había complacido volver a verlo a él.

Capítulo 18

*L*e resulta extraño despertarse sabiendo que su esposa estaba en la ciudad, en los aposentos contiguos a los suyos. Había accedido a venir y había escuchado con atención lo que él le había dicho y se había mostrado de acuerdo con él. Había accedido a gozar con él de las diversiones que ofrecía el resto de la temporada social. Había accedido a dar a su matrimonio un período de prueba, salvo en un aspecto. Bien pensado, hasta le sorprendió haber dormido a pierna suelta toda la noche.

Era absurdo que estuviera tan nervioso. Nunca sabía cómo se enfrentaría a ella hoy, cómo la trataría, de qué le hablaría. Pero apenas tuvo tiempo de pensar en ello. Ella se había levantado temprano, pese a haber hecho un viaje de muchas horas y varios días y que todo le resultara extraño. Pero él debió suponer que mantendría el horario del campo. Iba vestida de forma elegante y estilosa, aunque no al último grito. Estaba tan guapa como le había parecido anoche.

—¿Os gustaría visitar algunas tiendas esta mañana? —le preguntó sentándose junto a ella a la hora del desayuno y esperando a que el mayordomo le sirviera lo que ella le había pedido—. ¿Y abonaros a la biblioteca?

—No me parece el tipo de diversión que atraiga a un hombre —respondió ella—. ¿Pensáis acompañarme, milord?

—Será un placer, señora —contestó él, jugando distraídamente con el tenedor que estaba junto a su plato.

Esta mañana le parecía una extraña, una extraña a la que deseaba complacer. Sí, será un placer, pensó él. No le apetecía dar su habitual paseo matutino con sus amigos o pasar un par de horas en White´s leyendo los periódicos y conversando con conocidos.

Ella le sonrió. No se comportaba como de costumbre, pensó él. Desempeñaba un papel: la amable y encantadora dama decidida a cumplir con su parte del acuerdo. Esta mañana ambos se comportaban como unos educados extraños, pero quizá no fuera mala cosa.

—En tal caso me encantaría —dijo ella—. Imagino que las tiendas londinenses harán que las de Tawmouth parezcan insignificantes.

—Me sorprende —dijo él— que vuestro padre no os trajera a la ciudad durante la temporada social.

—La temporada social en la ciudad cuesta mucho dinero, milord —respondió ella—. Sean... —dijo y ensartó un trozo de salchicha con el tenedor y se lo llevó a la boca sin terminar la frase.

Habían tenido que comprar el nombramiento militar de Sean, el uniforme, la espada y el resto del equipo. Los gastos sin duda habían consumido gran parte de los recursos de Penwith, ya muy mermados debido a las deudas de Sean. Pero él se había propuesto evitar toda referencia al pasado durante las semanas que estuvieran juntos. Nada podía alterar el pasado. Por consiguiente, quizá nada pudiera salvar el futuro. Pero debían tratar de conseguirlo.

—Será un placer mostraros las tiendas, los lugares turísticos y las diversiones que ofrece Londres —dijo—. Desde un punto de vista egoísta, me complace que todo os resulte una novedad.

—Gracias.

Ella sonrió de nuevo.

Quizá, pensó él más tarde mientras paseaban por Oxford Street, era preferible que se hubieran convertido en cierta forma en unos extraños. Habían conversado durante toda la mañana cortésmente, aunque con cierta frialdad, sin discutir en ningún momento. Y él disfrutaba llevándola del brazo, observando cómo los viandantes se volvían para mirarla. Debían de preguntarse quién era esa mujer que iba acompañada del conde de Haverford. Era evidente que no era una pelandusca, pero nadie sabía quién era exactamente, hasta que él la presentara como su condesa. Su compañía le llenaba de gozo.

Cuando Moira admiró un sombrero que vio en un escaparate, él entró con ella en la sombrerería para que se probara una docena de creaciones.

—Pero no necesito más, milord —protestó ella, volviéndose de espaldas al espejo ovalado sobre el mostrador para que él contemplara admirado lo bien que le sentaba un atractivo sombrero de paja, adornado con flores en la copa y una ancha cinta azul anudada debajo de la barbilla—. Tengo muchos sombreros.

Pero él sabía que éste le gustaba y deseaba poseerlo.

—Nos lo llevamos —dijo a la vendedora.

—Milord... —dijo Moira, pero se sonrojó y se rió y no siguió protestando.

En otra tienda él le compró unos elegantes guantes de color paja a juego con el sombrero. Eran carísimos, dijo ella, pero le dio las gracias. Kenneth se lo estaba pasando estupendamente bien.

—Ah, qué abanicos tan bonitos —comentó ella en Bond Street, deteniéndose para admirar otro escaparate—. Fijaos en las imágenes que tienen pintadas, milord. Son unas obras de arte exquisitas.

Él se detuvo junto a ella para mirar los abanicos..., y a ella.

—¿Cuál os gusta más?

—Creo que el del Cupido desnudo que dispara su flecha a la ninfa que huye —respondió ella—. Es inútil que corra. No logrará escapar.

—Yo también querría huir de un pastor de aspecto tan ridículo —observó él riendo. Ella mostraba un aire juvenil y alegre, pensó—. A mí me gusta ése, el que muestra a una mujer sentada en una ribera cubierta de musgo mientras un caballero se inclina sobre ella para admirarla. Es una escena muy romántica.

Pese a las insistentes protestas de Moira, él entró en la tienda y le compró el abanico.

—A partir de ahora no me atreveré a expresar mi admiración por ningún objeto —dijo ella cuando él salió de la tienda—, por temor a que me lo compréis. No es necesario que lo hagáis, milord. Me dais una asignación más que generosa y tengo todo cuanto pueda necesitar.

—Quizá, señora —contestó él—, me agrada compraros cosas bonitas.

Ella frunció un poco el ceño y sus ojos asumieron una expresión preocupada, pero sonrió de nuevo.

—En tal caso, gracias —dijo.

Moira guardó un obstinado silencio cuando se detuvieron ante el escaparate de una joyería, aunque él comentó admirado la exquisitez de unas pulseras expuestas y trató de jugar al juego que ella había jugado con los abanicos. Pero ella no le siguió.

—Entremos —dijo él—, para poder admirarlas sin la barrera de la vitrina. Las joyas deben ser contempladas sin que nada se interponga.

Ella apenas despegó los labios dentro de la tienda. Convino con el joyero en que las pulseras eran preciosas, pero insistió en que no tenía preferencia por ninguna.

—Ésa —dijo Kenneth por fin, indicando la más bonita, y costosa, una delicada pulsera con diamantes engarzados—. Envolvedla, por favor.

Moira permaneció junto al mostrador mientras él pasaba al fondo de la tienda para pagar la pulsera y tomar posesión de ella. Sería un regalo de bodas, pensó, aunque tardío. No había regalado nada a Moira el día de su boda salvo la alianza de oro. Ahora le regalaría la pulsera de diamantes para que la luciera.

Ella no le devolvió la sonrisa cuando él se reunió con ella en la parte delantera del establecimiento. Se volvió en silencio y salió detrás de él a la calle. Cuando alzó la vista y le miró, él observó en sus ojos una expresión preocupada.

—Debe de costar una fortuna —dijo ella—. No era necesario que hicierais esto. No tenéis que comprar... mis favores.

—Santo cielo —dijo él, agachando la cabeza para mirarla debajo del ala de su elegante sombrero de color marrón—. ¿Eso creéis que hago? Hace menos de tres meses que sois mi esposa, señora. Os he comprado esa joya porque me complace hacerlo. Os he regalado unos diamantes porque no os había hecho ningún regalo de bodas.

—¿Un regalo de bodas? —repitió ella—. Pero ¿y si no seguimos juntos?

Él no quería pensar esta mañana en esa posibilidad.

—Eso no altera el hecho de que hubo una boda —replicó—. Y un regalo es un regalo. La pulsera es vuestra, podéis quedaros con ella al margen de lo que ocurra entre nosotros. En cualquier caso, os recordará... una agradable mañana.

—Muy bien —dijo ella—. Gracias.

Pero de alguna forma la alegría y exuberancia de esa mañana se había disipado. Él había pensado en llevarla a comer un helado. Pero si lo hacía, tendrían que sentarse juntos a una mesa y conversar. ¿De qué hablarían? ¿Había quedado él como un idiota al comprarle esos objetos como un jovenzuelo enamorado? Decidió llevarla directamente a la biblioteca y luego a casa.

Pero al ofrecerle el brazo, se fijó en una pareja que se había detenido junto a ellos.

—¿Ken? —dijo una voz familiar, y él se volvió para saludar al vizconde de Rawleigh y a lady Rawleigh—. Esta mañana me he encontrado con Nat en el parque. ¿Quieres hacerme el honor de presentarnos?

Kenneth hizo las presentaciones y vio que Rex observaba a Moira con curiosidad mientras ella sonreía y departía con ellos con el mismo encanto que había mostrado la noche anterior.

—El señor Gascoigne dijo a mi esposo que habíais llegado a la ciudad —dijo lady Rawleigh a Moira—. Habíamos pensado en ir a visitaros esta tarde, ¿verdad, Rex? El señor Gascoigne dijo que era vuestra primera visita a Londres.

—Venid de todos modos —respondió Moira—. Estaremos encantados de recibiros.

—Se me ocurre una idea mejor —dijo lady Rawleigh—. ¿Asistiréis esta noche al baile de lady Algerton?

Moira miró a Kenneth con expresión interrogante.

—Desde luego —dijo él.

—En tal caso venid primero a cenar a nuestra casa —dijo lady Rawleigh—. ¿No te parece una idea espléndida, Rex?

—Estaré encantado de tener la oportunidad de conocer mejor a lady Haverford, querida —respondió el vizconde sonriendo—. Y, por supuesto, de charlar contigo, Ken. Os ruego que me reservéis el segundo baile, señora —añadió sonriendo a Moira.

—Parecen muy agradables —dijo ésta cuando las dos parejas se despidieron al cabo de unos minutos—. ¿Lord Rawleigh es otro de vuestros amigos del regimiento de caballería, milord?

—Éramos cuatro amigos —contestó él—. Estábamos unidos como hermanos. ¿Os gustaría ir a cenar a casa de los Rawleigh?

—Sí —respondió ella—. Por eso he venido, ¿no? Para conocer a gente, especialmente a las personas con las que os relacionáis. ¿Solía viajar lady Rawleigh con su esposo? Creo que se dice «seguir a la tropa».

—Hace poco que se han casado —le explicó él—. De hecho, se casaron unas semanas después que nosotros.

—Ah —dijo ella—. Parecen muy enamorados.

—En efecto —respondió él—. Creo que lo están.

Entre ellos se hizo un silencio que duró hasta que llegaron a la biblioteca, donde tuvieron una excelente excusa para no hablar en voz alta. Él no quería contarle que la boda de Rex había sido tan repentina y tan poco deseada por su parte como la suya. Con ello sólo conseguiría que fuera tan obvio para ella como lo era para él, que los Rawleigh habían logrado resolver sus diferencias y superarlas mientras que Moira y él no lo habían hecho. Al menos, todavía. Esta mañana se había sentido esperanzado. Pero ahora había vuelto a interponerse entre ambos algo negativo. La maldita pulsera. Debió pasar de largo frente a la joyería y llevarla a comer un helado, pensó.

A Moira le habría gustado relajarse durante la tarde, quizá dar un paseo por Hyde Park. Estaba impaciente por contemplar ese parque tan famoso. Le habría gustado relajarse hasta que tuviera que preparase para la velada, que aguardaba con ilusión. El vizconde Rawleigh le había parecido muy amable y su esposa una mujer cordial y encantadora. Deseaba tener una amiga en Londres. A fin de cuentas, a su esposo no le apetecería pasar todas las horas de cada día con ella. Y a ella le habría gustado deleitarse pensando en el baile de esta noche, un baile al que asistiría la flor y nata de la sociedad, uno de los más sonados de la temporada. Deseaba crear unos recuerdos que llevarse a casa dentro de unas semanas, unos recuerdos agradables.

La mañana no había sido un éxito. Y reconocía que gran parte de la culpa era suya. Durante el último año habían vivido de forma muy frugal en Penwith. No habían podido permitirse ninguna extravagancia. El sombrero de paja que él le había comprado esta mañana le parecía justamente eso, una extravagancia, al igual que los guantes. Pero sabía que su esposo era muy rico, y se hallaban en Londres durante la temporada social, y ella no se había molestado en ocultar su deseo de poseer ese sombrero. Se habría sentido más que satisfecha con ese regalo. Habría hecho que una agradable mañana fuera perfecta.

Pero más tarde él le había comprado el abanico. Y por último la pulsera, que sin duda había costado más de lo que su madre y ella habían gastado en un año. No quería regalos tan costosos. Quería algo de un valor más humano. Amistad, tal vez, incluso afecto. Era a eso a lo que había accedido, a tratar de consolidar un sentimiento amigable entre ellos que quizá les ayudara a salvar su matrimonio. No había accedido a que él tratara de comprar sus afectos ni le había inducido a pensar que derrochar dinero y cubrirla de regalos era un sustituto aceptable del afecto.

Pero había percibido el cambio de talante que se había producido en él al salir de la joyería. Y se había percatado del error que ella había cometido. Él había disfrutado. Le había comprado esos obsequios porque deseaba hacerlo. Y ella se lo había echado en cara. Moira comprendió que tendría que volver a intentarlo y esforzarse más. Al fin y al cabo, no había imaginado que esto sería fácil. De modo que había confiado en dar un paseo por el parque, un sencillo placer que les permitiera hablar sin la frialdad que ambos habían mostrado esta mañana.

Pero no iba a ser una tarde placentera ni relajada. Durante el almuerzo su marido le comunicó que la llevaría a visitar a su hermana. Y cuando Moira sintió una opresión en el estómago ante la noticia, él añadió que su madre se alojaba también en casa de los vizcondes de Ainsleigh.

—No —contestó ella con firmeza—. No, milord. Me niego a ir a visitarles.

A eso no había accedido. Había accedido a pasar unas agradables semanas visitando Londres y participando en las celebraciones de la alta sociedad. No había accedido a dejarse atrapar en el programa, mucho menos grato, que él había preparado. Ella no tenía nada que decir a la madre ni a la hermana de él.

—Iréis —replicó él con no menos firmeza—. Sois mi esposa. Debo presentaros a mi madre y a mi hermana.

—Pero dentro de unas semanas ya no seré vuestra esposa —protestó ella—. Tan sólo de nombre. Y en Navidad ambas expresaron con toda claridad lo que pensaban de mí. No deseo tener tratos con ellas.

—En Navidad —contestó él—, no erais mi esposa, ni siquiera mi prometida. Iremos a visitarlas, Moira. Es preciso observar ciertas cortesías. Y ésta es una de ellas.

—De modo que es una orden —dijo ella apretando los labios—. No tengo más remedio que obedecer.

Él la miró con frialdad. Había vuelto a ser el Kenneth de siempre.

—Sí, es una orden —respondió—. La cual no tendría que daros si supierais cómo comportaros.

Esa acusación la irritó.

—Así que fue por esto que esta mañana me comprasteis la pulsera de diamantes, el sombrero y el abanico —dijo ella—. Y los guantes.

—No seáis niña.

—Siempre volvemos a lo mismo —replicó ella—. Cada vez que discutimos, resulta que me comporto como una niña. Y vos, milord, sois un grosero y un tirano. Fui una estúpida al venir, y una estúpida al acceder a intentar que las cosas fueran distintas entre nosotros. Nada cambiará nunca.

—No a menos que nosotros nos los propongamos —dijo él.

—Aquí no hay un «nosotros» —dijo ella—. Sólo vos y yo: vos dais las órdenes y yo las obedezco.

Él empezó a tamborilear con los dedos en la mesa.

—¿Os negáis a observar las debidas cortesías yendo a visitar esta tarde a mi madre? —preguntó.

Ella se levantó, obligándole a hacer lo propio, aunque aún quedaba comida en su plato. No, no permitiría que él se saliera con la suya. No permitiría que la acusara del fracaso de su experimento antes de que hubiera transcurrido un día.

—Estaré dispuesta —dijo— cuando os plazca enviar por mí, milord.

Él se quedó donde estaba cuando ella abandonó la habitación.

Ella dejó que la ira siguiera reconcomiéndola durante una hora y durante el silencioso trayecto en coche que emprendieron más tarde. ¿Cómo se había atrevido él a forzarla a visitar a su madre, que prácticamente la había arrojado de Dunbarton la noche del baile navideño, y a su hermana, que la había tratado con manifiesto desdén y antipatía la noche de la fiesta en Tawmouth. Pero su atrevimiento no tenía límites. Kenneth nunca había sentido la menor compasión por los demás.

Ella se volvió hacia él cuando el coche se detuvo frente a la mansión urbana de los vizcondes de Ainsleigh.

—¿Lo saben ya? —le preguntó—. ¿Saben que estamos casados?

La respuesta de él influiría de forma determinante en la forma en que se comportaría ella.

—No les he ofrecido ninguna explicación —respondió él—. No era necesario. Pero si hacéis el favor de cambiar de expresión, señora, quizá nos resulte más sencillo dar la impresión de que fue una boda por amor.

—¿Estábamos tan profundamente enamorados —replicó ella— que nos separamos al cabo de una semana y hemos vivido separados durante dos meses? Es imposible que se lo crean.

—Pensé que mi familia no os importaba —dijo él—. ¿Acaso os importa lo que piensen?

—No —contestó ella.

—En tal caso —dijo él—, da lo mismo si conseguimos o no engañarles. Pero si vos me sonreís, señora, yo os sonreiré a vos.

Acto seguido le dirigió una deslumbrante sonrisa que ponía de realce su enorme encanto.

—Pero está claro que a vos sí os importa lo que piensen.

—Si reconozco eso, Moira —dijo él—, sólo conseguiré que me miréis con gesto hosco durante la próxima hora.

—No merecéis menos —respondió ella.

—Cierto —dijo él con un tono tan afable que ella se preguntó si estaban discutiendo o bromeando.

Puede que esto fuera simplemente una broma para él, pero para ella era muy serio. Habría preferido hacer cualquier cosa que lo que estaba haciendo en estos momentos, esto es, dejar que él la ayudara a apearse del carruaje.

Estaba claro que la condesa viuda de Haverford y la vizcondesa de Ainsleigh no habían sido informadas de esta visita, aunque ambas estaban en casa y tenían visita. Se hallaban en el cuarto de estar acompañadas por dos señoras y un caballero, aparte del vizconde de Ainsleigh. Quizá fuera preferible, pensó Moira. Aunque los rostros de su suegra y de su cuñada denotaban estupor cuando Kenneth y ella entraron en la estancia después de ser anunciados por el mayordomo, la educación exigía que la trataran con la mayor cortesía. Lady Haverford incluso invitó a Moira a sentarse en el sofá junto a ella y le sirvió una taza de té.

—Confío en que lady Hayes esté bien —dijo.

—Sí, gracias —contestó Moira—. Está perfectamente.

—Y espero que tu viaje a la ciudad haya sido agradable.

—Sí, gracias —respondió Moira—. Mi es... Kenneth pidió a su administrador que me acompañaran varios criados para mayor seguridad e hizo que reservaran las mejores habitaciones en las mejores posadas. Fue un viaje muy agradable e interesante. Todo representa una novedad para mí.

—¿No habías venido nunca a la ciudad? —preguntó Helen—. Todo debe de parecerte muy extraño y distinto de la vida en el campo.

Moira fingió no percatarse del desdén y la condescendencia que denotaban sus palabras.

—Llegué anoche —respondió—. Pero las tiendas me han parecido magníficas. Esta mañana Kenneth me ha llevado a Oxford Street y a Bond Street.

—¿Asistiréis esta noche al baile de lady Algerton, lady Haverford? —preguntó uno de los invitados.

—Sí —respondió Moira—, y me hace mucha ilusión.

Supuso que a estas personas debía de parecerles una aldeana, pero no quería fingir una sofisticación y un cinismo que sólo la harían parecer ridícula. Sonrió.

—Sin duda Kenneth bailará el primer baile contigo —dijo el vizconde de Ainsleigh—. ¿Me reservarás el segundo, Moira? ¿Me permites que te tutee, dado que nos hemos convertido en hermanos?

—Encantada. —Moira esbozó una sonrisa más cálida. El vizconde le había caído bien desde que lo había conocido en el baile de Dunbarton, cuando él había tratado de disimular la descortesía que su esposa le había demostrado a ella y a sir Edwin Baillie—. Pero me temo que he prometido el segundo baile al vizconde de Rawleigh, señor.

—Michael —dijo él—. Entonces resérvame el tercero, a menos que lo tengas también comprometido.

—Gracias, Michael —respondió ella.

Kenneth estaba de pie junto al sofá, detrás de ella. Apoyó una mano sobre su hombro y sin detenerse a pensar, Moira alzó su mano para apoyar los dedos sobre los de él. Fue un gesto que ella sabía que no había pasado inadvertido a su familia política o a sus invitados, un gesto no estrictamente correcto, pero quizá disculpable en unos recién casados profundamente enamorados. Aunque no era el caso, por supuesto. Él lo había hecho para ofrecer a Moira apoyo moral. Ella había sentido la necesidad de aceptarlo. Pero no importaba. Quizá, como él le había sugerido en el coche, era más sencillo hacer creer a los demás que el suyo era un matrimonio por amor. Moira se volvió para mirarlo, y cuando él le sonrió, ella inmediatamente le devolvió la sonrisa.

—Cuando lleguéis esta noche, espero que conduzcas a tu esposa junto a mí, Kenneth —dijo la condesa viuda cuando se disponían a marcharse al cabo de un rato. La dama aceptó su brazo para bajar la escalera con ellos—. Me encargaré de presentarla a toda la gente a la que la condesa de Haverford debe conocer.

—Como gustes, mamá —respondió él inclinándose ante ella.

—Gracias, señora —dijo Moira.

Su suegra la miró con gesto serio.

—Es preferible que hayas sufrido un aborto —dijo—. A una nueva condesa que carece del lustre que da la ciudad y de un nombre reconocible no le conviene añadir los chismorreos que suscitaría un parto acaecido a los seis meses de la boda.

De modo que él le había mentido, pensó ella. Se lo había contado a su familia. Lo sabían todos, habían estado al corriente del asunto mientras ella conversaba con ellos en el cuarto de estar. Moira alzó el mentón con gesto desafiante.

—Supongo que te habrá escrito la señora Whiteman de Dunbarton —dijo Kenneth—. Debo hablar con ella sobre la falta de lealtad. Moira ha tardado mucho tiempo en recobrar la salud y el optimismo, mamá. Pero no hallamos consuelo por la pérdida del niño que iba a ser nuestro hijo. Te agradecería que no mencionaras esto a nadie más.

—No se me ocurriría hacerlo —contestó ella—. De modo que habéis adquirido riqueza, una posición social y seguridad, Moira. No puedo hacer nada para cambiar eso. Sólo confío en que sabréis estar a la altura de las circunstancias, y ofreceros mi ayuda para que os aclimatéis con facilidad a vuestra nueva vida.

Era un ofrecimiento hecho a regañadientes. No había ningún calor en él, ningún afecto. Pero no dejaba de ser un ofrecimiento. Un ofrecimiento que significaba cierto grado de aceptación. Si iba a permanecer junto a Kenneth, pensó Moira —suponiendo que fuera así—, sería una estúpida si lo rechazaba.

—Gracias, señora —dijo.

—Más vale que me llames mamá —dijo la condesa viuda—. Tengo unos invitados en el cuarto de estar. Debo regresar junto a ellos.

Kenneth se inclinó ante ella. Moira le hizo una reverencia.

Al cabo de unos minutos se hallaban de nuevo en el coche, sentados muy tiesos uno junto al otro.

—Lo siento —dijo él cuando el coche arrancó—. Ignoraba que ella lo sabía. Como es natural, despediré a la señora Whiteman de su puesto en Dunbarton. No consiento que el ama de llaves sea más leal a mi madre que a vos. Imagino que lo que dijo mi madre os dolió.

—Sí —respondió ella. Pero lo que él había dicho inopinadamente la había conmovido. Se había expresado como si la pérdida del niño le hubiera afectado tanto como a ella, *no hallamos consuelo por la pérdida del niño...* Y estaba dispuesto a despedir al ama de llaves por informar a su antigua señora, a espaldas de su esposa, de lo sucedido. *Ay, Kenneth*, pensó ella, *no me confundas.*

—¿Ha sido la visita tan horrible como esperabais? —preguntó él.

—No. —Ella fijó la vista en sus manos, que tenía apoyadas en el regazo—. Si no hubiéramos ido a visitarles esta tarde, nos habríamos encontrado con ellos esta noche, ¿no? Habría sido muy embarazoso.

—En efecto —dijo él.

—Y vos pensasteis en ello. —Ella, en cambio, había sido tan tonta que no se le había ocurrido—. Sí, fue mejor de lo que esperaba. Al menos nadie me echó de allí cuando entré.

—No se habrían atrevido —dijo él—. Sois mi esposa.

Ella sonrió sin alzar la vista de sus manos.

—Entonces, ¿me perdonáis por haberos ordenado ir? —preguntó él.

—Tenéis el derecho de ordenarme lo que os plazca —respondió ella.

—Ésa es una respuesta peligrosamente humilde —replicó él, mirándola de refilón.

Ella se encogió de hombros y cambió de tema.

—Me cae bien el vizconde de Ainsleigh, quiero decir, Michael —comentó—. Es un auténtico caballero.

Le asombraba que le cayera bien. Sean amaba a Helen e iba a casarse con ella. Y lo habría hecho de no ser porque...

—Helen ha tenido suerte —dijo él. Pero cuando ella se volvió rápidamente para mirarlo, él se le adelantó—. Dejadlo, Moira. Gocemos de estas dos semanas. Esta mañana y esta tarde las cosas han transcurrido de forma bastante aceptable, ¿no creéis?

—Bastante aceptable —convino ella.

—En cualquier caso no esperábamos enamorarnos de modo fulminante y comprobar que el otro era la perfección personificada, ¿verdad?

—¡Dios nos libre! —exclamó ella con vehemencia.

—Me moriría de aburrimiento al cabo de una semana —observó él.

—Creo que yo me moriría al cabo de seis días —contestó ella.

Ninguno de los dos se rió. Ni siquiera se miraron. Pero de alguna forma habían recuperado el sentimiento casi amigable que habían compartido esta mañana hasta que a él se le había ocurrido comprarle el abanico.

Capítulo 19

*B*ien, Ken. —Lady Rawleigh había llevado a Moira al cuarto de estar a tomar el té después de la cena, dejando que los dos hombres se bebieran una copa de oporto. El vizconde acababa de rellenar sus copas—. Tú y yo hemos llegado a un triste fin poco después de recuperar nuestra libertad.

—¿Triste? —preguntó Kenneth—. ¿Eso crees?

Su amigo sonrió y se arrellanó en su butaca.

—Ambos hemos contraído unos matrimonios que no deseábamos —dijo—. A mí me vieron salir de casa de Catherine en plena noche, después de que ella hubiera rechazado de plano mis nada honorables insinuaciones, dicho sea de paso, dando pábulo a las malas lenguas y haciendo que mi hermano gemelo me amenazara con matarme o algo peor si me negaba a hacer lo honorable en estos casos. Y eso hice..., pobre Catherine. Entiendo que tu situación era muy distinta.

Kenneth no estaba dispuesto a describir cierto temporal de nieve, ni siquiera a uno de sus mejores amigos.

—Sin embargo —dijo—, ambos parecéis sentiros razonablemente satisfechos, Rex.

—En tal caso Catherine y yo debemos ser unos excelentes actores —respondió el vizconde de Rawleigh—. Nos sentimos mucho más que razonablemente satisfechos.

—¿Por qué me dices esto? —inquirió Kenneth—. ¿Simplemente para jactarte?

Su amigo se echó a reír.

—Eso, también —reconoció—. Uno se siente muy listo por haber descubierto el amor en la vida, en su matrimonio. Y uno se siente obligado a compartir sus experiencias con otros. Lady Haverford es una mujer encantadora, Ken. Y muy guapa, si me permites decirlo. Ella y Catherine parecen haber congeniado.

Kenneth bebió un trago de oporto y frunció los labios.

—Corrígeme si me equivoco, Rex —dijo—, pero tengo la impresión de que vas a echarme una bronca. ¿O sólo un sermón?

—Al parecer es un hecho ineludible que abandonaste a la dama durante tres meses después de producirse cierto... acontecimiento —dijo lord Rawleigh—, y que luego regresaste apresuradamente a casa, te casaste con ella y la trajiste aquí para pasar juntos un par de semanas gozando de las diversiones que ofrece la ciudad. ¿Piensas enviarla de nuevo a casa cuando vayas a Brighton? Tengo entendido que Eden también piensa ir allí. ¿O a uno de tus otros balnearios? ¿O a París?

—Te agradecería —contestó Kenneth— que no te inmiscuyeras en mis asuntos, Rawleigh.

—Pero soy tu amigo —dijo el vizconde con expresión contrita—. Y te conozco bien. Conozco tu conciencia. En ocasiones solía chocarnos e incluso irritarnos a los demás. No has estado con una mujer desde tu matrimonio, ¿verdad? —Alzó una mano para silenciar a su amigo—. No es necesaria ni espero una respuesta. Nat y Eden han estado corriéndose una juerga tras otra con una nutrida colección de bellezas más que dispuestas, aunque Ede ha montado un acogedor nidito con su pequeña bailarina, mientras que tú te has abstenido. Pero necesitas una mujer. Siempre fuiste tan fogoso como el resto de nosotros.

—Soy un hombre casado —replicó Kenneth casi con aspereza.

—Justamente. —Rex arqueó las cejas—. Hasta yo he comprendido que los votos matrimoniales imponen una grave obligación sobre la conciencia, y nunca había hecho mucho caso a mi conciencia en lo tocante a las mujeres. Si no permaneces junto a lady Haverford, estás condenado a una vida célibe, Ken.

—Tonterías —replicó Kenneth.

—Apostaría una fortuna en ello —dijo su amigo—. Y de paso una vida desgraciada. Lo cual parece una clara posibilidad, Ken. Esta noche has estado amable conmigo y encantador con Catherine. Lady Haverford ha sonreído y ha estado encantadora con Catherine y conmigo. Y ambos os habéis comportado como si el otro no estuviera presente.

—¡Maldita sea! —exclamó Kenneth.

—Quizás he interpretado mal todos los signos —dijo lord Rawleigh alzando una mano con gesto de impotencia—. Quizá...

—Quizá Moira —dijo Kenneth entre dientes—, a diferencia de lady Rawleigh, se negó a que yo hiciera lo honorable después de un *cierto acontecimiento*, como lo has descrito eufemísticamente. Quizá se negó repetidas veces, incluso hasta el punto de mentir sobre su estado. Quizá cuando se vio obligada a casarse conmigo, me arrojó de casa, declarando que no deseaba volver a verme jamás. Quizá la he invitado a venir a la ciudad confiando en poder salvar nuestro matrimonio. Quizá no necesito amigos que se meten en lo que no les incumbe. Y quizá debimos reunirnos con las señoras hace diez minutos.

—Y quizá —apostilló el vizconde de Rawleigh sonriendo—, te has casado justamente con la mujer que te conviene, Ken. ¿Es cierto que te ha tratado tan mal? ¿No será a la inversa? He visto multitud de mujeres utilizar todo tipo de estratagemas para hacerte caer en las redes del matrimonio o simplemente en sus lechos. Jamás he conocido a ninguna que te pusiera de patitas en la calle. Es decir, hasta hoy. Sí, vamos a reunirnos con las señoras, Ken. Quiero observar más de cerca a la mujer que está claro que te ha trastornado. Esto es más interesante de lo que supuse.

Con esto se levantó y señaló la puerta.

Su madre iba a tomar a Moira bajo su protección, pensó Kenneth irritado mientras se levantaba de su butaca. Rex quería observarla más de cerca. Nat y Eden, después de decir que era un cadáver exangüe y una tísica en Tawmouth, habían caído ahora bajo su hechizo. Ainsleigh y Rex y sin duda la mitad de la población masculina de Londres bailarían con ella esta noche. ¿Había tratado alguna vez una pareja de reconciliarse de forma tan pública? Había sido un idiota. Debió ir él a Dunbarton en lugar de traerla aquí.

Esta noche deseaba bailar con ella. Todos los bailes. Pero tendría suerte si conseguía bailar con su esposa los dos que permitía el decoro público.

—Si pones esa cara de uvas agrias, Ken —dijo el vizconde de Rawleigh, dando una palmada a su amigo en el hombro—, alarmarás a Catherine e invitarás a tu esposa a que te abandone durante otro par de meses.

—¡Maldita sea! —murmuró Kenneth mientras su amigo rompía a reír.

—Por supuesto que nos quedaremos hasta el fin de la temporada social —dijo lady Rawleigh en respuesta a una pregunta que le había hecho Moira—. Confieso que lo estoy pasando muy bien. Y ahora que habéis venido lo pasaré aún mejor. Debemos ir juntas de paseo, de tiendas y de visita. Supongo que conocéis a poca gente aquí.

—A nadie excepto a Kenneth —contestó Moira—, y a su madre y a su hermana.

—Como es natural, todos harán que os sintáis a gusto aquí —dijo Catherine—. Pero es importante tener amistades, femeninas claro está. A Rex no le divierte ir de tiendas. A mí sí —añadió riendo—. Me alegro de que hayáis venido por fin a la ciudad. Estábamos muertos de curiosidad.

Sonrió y Moira le devolvió la sonrisa. A continuación se produjo un silencio embarazoso.

—Pasaremos el verano en Stratton —dijo Catherine—. En Kent. Probablemente nos quedaremos también allí durante el otoño y el invierno. Estoy encinta, y Rex no quiere que viaje más de lo necesario, aunque nunca me he sentido mejor.

—Debéis sentiros muy feliz —dijo Moira con una punzada de envidia... y de temor.

—Sí —respondió Catherine suavemente—. Hace mucho que estaba convencida de que no me casaría nunca. Había aceptado mi soltería con buen talante y había aprendido a volcar todo mi cariño en *Toby*. —Miró con afecto al pequeño terrier que había asustado antes a Moira con sus ladridos y que ahora estaba tumbado ante el hogar, dormido—. Y entonces apareció Rex. Al principio le odié por alterar la paz y el bienestar de mi vida —dijo riendo—. La trastocó por completo. Pero es maravilloso estar casada cuando pensé que jamás lo estaría, lady Haverford, y sentir un profundo amor por mi marido cuando al principio le detestaba..., y estar encinta cuando creí que jamás tendría hijos.

Pero su sonrisa se borró de golpe cuando observó el rostro de Moira.

—Disculpadme —dijo—. Perdisteis un hijo, ¿no es así? Es lo peor que le puede pasar a una en la vida.

—En efecto —dijo Moira.

—Nosotros nos enteramos hace muy poco —dijo Catherine. Vuestro esposo, el pobre, se lo guardó para sí, ocultando la verdad incluso a sus mejores amigos. El señor Gascoigne le contó a Rex que lord Haverford había roto a llorar cuando se lo dijo por fin. Lo cual demuestra lo mucho que os ama. Nos extrañó que os hubiera dejado en Cornualles al poco de vuestra boda, pero entonces lo comprendimos. Su dolor era demasiado intenso para soportarlo, y sin duda se sentía impotente e incapaz de ayudaros a sobrellevar el vuestro.

—Es muy común tener un aborto —dijo Moira—. Quizá sea absurdo sentir un dolor tan grande.

—Yo perdí una vez un hijo —dijo Catherine—, a las pocas horas de nacer. Ocurrió hace muchos años. Quizá vuestro esposo os ha contado que hace unos meses Rex se batió en duelo con el padre del niño, el cual me sedujo. Debí alegrarme de haberlo perdido teniendo en cuenta el engaño y la desdicha que rodeó su concepción. Pero no me alegré de ello, lady Haverford. Espero no tener que soportar jamás el espantoso dolor que soporté durante largo tiempo al perder a mi hijo.

—¿Y sin embargo no teméis volver a arriesgaros? —preguntó Moira, frunciendo el ceño.

Catherine sonrió.

—El deseo de tener un hijo es infinitamente más poderoso que el temor —dijo—. Especialmente cuando amas tanto al padre de la criatura. No podemos dejar que el temor domine nuestra vida. A menos que una quiera sentirse infinitamente desdichada y sola. ¿No sentís el deseo de volver a intentarlo también? ¿O quizá sea demasiado pronto? ¿Mis palabras os incomodan? Pero estoy segura de que volveréis a intentarlo, lady Haver..., ¿puedo llamarte Moira? Llámame Catherine.

—Me sentí muy mal durante ese trance —dijo Moira—. Pero quizá se debió a que...

Se mordió el labio.

—Sí, seguro que sí —dijo Catherine—. Yo también me sentí muy mal en aquella ocasión. Y desdichada. Sin ganas de nada e incapaz de comer o descansar. Esta vez me siento rebosante de salud. Y eso se debe a que soy feliz.

Moira sonrió.

No pudieron proseguir con la conversación. La puerta del cuarto de estar se abrió y entraron los dos hombres, y durante la media hora que transcurrió antes de que partieran para el baile, lord Rawleigh, que estaba sentado junto a ella, acaparó la atención de Moira pidiéndole que le hablara de Cornualles, pendiente de sus respuestas. Kenneth acompañó a Catherine hasta el piano situado al otro lado de la habitación, y permaneció junto al instrumento, observando mientras tocaba.

No podemos dejar que el temor domine nuestra vida... A menos que una quiera sentirse infinitamente desdichada y sola.

Las palabras no cesaban de darle vueltas en la cabeza mientras conversaba y sonreía. Pero ella no tenía miedo, ¿o sí? Quizá de volver a quedarse en estado. Pero de nada más. No de amar... a Kenneth. Una no podía temer algo que no había peligro que ocurriera.

...infinitamente desdichada y sola.

Durante el baile en casa de los Algerton Kenneth experimentó a un tiempo la consecución y frustración de sus esperanzas. Era una celebración de gran envergadura, como la mayoría de celebraciones a estas alturas de la temporada social. Era un acontecimiento adecuado para lo que sería el debut de Moira en sociedad. Y ella estaba tan bella como requería la ocasión, vestida como de costumbre con elegancia y sencillez en dorado pálido. El único detalle relumbrante de su atavío era la pulsera de diamantes, que lucía sobre su guante largo.

Él gozó con la curiosidad y el interés con que los miembros de la alta sociedad contemplaron a su esposa cuando entró en el salón de baile de su brazo. Las noticias se propagaban a la velocidad del rayo en Londres. Kenneth habría apostado que todos los presentes habían averiguado a los pocos minutos la identidad de Moira. Y habría apostado también que durante los dos últimos meses se había suscitado una gran curiosidad con respecto a la condesa de Haverford, misteriosamente ausente.

Él bailó la primera contradanza con ella y observó la destreza y gracia con que se movía, además de su manifiesto deleite. Decidió bailar también el vals con ella. Pero tal vez más tarde, después de cenar. No volvería a bailar con ella hasta al cabo de un buen rato y sabía que no podía bailar con ella durante toda la velada. Eso habría sido demasiado aburrido.

Pero cuando terminó la primera contradanza, le fue arrebatado de sus manos el control de la situación. Su madre, fiel a su palabra, tomó a su nuera bajo su protección y se paseó por el salón de baile con ella, presentándola a todas las comadres cuya palabra era ley en la sociedad londinense. Kenneth observó que Moira salía airosa del trance. Se comportaba con discreta compostura, aunque no permanecía muda. Él resistió la tentación de seguirla. Éste era un asunto de mujeres, y ella no le necesitaba. Ignoraba si ella disfrutaba estando con su madre, pero parecía haber aceptado su tutela con discreto y sensato juicio. En suma, se sentía complacido con la forma en que se desarrollaban las cosas.

Como era previsible, Moira bailó todos los bailes. Rex bailó con ella el segundo y Ainsleigh el tercero. Tanto Nat como Eden bailaron con ella, por supuesto, al igual que lord Algerton y el vizconde de Perry, el hermano menor de lady Rawleigh. Bailó el vals que tocaron antes de la cena con Claude Adams, el hermano gemelo de Rex, que había venido a la ciudad con su esposa, y luego, como es natural, entró en el comedor de su brazo.

Después de cenar, la velada no perdió animación. Moira bailó con los caballeros que la madre de Kenneth le había presentado, en su mayoría de elevada alcurnia, los respetados maridos de las comadres. Cabía decir, pensó Kenneth observándola con una mezcla de orgullo y celos, que la alta sociedad había acogido con simpatía a la condesa de Haverford en su primera aparición en un evento social.

—Es realmente muy guapa —dijo una voz femenina detrás de él, y al volverse Kenneth comprobó que se trataba de la señora Herrington, la cual se abanicaba la cara con gesto lánguido—, si os gustan las mujeres altas y morenas como las españolas. Algunos oficiales, según he oído decir, milord, se cansaron de las bellezas españolas después de frecuentarlas durante largo tiempo.

—¿De veras? —respondió él acariciando el mango de su anteojo, aunque no lo alzó para mirar a través de él—. Qué interesante.

—Por supuesto —continuó ella, sonriéndole sobre el borde de su abanico—, algunos hombres se cansan de sus esposas por la misma razón. Si ése fuera vuestro caso, milord, os garantizo que no tardaríais en hallar consuelo.

—A veces, señora —respondió él, alzando el anteojo observando a través de él a su esposa sonreír, conversar y ejecutar los complicados pasos del baile al mismo tiempo—, uno debe dar gracias a Dios de no formar parte de «algunos oficiales» o «algunos hombres».

Ella suspiró y se rió.

—Hay otros hombres altos y atléticos —dijo—. Hay otros ex oficiales. Hay otros hombres rubios. Pero ninguno posee esos atributos tan espléndidamente combinados como vos, milord. Lamento que vuestra esposa haya llegado a la ciudad precisamente ahora. Pero renovaré mi búsqueda. Quizá la próxima vez que yo esté entre amantes, o justo después, os encontréis en un estado de ánimo distinto.

Y tras tocarlo en el hombro con su abanico cerrado, se alejó.

Esa mujer tenía un descaro increíble, pensó él riendo divertido.

Pero no se rió al acercarse a su esposa y a su madre al finalizar la contradanza y comprobar que Moira no podía bailar el próximo vals con él por habérselo prometido a otro. Lo cierto era que tenía todos los bailes restantes comprometidos.

—No debéis preocuparos por mí, Kenneth —dijo ella. Tenía las mejillas arreboladas y los ojos brillantes, no porque él estuviera junto a ella, sospechaba, sino debido al alegre ambiente del baile y a su éxito personal.

—No he dudado ni por un momento, señora —respondió él, inclinándose ante ella— que tendríais más parejas que bailes tocarían esta noche. Espero que os estéis divirtiendo.

Y con esto fue a sacar a bailar a lady Baird, la hermana de Rex.

El primer día que habían estado juntos había concluido, pensó él cuando el baile terminó y ayudó a su esposa a montarse en el carruaje. No había discurrido tal como él había esperado. Cuando le había sugerido a ella que procuraran disfrutar de lo que quedaba de la temporada social y apartaran todo lo demás de sus mentes, había imaginado que estarían juntos, divirtiéndose, riendo, charlando, quizás en parte como solían hacer cuando eran muy jóvenes. Había olvidado que el propósito de la temporada social era precisamente que las personas alternaran entre sí y se divirtieran. Había olvidado que los maridos y sus esposas rara vez pasaban más de unos minutos juntos cada día cuando se hallaban en la ciudad.

Con todo, el día no había sido un absoluto desastre, pensó mientras se sentaba junto a su esposa en el coche. No había sido un éxito rotundo, pero tampoco había esperado que lo fuera. Quizá mañana sería mejor.

—Lady Rawleigh, Catherine, me ha pedido que mañana por la mañana vaya a dar un paseo con ella por el parque —dijo Moira, volviéndose para mirarlo en la oscuridad—, mientras lord Rawleigh pasa unas horas en White´s. Supuse que vos también iríais.

—Me complace —dijo él— que hayáis hecho amistad con ella.

—Creo que también vendrá lady Baird —dijo ella—. Es la hermana de lord Rawleigh. Vuestra madre desea que la acompañe por la tarde a hacer unas visitas. Me pareció prudente acceder. Esta noche estuvo muy amable conmigo. Y tengo entendido que aquí es costumbre ir a visitar a la gente por las tardes, al igual que en casa. ¿Os parece bien, milord?

No, a él no le pareció bien. Sintió como si ella le hubiera abofeteado. ¿De modo que no iba a necesitarlo en todo el día?

—¿Pedís mi aprobación? —preguntó él—. ¿Debo dárosla? Si lo hago, pensaréis que habéis cometido una grave torpeza y cambiaréis todos vuestros planes. No, no lo apruebo, señora.

La miró de refilón y tuvo la impresión que había tenido durante unos instantes esa tarde cuando habían regresado de casa de los Ainsleigh. Sintió casi como si se comprendieran, como si hubieran bromeado y se hubieran divertido juntos.

Quizá, pensó, esto era todo lo que podían esperar durante las próximas semanas, unos breves instantes de concordia. Lo cual no bastaba como base para salvar su matrimonio. Ambos guardaron silencio.

Moira estaba cansada y le dolían los pies. Asimismo, se sentía satisfecha y eufórica. Había asistido a su primer baile de sociedad, y había sido maravilloso. Aún le parecía oír la música y oler las flores y ver la variedad de colores de las sedas y los rasos y el brillo de las joyas. Al mismo tiempo se sentía decepcionada. Había bailado la primera contradanza con Kenneth, pero después él no se había acercado ni le había dirigido una palabra salvo cuando le había pedido que bailara un vals con él después de cenar. Ella anhelaba bailar un vals con él. Recordaba el que habían bailado en el baile de Dunbarton. Había confiado en que estarían juntos durante más tiempo de lo que habían estado.

No estaba segura de cómo transcurriría el día siguiente. Le ilusionaba ir a pasear por el parque con Catherine y lady Baird, pero había accedido a ir con ellas antes de que su suegra sugiriera que la acompañara por la tarde a hacer unas visitas. Sabía que las mujeres pasaban poco rato, en especial durante el día, con sus maridos. En

Cornualles ocurría lo mismo. Pero su situación con Kenneth no era normal. De alguna forma, anoche, cuando él le había propuesto que disfrutaran juntos de la temporada social, ella había imaginado que lo estarían todo el día y toda la noche.

El giro que habían tomado sus pensamientos le sorprendió. ¿Acaso deseaba pasar todo el rato con él? ¿Por qué la había hecho venir a Londres? ¿Por qué se le había ocurrido a él tratar de salvar su matrimonio? Era un hombre extraordinariamente apuesto y atractivo. Ella había visto la forma en que le miraban otras mujeres, en Oxford Street y en Bond Street por la mañana y en el baile esta noche. Él no la necesitaba por ninguna razón evidente.

Y también recordaba la fatídica noche, cuando había sufrido el aborto. Recordaba su rostro demudado, incluso sus lágrimas, y su voz repitiendo una y otra vez las mismas palabras: *Moira, amor mío, no te mueras, no dejaré que te mueras, amor mío.* Más tarde ella las había atribuido a su imaginación, pues no encajaban con la frialdad con que él se había comportado durante la mañana y la semana posterior al trance que ella había padecido.

Sin embargo... El señor Gascoigne había dicho a Rex que lord Haverford se había puesto a llorar cuando por fin se lo había contado. Kenneth no se lo había revelado a sus amigos hasta al cabo de bastante tiempo. Y al hacerlo, había llorado. ¿Por qué? Porque la amaba, según le había dicho Catherine.

Había una parte del día en que marido y esposa podían estar solos sin la continua presencia de otros, pensó ella.

Pero se apresuró a desechar ese pensamiento.

No podemos dejar que el temor domine nuestra vida. A menos que una quiera sentirse infinitamente desdichada y sola.

—¿Kenneth?

Se volvió hacia él para mirarlo y comprobó que estaba sentado en la esquina del asiento, observándola en silencio en la oscuridad.

—¿Sí? —respondió él.

No podemos dejar que el temor...

—Anoche me preguntasteis —dijo ella, notando el temblor de su voz—, si podíais volver a pedírmelo.

Estaba claro que él sabía a qué se refería.

—Sí —respondió en voz baja.

Ambos se miraron. Casi habían llegado a casa.

—¿Deseáis que mantengamos relaciones conyugales? —preguntó él.

—Creo que es preciso —contestó ella—. Creo que debemos tenerlas si queremos tomar una... decisión sensata. A fin de cuentas, no es una amistad lo que ponemos a prueba. Ni siquiera un noviazgo. Es un matrimonio.

—En efecto —dijo él—. Entonces, ¿puedo venir esta noche a vuestro lecho? ¿No estáis demasiado cansada?

—No estoy demasiado cansada —respondió ella.

El coche dio una ligera sacudida sobre sus cojinetes y se detuvo. Ambos dirigieron la vista hacia la puerta, que no tardaría en abrirse.

A Moira le parecía como si hubiera regresado a casa a la carrera en lugar de montada en coche. Se esforzó en reprimir su trabajosa respiración. ¿Qué había hecho? No había meditado detenidamente en el asunto, ponderándolo, analizándolo desde todos los ángulos para averiguar si era prudente.

Recordó que había habido algo inquietante en lo que había sucedido. No tanto el dolor, que había sido menor de lo que ella suponía, sino la abrumadora intimidad, la sensación de violación, el entregarse por completo, incluso su cuerpo, al control de un hombre.

Al mismo tiempo había habido algo muy excitante. El peso de él, el tamaño de su miembro, el calor y el placer que sus movimientos le habían producido.

Esa vez la había dejado encinta.

Quizás ocurriría de nuevo esta noche. Durante un momento ella experimentó terror. Agarró con fuerza su abanico hasta sentir que las varillas se le clavaban en los dedos.

No podemos dejar que el temor domine nuestra vida.

La puerta del coche se abrió y su esposo se apeó y la ayudó a bajarse. Ella observó su mano durante unos instantes antes de apoyar en ella la suya. Era una mano grande y cálida. Aterradora. Y excitante.

Capítulo 20

*E*lla no sabía si dejarse el pelo suelto o trenzarlo como solía hacer por las noches. Se lo dejó suelto. No sabía si ponerse una bata sobre el camisón o no. No se la puso. No sabía si meterse en la cama o esperarlo de pie en algún lugar de la habitación, junto a la ventana o a la chimenea. Se metió en la cama después de imaginarse atravesando la habitación para acostarse, con los ojos de él fijos en ella. No sabía si incorporarse sobre la almohada o permanecer tendida. Decidió tumbarse, primero boca arriba y luego de costado. Se percató de que había dejado todas las velas encendidas. Debió apagarlas todas excepto la que había junto a la cama.

Pero era demasiado tarde para remediarlo. Sonó un golpecito en la puerta y se abrió antes de que ella pudiera responder. Detestaba estar tan nerviosa. Se comportaba como una joven esposa virgen y pudibunda. Confiaba fervientemente que el color de sus mejillas no fuera análogo al calor que sentía en ellas.

Él lucía una bata larga de brocado verde. Por ella asomaba el cuello de su camisa de dormir de color blanco. Le chocó la intensa lujuria que sentía por él; se negaba a dignificarla siquiera en su mente calificándolo de un modo más suave. Estaba segura de que no era amor. No lo amaba.

Él apagó las velas que ella se había acordado demasiado tarde de apagar y se acercó a la cama, donde todavía seguía encendida una.

—Conviene que recordéis —dijo— que ésta no es la primera vez, que sabéis lo que ocurrió y que esta noche no sentiréis dolor alguno.

255

De modo que el color de sus mejillas sí era análogo al calor que la abrasaba, pensó Moira. Entonces sintió que le ardían.

—No estoy nerviosa —dijo—. Qué tontería. ¿No vais a apagar la vela?

Él se quitó la bata y retiró las ropas de la cama.

—Creo que no —respondió—. Deseo ver que hago esto con vos, Moira. Deseo ver que lo hacéis conmigo. Es importante que aceptemos la verdad.

—¿Insinuáis que en mi imaginación puedo convertiros en otra persona? —preguntó ella, escandalizada.

—No es imposible —contestó él—. Soy Kenneth, el muchacho que amabais aunque nunca lo expresasteis de palabra; el hombre que odiabais y que quizá todavía odiáis; vuestro esposo.

Ella había tratado de centrarse sólo en esta última identidad. ¿Era necesario que él le recordara precisamente en este momento lo que ambos habían acordado olvidar durante estas semanas?

—Y vos sois Moira —dijo él—, la joven a la que adoraba; la mujer que me amenazó con dispararme una bala al corazón y estuvo a punto de matarme; mi esposa.

Sí, pensó ella mirándole a la cara y sintiendo que una de sus manos le desabrochaba el botón del cuello, quizás había estado en lo cierto sobre lo de imaginar que él era otra persona. Quizá sin la vela, sin sus palabras, ella le hubiera imaginado sólo como el apuesto y elegante extraño con quien había pasado buena parte del día, el hombre con el que había deseado bailar un vals esta noche.

—Sí —dijo—. Esto es muy serio, ¿verdad?

No estaba muy segura a qué se refería al decir esto.

Él la besó.

Ella nunca había pensado que un beso fuera un acto sexual. Había besado a muchas personas en su vida como un gesto de afecto. Incluso de niña, cuando Kenneth la había besado, había sido algo romántico, no una cosa profundamente física. Pero entonces recordó cómo la había besado en la cabaña del ermitaño, de una forma que había hecho que le subiera la temperatura. No había sido un gesto afectuoso. Ahora volvió a hacerlo, abriéndole la boca con la suya, introduciendo su lengua en ella, haciéndole cosquillas en las superficies con la punta de la misma, moviéndola rítmicamente, sacándola y metiéndola hasta que ella experimentó una oleada de sensaciones en esa otra zona de su anatomía donde dentro de poco él haría algo muy parecido.

Era consciente de su absoluta incapacidad debido a la inexperiencia. Mientras centraba toda su atención en su boca, él le desabrochó el camisón y se lo apartó de forma que se quedó desnuda hasta más abajo de la cintura. La mano que no tenía apoyada en su hombro le acariciaba suavemente los pechos. El pulgar de él pulsaba sobre uno de sus pezones, haciendo que se pusiera rígido y casi le doliera. Luego deslizó la mano sobre su estómago y abdomen y entre sus piernas. Sus dedos se introdujeron en sus partes íntimas. Estaba húmeda. Ella se movió bruscamente, avergonzada al darse cuenta.

—No, no —dijo él murmurándole al oído—. Así es como debe ser. Si estuvierais seca os haría daño. Vuestro cuerpo sabe lo que está a punto de suceder y se ha preparado.

Ella odiaba su ignorancia e inexperiencia. Se sentía impotente en las expertas manos de él. Se preguntó cuántas mujeres habría tenido durante los dos últimos meses y se apresuró a apartar ese pensamiento de su mente, estremeciéndose para sus adentros. Todo era muy distinto sin las múltiples capas de prendas invernales, sin sentir un frío que le calaba los huesos. El cuerpo de él ya no era sólo una pesada forma que prometía calor, sino algo magníficamente duro y varonil..., y desnudo. Ella no recordaba cuándo se había despojado él de su camisa de dormir. Esta vez no era necesario que permanecieran tapados sobre el incómodo y estrecho camastro lleno de bultos. Cuando él la desnudó, dispuesto a penetrarla, le arremangó el camisón hasta la cintura, retiró las ropas de la cama y se colocó entre sus muslos, separándolos por completo. Ella no recordaba haber experimentado la vez anterior una sensación tan física como esta noche.

Pero recordaba lo que sucedió a continuación. Recordaba que él la había montado, la dureza y el tamaño de su miembro, la sensación de dilatación, el momentáneo temor de que no pudiera soportar que él la penetrara profundamente. Pero esta noche no hubo dolor. Y esta noche pudo abrirse lo suficiente para sentir el acto en toda su plenitud. Alzó las piernas junto a las de él, apoyando los pies con firmeza sobre la cama e inclinando las rodillas hacia fuera. Y levantó las caderas para que él pudiera penetrarla más profundamente. La cópula entre un hombre y una mujer era sin duda la sensación más intensamente física que existía en el mundo. Ella notó que él había alzado su peso de encima de su pecho y abrió los ojos. Estaba apoyado sobre los codos, observando su rostro.

—Sí, es muy serio —dijo.

Se levantó casi por completo de encima de ella y permaneció así, casi rozándola, mientras ella cerraba de nuevo los ojos deleitándose con lo que sabía que iba a ocurrir. La primera vez no lo sabía. Él volvió a penetrarla lenta, suave y profundamente.

—Ah —dijo ella con un suspiro de satisfacción, sintiendo el placer del momento, aguardando con impaciencia el placer aún mayor que experimentaría a continuación.

La primera vez había sido placentera. Esa noche y a la mañana siguiente habían ocurrido muchas cosas que habían empañado el placer. Pero durante unos momentos había experimentado una maravillosa sensación, y no sólo porque le había aportado calor.

Él se tumbó de nuevo sobre ella, aunque ella se dio cuenta de que no soportaba todo el peso de su cuerpo. Y el placer comenzó, los movimientos lentos y rítmicos, con los que ella gozaba esta noche de forma más consciente porque no tenía frío y estaba cómoda y podía sentirlo a él con todo su cuerpo, y no sólo allí, en la zona donde estaban unidos. Y él podía moverse con más libertad en la caldeada habitación y sobre el amplio lecho. Sus movimientos al penetrarla eran más firmes, más profundos que la otra vez. Se había colocado más cómodamente entre las caderas de ella, entre sus muslos.

Pero ella no se entretuvo mucho rato pensando en las comparaciones o en ningún otro momento salvo el presente. El acto conyugal era un acto tan tremendamente físico, que al cabo de unos minutos era imposible e innecesario pensar en otra cosa. Se centró en las sensaciones, en el dolor entre sus muslos y en su pasaje íntimo, donde él seguía moviéndose. El dolor ascendía en oleadas a través de su útero, sus pechos, su garganta y por detrás de sus fosas nasales, y descendía hasta las yemas de sus dedos. Permaneció muy quieta para no perderse un momento, una sola pulsión.

No quería que terminara. Oyó que emitía unas pequeñas exclamaciones de protesta cuando el ritmo de los movimientos de él cambió, acelerándose y penetrándola más profundamente de forma que ella comprendió que estaba a punto de terminar. Deseaba que se prolongara toda la noche. Pero entonces recordó de nuevo la primera noche, cuando él la penetró hasta el fondo, se quedó quieto y suspiró casi en silencio contra el lado de su cabeza. Ella sintió un torrente de calor en su vientre y comprendió que él había derramado su semilla dentro de ella.

Era Kenneth, pensó ella mientras él apoyaba todo el peso de su cuerpo sobre el suyo. No abrió los ojos, pero sabía que no era necesario que lo hiciera. No necesitaba la vela. Todo el rato, pese a tener la mente nublada por las intensas sensaciones del acto, había sabido que era Kenneth, que no podía ser nadie más. Que no podía *existir* nadie más.

Tenían que hacer esto, le había dicho ella en el coche, si querían tomar una decisión sensata. ¿Cómo podía tomar ahora una decisión sensata? Lo que había ocurrido sólo había conseguido hacer que su mente consciente comprendiera lo que debía borrar de ella si quería tomar una decisión racional sobre su futuro. No tenía importancia que lo amara, que siempre lo hubiera amado y siempre lo amaría. El amor no era ciego, pese a lo que dijeran los poetas. Y si lo era, no debía serlo. Había otras consideraciones mucho más importantes en una relación estable: por ejemplo, el afecto, el respeto y la confianza. No importaba que le amara. Pero temía que después de esa noche ya no pudiera arrinconar este hecho en el fondo de su mente. Suspiró.

—Os pido perdón, debo de pesar mucho. —Él se levantó de encima de ella y Moira sintió de pronto una sensación de frío y humedad..., a la vez que un poco de desamparo. Él le bajó el camisón y la cubrió con las mantas. Luego se tumbó junto a ella, incorporado sobre un codo—. Creo que teníais razón —dijo—. Debemos utilizar esta dimensión de nuestro matrimonio al igual que los demás para tratar de solventar nuestro futuro. Con el tiempo aprenderéis, si decidimos darnos un tiempo razonable, a alcanzar el pleno goce sexual. Tenéis mucho que aprender, y sin duda mucho que enseñarme. Pero es muy tarde. Debe de estar a punto de amanecer. No es necesario que os levantéis temprano. Los Adams nos han invitado a cenar. Y luego al teatro. Nos veremos cuando llegue el momento de que os acompañe a cenar.

—Sí —respondió ella—. Gracias.

¿De modo que no lo vería hasta esta noche? Esperó a que él se acostara cómodamente. Sentía frío desde que él se había levantado de encima de ella. Deseaba tocarlo, dormir con su cuerpo apretado contra el suyo, como habían hecho en el baptisterio.

Pero él se levantó de la cama y se enfundó apresuradamente el camisón y la bata, sin mostrar la menor turbación. Pero ¿por qué había de hacerlo? Ambos habían superado lo de sentirse turbados por estar desnudos uno ante el otro. Además, tenía un cuerpo muy hermoso. Ni siquiera sus múltiples y viejas cicatrices empañaban la belleza de su cuerpo.

—Buenas noches —dijo él, volviéndose hacia ella antes de abandonar la habitación—. Me alegro de que vinierais, Moira.

—Buenas noches —respondió ella. Él esperó un momento, pero ella fue incapaz de decirle que también se alegraba de que hubiera venido. No estaba segura de alegrarse, mejor dicho, no estaba segura de que debiera alegrarse de ello.

Ella no esperaba que la dejara sola, pensó cuando él se marchó. Tenía frío, por lo que se abrochó el camisón, y sintió un ligero dolor. No, no era dolor. Era la pulsante tensión que él había suscitado en ella. Y se sentía sola, y alarmada por ese pensamiento. Quizá pasara el resto de su vida sola; no quería empezar a pensar que se quedaría sola y sentiría el peso de la soledad.

Con el tiempo aprenderéis a alcanzar el pleno goce sexual. ¿A qué se había referido él? ¿Acaso sabía cuánto placer había sentido ella? Era imposible sentir más. Era imposible que existiera nada más placentero en el mundo. *Tenéis mucho que aprender.* Se sentía avergonzada, humillada. Al parecer no había logrado satisfacerle. Era natural. Ella no sabía nada. Había pensado que era la experiencia más maravillosa de su vida, y él había pensado que tenía mucho que aprender.

Emitió un enorme suspiro, se volvió de costado y descargó un puñetazo sobre su almohada. Durante todo el día —y prácticamente toda la noche— había estado sumida en una vorágine. Un día y una noche que se le habían hecho tan largos como un mes. No estaba segura de poder soportar esta situación durante dos semanas.

Pero tampoco estaba segura de poder soportar el apacible tedio de su vida sola en Dunbarton después de este día. Alzó la cabeza y golpeó de nuevo su almohada para darle la forma que quería, aunque con más saña de lo estrictamente necesario.

Lamentaba —¡lo lamentaba con amargura!— no haber revelado su secreto más íntimo y oculto. Lamentaba no haber reconocido que lo amaba. Y lamentaba haberse acostado con él. Lamentaba que él no hubiera permanecido a su lado, estrechándola entre sus brazos y cubriéndola a medias con su cuerpo, como había hecho la otra vez.

Quizás había vuelto a quedarse encinta.

Colocó la almohada cómodamente alrededor de su cabeza y se dispuso a conciliar el sueño.

Kenneth pasó una agradable mañana con sus amigos. Aunque sólo había dormido unas pocas horas, se sentía pletórico de vitalidad mientras paseaba a caballo por el parque con ellos. Incluso le agradaban el viento y el frío de una mañana nublada.

Lord Pelham pasó varios minutos disculpándose con gesto contrito y evidente turbación.

—Así aprenderé a no mostrarme chistoso y cruel a expensas de personas extrañas que no conozco —dijo—. En esos momentos no sabía que ella significaba más que una vecina para ti, Ken. Pero aunque no fuera así, fue cruel por mi parte burlarme de ella a sus espaldas.

—Mejor a sus espaldas que a su cara, Ede —observó el señor Gascoigne.

—No me digas —dijo lord Rawleigh torciendo el gesto—, que utilizaste tu corrosivo sentido del humor a expensas de lady Haverford, Eden. ¿Fue antes de saber lo que había entre ella y Ken? Tuviste mucha suerte de que Ken no te desafiara a un duelo, viejo amigo.

—En aquel entonces ella estaba encinta, no me había revelado la verdad y se hallaba aún prometida con otro —dijo Kenneth—. Ya ha pasado. Olvídalo, Eden.

—¿Estaba prometida con otro? —preguntó lord Rawleigh—. ¡Caramba! Pero aparte del aspecto que presentara entonces, ahora está muy guapa. Catherine y Daphne la traerán al parque más tarde. Me extrañaría mucho que más tarde no fueran de compras. Tendrás suerte, Ken, si durante las próximas semanas no te quedas sin un céntimo y ves a tu esposa lo suficiente para darle los buenos días y las buenas noches.

—¿Acaso te quejas, Rex? —preguntó el señor Gascoigne riéndose.

—Por supuesto que me quejo —respondió el vizconde—. Aunque no puede decirse que mi esposa sea una manirrota. Está muy acostumbrada a la frugalidad. Pero las convenciones sociales y las celebraciones de la temporada social se confabulan para mantener separados a los maridos y las esposas con excesiva frecuencia. Estoy deseando retirarme a Stratton para pasar el verano, e incluso el otoño y el invierno.

—¡*Nelson*! —bramó Kenneth cuando su perro divisó a un par de niños paseando con su nodriza y echó a galopar hacia ellos, ladrando alegremente. Redujo a regañadientes la velocidad a paso ligero y por fin se detuvo. Pero la más pequeña de las dos criaturas, una niña, se alejó de su nodriza y fue a acariciar la cabeza de *Nelson*, que estaba al mismo nivel que la suya, asegurándole que era un buen perrito. La niña se rió y arrugó la carita cuando el can se la lamió.

—Un perro de caza asesino —dijo el señor Gascoigne con fingido desdén—. Pardiez, es difícil darse cuenta de que lo es.

—Como lo somos todos, Nat —terció lord Pelham—. No unos perros de caza, pero sin duda asesinos. No puedo decir que lamento que se haya cerrado este capítulo de nuestras vidas.

Pero Kenneth pensaba en las últimas palabras de lord Rawleigh. Era verdad que durante la temporada social Londres no era el lugar más adecuado para pasar tiempo con tu esposa. No había pensado en ello cuando la había invitado a venir. A él también le habría gustado retirarse a su casa para pasar el verano, pero eso no formaba parte del pacto que había hecho con Moira. Era una novedad que tendría que negociar con ella. Y lo de pasar el verano en Dunbarton constituía también una novedad que acababa de ocurrírsele. Con Moira.

Era una idea tentadora.

Siempre le había gustado pasar la mañana con sus amigos. Las mañanas le agradaban. Y le gustaba pasar la tarde en las carreras con el señor Gascoigne y otros amigos. Lord Rawleigh había sido invitado junto con su esposa a un picnic y lord Pelham había decidido pasar la tarde con su nueva amante. Pero durante todo el día Kenneth no dejó de dar vueltas a la idea de que sólo le quedaban dos semanas para convencer a Moira de que permaneciera junto a él como su esposa y el día transcurría sin que la hubiera visto todavía. Y éste seguramente no sería un día atípico.

Cuando regresaba a casa de las carreras montado a caballo, a última hora de la tarde, se percató del rumbo que habían tomado sus pensamientos: *¿Convencer a Moira para que permaneciera junto a él?* ¿No se trataba de un experimento mutuo en el que ambos estaban involucrados? ¿No se habían tomado ambos estas dos semanas para decidir si eran capaces de tolerarse mutuamente, si podían salvar su matrimonio? ¿Cuándo había empezado a pensar que tenía que convencerla? ¿Estaba él convencido de lo que deseaba?

Pensó inevitablemente en la noche anterior. Ella le había sorprendido. No esperaba que consintiera en acostarse con él, tanto más cuanto que el día había tenido sus momentos de fricción y no podía decirse que hubiera sido un rotundo éxito. Pero decir que ello le había procurado un inmenso placer era quedarse corto. Ella también había gozado. No había participado de forma activa, y no había alcanzado el orgasmo, aunque él había tratado de concederle el tiempo que necesitara. Pero ella se había colocado de forma que estaba totalmente abierta a él, y se había mostrado relajada y receptiva. Él se habría dado cuenta si le hubiera parecido desagradable. Y estaba claro que no era así.

¿Fue entonces cuando decidió que la quería a su lado el resto de su vida? ¿Era sólo una cuestión sexual? Pero jamás había pensado en permanecer toda su vida ni siquiera con la más satisfactoria de sus amantes. Un hombre necesitaba variedad en su vida sexual, cambiar de pareja de vez en cuando. No, no debía ser injusto consigo mismo imaginando que lo único que le interesaba de Moira era el aspecto sexual. Por lo demás, ella era sin lugar a dudas la amante menos hábil que había tenido.

No, pensó con cierta reticencia. Había sólo una razón por la que un hombre deseaba permanecer en una relación con una mujer y renunciar a su deseo de variedad y de cambiar de pareja. No era lujuria. Todo lo contrario. Odiaba expresarlo con una palabra. Pero no tenía más remedio. Por más que evitara que su voz la pronunciara, no podía evitar que su mente la pensara.

El motivo era porque la amaba. En ocasiones ella se mostraba antipática, terca y descarada, y otras cosas peores si su memoria se remontaba a casi nueve años. Y él la amaba.

Al poco rato entró apresuradamente en su casa, tras haber entregado su caballo a un mozo de cuadra. ¿Había regresado ella? No la había visto desde que había abandonado su lecho, a regañadientes, poco antes del amanecer. Pero no había querido aprovecharse de la generosidad que ella le había demostrado quedándose a dormir en su lecho. Supuso que ya habría vuelto a casa. Era bastante tarde.

Su señoría se hallaba en el cuarto de estar, le informó su mayordomo con una reverencia. Él subió la escalera de dos en dos sintiéndose como un estúpido al darse cuenta de que sus sirvientes le estarían observando y cambiando sonrisitas burlonas.

Ella estaba sentada con la espalda muy tiesa, muy elegante, junto a la chimenea. Cuando él abrió la puerta dejó a un lado su labor. Él se sentía ridículamente cohibido. Avanzó unos pasos y se inclinó ante ella.

—Confío en que hayáis tenido una grata jornada —dijo.

—Llegáis tarde, milord —respondió ella. ¿Habéis olvidado que nos han invitado a cenar?

Él arqueó las cejas y miró el reloj.

—¿Tarde, señora? —contestó—. No lo creo. ¿Es el único saludo que puedo esperar? ¿Un reproche pronunciado con mirada fría y expresión adusta?

Su talante había pasado al instante a la irritación. ¿Qué clase de cuento de hadas había imaginado él durante la última hora? Ésta era la auténtica Moira. Esto era lo que él sentía realmente hacia ella.

—Creo que sería una descortesía hacia el señor y la señora Adams —dijo ella— llegar tarde. Y estáis cubierto de polvo, milord. Tendréis que daros un baño.

—Podéis estar segura, señora —replicó él—, que mis criados ya han reparado en ello y han subido unas tinas de agua a mi vestidor. Os pido disculpas si he ofendido vuestra sensibilidad apareciendo de esta guisa ante vos.

Ella no respondió. Tomó su labor, cambió de parecer y apoyó de nuevo las manos en el regazo.

—¿Qué ha ocurrido? —preguntó él—. Esto no tiene nada que ver con mi supuesta tardanza o mis ropas cubiertas de polvo, ¿verdad?

Ella le miró con gesto pensativo y mirada hostil.

—¿Habéis sido vos quien la ha instigado a comportarse como lo ha hecho? —preguntó Moira—. ¿Hablaba siguiendo vuestras órdenes? Me desagrada profundamente que me trajerais aquí engañada.

Él se detuvo frente a ella con las manos enlazadas a la espalda.

—Y a mí me desagrada profundamente vuestra actitud, señora —contestó—. Si tengo algo que deciros, os lo diré a la cara. ¿Qué os ha dicho mi madre que tanto os ha disgustado?

—No cesó en toda la tarde de hacer veladas alusiones e insinuaciones —dijo ella—, por lo general cuando estábamos en compañía de otras señoras y sabía que yo no podía replicarle. Por lo visto, debo esforzarme en superar mis orígenes como miembro de la pequeña aristocracia. Eso significa que debo adquirir unas amistades más distinguidas cuando regrese a Dunbarton y abstenerme de enviar invitaciones de forma indiscriminada o aceptar todas las que reciba. Debo dejar de considerar a Harriet Lincoln mi amiga. Debo invitar a mis amistades a pasar el verano en Dunbarton para ser vista codeándome con personas más acordes con mi posición como condesa de Haverford. Debo pedir a mi madre que no entre y salga continuamente de Dunbarton. Debo asegurarme de daros un hijo varón cuanto antes. ¿Queréis que siga?

Él estaba furioso, contra su madre y contra Moira.

—¿Y supusisteis que yo era responsable de eso? —le preguntó.

—¿Por qué me pedisteis que viniera a Londres? —inquirió ella.

—Os invité a venir por las razones que os di anteanoche —respondió él—. Mi madre hablaba en su nombre. Si os sentís ofendida por lo que dijo, señora, y si vos no os sentís ofendida, yo sí, hablaré con ella. Mejor aún, hablad vos con ella. Os recuerdo que sois la condesa de Haverford y dueña y señora de Dunbarton, no ella. Podéis seguir manteniendo un trato tan cordial como deseéis con vuestros vecinos, Moira, y considerarlos vuestros amigos. Lady Hayes puede instalar su residencia en Dunbarton si lo deseáis. En cuanto a un hijo, o una hija, llegará sin duda de forma natural si seguimos manteniendo relaciones conyugales. Podéis negarme acceso a vuestro lecho cuando queráis. Tened la seguridad de que jamás emplearé la fuerza para reclamar mis derechos.

Tal como se sentía Kenneth en estos momentos, no deseaba seguir con dicho experimento. No le habría importado que ella le hubiera anunciado su deseo de regresar a Cornualles. ¿Cómo había sido capaz de creer que su madre había hablado esta tarde en nombre suyo?

—Al parecer he sido injusta con vos —dijo ella fríamente—. Os pido perdón.

Pero él estaba furioso y nada podía aplacar su malhumor. Y quizá fuera mejor. No tenía sentido enamorarse de ella.

—Confío en que al menos hayáis pasado una mañana agradable —dijo.

—Sí, gracias —respondió ella—. La compañía era muy agradable. Después de pasear por el parque fuimos de compras.

Él esbozó una media sonrisa. Rex había estado en lo cierto.

—He comprado una cosa —dijo ella, volviéndose para rebuscar en la mesita detrás de su labor—. Lo pagué con mi asignación. No os enviarán la factura.

—Podéis hacer que me envíen tantas facturas como deseéis —contestó él.

—Pero esto es un regalo. —Ella le mostró un paquetito—. Una especie de regalo de bodas. Vos me disteis uno ayer.

Él lo tomó de sus manos y desenvolvió una exquisita caja de rapé lacada.

—Nunca os he visto tomar rapé —dijo ella—. Pero era muy bonita.

La vida nunca sería tranquila si permanecía junto a Moira, pensó él. En los diez últimos minutos su humor había oscilado vertiginosamente entre dos extremos. Sentía deseos de llorar. No era un regalo costoso. Había visto cajitas de rapé mucho más caras. Y era cierto que no tomaba rapé y por consiguiente no la utilizaría. Pero era un regalo de bodas, de su esposa.

—Quizá deba empezar a tomar rapé —dijo—, y a estornudar sobre vos.

Durante unos instantes observó una expresión de regocijo en los ojos de ella, y sonrió.

—Gracias —dijo—. En efecto, es muy bonita.

—Llegaremos tarde, milord —dijo ella, levantándose.

—Y estoy cubierto de polvo —dijo él—. ¿Me permitís ofreceros el brazo para acompañaros a vuestro gabinete?

Ella alzó el brazo para tomar el suyo.

Capítulo 21

*L*as dos semanas transcurrieron a paso de tortuga y a la velocidad del rayo. Todos los días estaban tan repletos de actividades que a veces Moira pensaba que no volvería a tener tiempo de descansar o relajarse. A veces anhelaba el silencio y el ritmo apacible de la vida en Cornualles. Otras, recordaba que estas semanas quizá fueran las únicas que volvería a pasar en Londres durante la temporada social y que ofrecían numerosas diversiones. A veces ansiaba alejarse de Kenneth para poder pensar con claridad. No había día que no discutieran, especialmente todos los que pasaban un rato juntos. Otras, sentía que el pánico hacía presa en ella al pensar que quizá pasaría el resto de su vida separada de él. ¿Cómo viviría sin él? A veces se sentía frustrada por las invitaciones que le hacían sus amigas y amistades y por las invitaciones que le hacían a él sus amigos y que les mantenían separados durante varias horas al día, en ocasiones durante todo el día. Otras, pensaba que podrían ser más amigos si se veían menos.

Sólo había una parte del día en que no discutían ni se peleaban nunca y estaban siempre en armonía. Pero una relación no podía depender sólo de *eso*, por maravilloso que fuera. Moira se preguntaba cómo podría renunciar a eso si regresaba a Dunbarton sola. Suponía que de la misma forma que había vivido siempre sin ello. Pero ahora que lo había experimentado y sabía a lo que estaría renunciando, le resultaría muy duro. Por más que sospechaba que no lo sabía todo ni siquiera buena parte de lo que ello entrañaba. Cada noche era distinto, y cada noche era glorioso.

Cuando no se dedicaban a sus respectivas ocupaciones durante el día, iban a dar un paseo a pie o en coche juntos por el parque, a visitar galerías, a picnics, y asistieron a un desayuno veneciano y a una boda en St. George´s. Por las noches asistían al teatro, a fiestas, a conciertos, a bailes y a veladas literarias. Recibían con frecuencia invitaciones a cenar y una noche ofrecieron una cena a sus amigos. Nunca les faltaba compañía ni cosas que hacer.

Durante esas dos semanas se produjo un encuentro memorable. La cuñada de Moira se topó con ella una mañana en el parque cuando iba acompañada por la prima de lord Ainsleigh y ella por lady Rawleigh y lady Baird. Todas se detuvieron para saludarse, y a Moira le sorprendió comprobar que cuando continuaron su paseo, las otras dos señoras tomaron el mismo camino que ellas y Helen se las ingenió para caminar a su lado, algo alejadas de las otras.

—Mamá está muy enojada —dijo cuando hubieron agotado el tema del tiempo—. Imagino que le diste un buen rapapolvo.

—Lamento haberle dado esa impresión —respondió Moira secamente—. Sólo quería que comprendiera que tan sólo debo responder de mi conducta ante mi marido.

—Descuida, ya se recuperará —dijo Helen—. Mamá no soporta estar enemistada con Kenneth, y él le ha echado un rapapolvo aún mayor, como sin duda sabes.

Moira no lo sabía. Curiosamente, la noticia le complació.

—El caso —dijo Helen— es que Michael no tiene hermanas, sólo hermanos. Tú eres mi única hermana. Y, por supuesto, yo soy tu hermana. Sería muy triste que fuéramos toda la vida enemigas.

—No me percaté de que éramos enemigas hasta las pasadas Navidades —respondió Moira—. Tú amabas a Sean, y yo también.

—Hasta las pasadas Navidades —dijo Helen—, hasta que regresé a Dunbarton, y hasta que te vi, no me había dado cuenta de lo profundamente que me había herido el asunto de Sean. Me casé con Michael un año más tarde y le quiero mucho. Pero quizá sea natural que una lleve siempre en el corazón el recuerdo de su primer amor. Sí, yo le amaba, Moira. Y tú nos traicionaste. Dijiste a Kenneth que íbamos a fugarnos, y, dado el acusado sentido de responsabilidad que tiene Kenneth, se sintió obligado a contárselo a papá. Y eso dio al traste con todo.

—No le dije que ibais a fugaros —contestó Moira, arrugando el ceño—. Ni siquiera lo sabía. Sólo le dije que os amabais y habíais decidido casaros. Supuse que se alegraría. Nosotros también nos amábamos, y pensé, al parecer equivocadamente, que él deseaba casarse conmigo. Supuse que los cuatro juntos tendríamos mayores posibilidades de convencer a tu padre y al mío.

Helen se rió.

—¿Quién puede adivinar lo que hubiera ocurrido? —dijo—. Pero fuiste una estúpida de pensar eso, Moira. Nuestro padre jamás habría consentido un matrimonio entre uno de sus hijos y un Hayes. Aparte de la disputa familiar, tu padre era un simple baronet y ni siquiera era rico. Y Kenneth no se habría rebajado hasta ese extremo.

—Gracias —replicó Moira secamente.

—Ignoro lo que ha sucedido este año —dijo Helen—. Ignoro por qué Kenneth regresó apresuradamente a casa, se casó contigo y regresó a Londres sin ti. Sospecho..., pero no importa. El caso es que somos hermanas, Moira, para bien o para mal. Si estás dispuesta a perdonar lo grosera que estuve contigo las pasadas Navidades, yo te perdonaré por haberme traicionado. Quizá no hubiera sido nunca feliz con Sean. Me siento muy a gusto en la sociedad en la que me muevo. En cualquier caso, ¿qué opinas, Moira?

—Te perdono tu grosería —respondió ésta.

—Me alegro. —Helen la tomó del brazo y se lo apretó—. Daría cualquier cosa por haber oído lo que le dijiste a mamá. Nadie le planta nunca cara, excepto Kenneth, que siempre lo ha hecho con ese aplomo y frialdad que ha llegado a perfeccionar. Yo no me atrevería a hacerlo. Aún me siento como una criatura con andadores cuando ella me dice algo.

—Casi tuve palpitaciones cuando me encaré con ella —confesó Moira—. Pero Kenneth me había ordenado que recordara quién soy, y tuve que hacerlo. No imagino peor humillación que me tomara por una cobarde.

Ambas se echaron a reír alegremente.

—Puede pensar de mí lo que quiera —dijo Helen—. Para ser franca, siempre me ha aterrorizado. Pienso que ha encontrado en ti la horma a su zapato. En todo caso, eso espero. Los hombres como Kenneth no deberían poder salirse siempre con la suya y pisotear a todo el que se cruce en su camino. ¿Lo amas?

—Sí —respondió Moira tras una breve pausa—. Pero no se lo digas —añadió riendo.

Helen le apretó de nuevo el brazo.

—Será nuestro secreto —dijo—. Espero que con el tiempo podamos ser amigas, Moira. Siempre quise tener una hermana. Y hace un tiempo pensé que tú lo serías.

—Yo también lo espero —dijo Moira.

Pero no sería fácil. Durante un tiempo habría siempre cierta tensión entre ellas. Y si ella regresaba a Dunbarton sin Kenneth, toda posibilidad de una amistad entre ella y su familia política se evaporaría.

Pero se alegraba de haber resuelto hasta cierto punto su relación con la familia de su marido. Ahora confiaba en poder resolver su relación con él.

Kenneth llevó una tarde a su esposa al Egyptian Hall en Piccadilly con el único propósito de mostrarle las reliquias napoleónicas, incluyendo el carruaje a prueba de balas de Bonaparte, el cual había sido capturado tras la Batalla de Waterloo. Les acompañaron los Rawleigh. Él y Rex no sentían un deseo especial de ver una exposición que les recordaría la guerra, pensó Kenneth, pero sus esposas sí. Ambas habían expresado anoche su curiosidad durante la cena. Ambas deseaban conocer todos los detalles sobre las vidas de sus maridos durante esos años.

Después de contemplar el carruaje con la debida admiración durante un buen rato, decidieron ir a tomar unos helados en Gunter´s. Hacía una tarde soleada, y estaban de buen humor. Pero cuando atravesaron la puerta principal y salieron a la calle, Kenneth se fijó en una pareja vestida de riguroso luto que se dirigía hacia ellos. Agachó la cabeza y murmuró a Moira al oído:

—¿Habéis visto quién se dirige hacia nosotros?

—Vaya por Dios —respondió ella al darse cuenta—. ¿Hay alguna forma de escaparnos?

—Demasiado tarde —murmuró él, dispuesto a que sir Edwin Baillie le negara el saludo.

Pero al verlos el susodicho caballero se detuvo en seco, hizo una profunda y respetuosa reverencia y rogó a los condes de Haverford que le permitieran presentarle a la persona que le acompañaba. Lord y lady Rawleigh optaron diplomáticamente por seguir adelante.

La persona que acompañaba a sir Edwin era su hermana mayor, una joven poco agraciada y de aspecto juicioso que sin embargo parecía impresionada por el honor que le había sido concedido. Su hermano trató de tranquilizarla recordándole que su señoría, la condesa de Haverford y dueña y señora de Dunbarton, la propiedad más imponente de Cornualles, era también su prima y por tanto su señoría, el conde de Haverford, héroe de las guerras que habían desterrado la tiranía en toda Europa y habían salvado a la noble Inglaterra de la amenaza de una invasión, era en cierto aspecto también su primo, si su señoría disculpaba la familiaridad de semejante pretensión.

Su señoría declaró que estaba encantado de conocer a la señorita Baillie.

—Y si disculpáis mi atrevimiento, milord —prosiguió sir Edwin—, por proceder de un vecino, un primo vuestro y, si me permite añadir, un amigo, permitidme que os felicite por vuestra extremada amabilidad para con mi estimada prima, lady Haverford, convirtiéndola en vuestra esposa.

Kenneth frunció los labios e inclinó la cabeza. Moira permaneció inmóvil junto a él.

—Os enterasteis de mi terrible desgracia a raíz de la muerte de mi querida y llorada madre, milord —dijo sir Edwin—. Tuve que enfrentarme a mi dolor, ocuparme de mis hermanas y poner en orden mis asuntos. No pude prestar a mi prometida la debida atención que requiere cualquier joven de alta cuna. Lo interpreto como muestra de un auténtico amigo —sí, debo insistir en el honor de consideraros mi amigo—, el hecho de que intervinierais y me librarais de mi comprometida situación casándoos con la señorita Hayes, es decir, lady Haverford, es decir, vos.

—Fue un placer, señor —murmuró Kenneth.

Hacía mucho tiempo que no se divertía tanto, pensó.

Sir Edwin se percató de pronto de la ordinariez de entablar una prolongada conversación en medio de la calle. No podía entretener a sus señorías ni un momento más. Se despidió con una reverencia explicando que unos asuntos urgentes le habían traído a la ciudad, pero que pese a las tristes circunstancias y a la profundidad de su dolor, no había considerado una falta de respeto hacia su llorada madre llevar a su hermana a ver las reliquias de ese monstruo en cuya derrota su señoría había desempeñado un destacado papel. Confiaba en que su señoría no le acusara de comportarse con excesiva frivolidad poco tiempo después de la muerte de su madre.

Su señoría no le acusaba de nada en absoluto.

—Bien, Moira —dijo Kenneth cuando siguieron avanzando para alcanzar a sus amigos.

—¿Qué esperáis que diga? —preguntó ella.

—Tiemblo al pensar —respondió él— que me digáis que mientras observabais la escena nos comparasteis a los dos y decidisteis que os habíais equivocado en vuestra elección.

—No creo que sea un tema para bromear —protestó ella—. Además, os recuerdo que no tuve opción.

—Porque decidisteis salir pese a la infernal tormenta —dijo él. Intuyó que iba a estallar una discusión entre ellos y Rex y su esposa no se habían adelantado mucho. Además, estaba de buen humor y no quería discutir—. ¿No era la viva imagen de la generosidad, Moira? ¡Felicitándome por haberme casado con vos! ¡Considerándolo un cumplido hacia su persona!

—¿Qué esperabais que dijera? —preguntó ella—. Imagino que es tan orgulloso como cualquier hombre.

—¿Que qué esperaba? —dijo él—. No estoy seguro. Ese hombre es único, no he conocido a nadie como él. Pero os diré lo que habría hecho yo en su situación. Le habría asestado un puñetazo. Le habría partido la nariz antes de despedirme con una reverencia y largarme.

Ella se detuvo y se llevó el puño a la nariz y la boca. Cerró los ojos con fuerza. Pero fue incapaz de sofocar lo que trató con todas sus fuerzas de reprimir. Prorrumpió en unas sonoras carcajadas, sin poder evitarlo, hasta que las lágrimas rodaron por sus mejillas.

—Vaya por Dios —dijo él, tras lo cual rompió también a reír.

—Ay, me duele el costado —se quejó ella, llevándose la mano al mismo—. Ay, Kenneth, ¿no es un hombre increíble?

—Por lo que a mí respecta —respondió éste—, no le repudiaría como primo mío por nada del mundo. Y en cuanto a sir Edwin, cuando decida por fin honrar a otra joven dedicándole sus atenciones, la impresionará asegurándole que es pariente del conde de Haverford, dueño y señor de Dunbarton, bla, bla, bla.

—Y no olvidemos —terció Moira—, que la difunta señora Baillie era una Grafton de Hugglesbury.

Acto seguido estalló en otro paroxismo de hilaridad.

—Ay, Señor, por supuesto que no debemos olvidarlo —dijo él—. Y sería humillante, Moira, que se jactara de ese dato antes de mencionarme a mí.

Kenneth echó la cabeza hacia atrás y rompió a reír a mandíbula batiente.

De pronto sonó una delicada tosecita junto a ellos.

—¿Es que piensas quedarte ahí plantado toda la tarde, riendo y haciendo el ridículo, Ken? —preguntó el vizconde de Rawleigh.

—Debiste quedarte para que te lo presentara —le dijo Kenneth—. Sir Edwin Baillie se habría quedado mudo de asombro, lo cual habría constituido un espectáculo inenarrable. Sir Edwin es primo segundo, tercero o aún más lejano de Moira, por lo que el parentesco no le resulta tan inaceptable. Te aseguro, Rex, que es sin lugar a dudas mi primo político preferido, ¿verdad, Moira?

Ella se enjugó los ojos con un pañuelo y parecía sentirse turbada y abochornada. Pero él la miró sonriendo y le ofreció el brazo. Era la primera vez en muchos años que se habían reído y bromeado juntos. A él le pareció maravilloso reírse y bromear con Moira.

La temporada social prácticamente había concluido. Mucha gente ya había abandonado la ciudad para dirigirse a sus fincas rurales o a uno de los balnearios. La mayoría de los miembros de la alta sociedad que quedaban harían lo propio al cabo de una semana aproximadamente. Moira y Kenneth no habían dicho nada de marcharse, por razones obvias. Ella regresaría a Dunbarton, como era natural. El único detalle que quedaba por decidir era la fecha de su partida. Pero ¿se marcharía sola? Era una cuestión tan importante que ambos habían eludido el tema y la fecha. Pero sería dentro de poco.

Era un asunto al que ambos se enfrentarían después de la velada en Vauxhall. La velada había sido concertada con antelación, y los miembros del grupo que asistirían suponían que sería la última celebración de la temporada. Lord y lady Rawleigh abandonarían Stratton Park a la mañana siguiente, y el señor y la señora Adams regresarían a Derbyshire. Lord Pelham partiría para Brighton al día siguiente. Moira sospechaba que se llevaría a su amante, dado que cuando había preguntado si iba a acompañarle el señor Gascoigne se había producido un sonoro silencio. Al parecer, el señor Gascoigne iba a regresar a casa porque su padre estaba muy delicado y tenía que ocuparse de su numerosa familia.

Tres o cuatro días después de la velada en Vauxhall, todos sus mejores amigos se habrían marchado, pensó Moira. Helen y Michael y su suegra ya se habían ido. Ella también tendría que marcharse. Pero primero su esposo y ella debían tomar una decisión. Le desagradaba pensar en ello. No sabía lo que deseaba hacer. Pero decidió dejar a un lado el problema hasta después de la velada en Vauxhall. No quería que nada la estropeara.

Había gozado con todas las diversiones que ofrecía la temporada social y visitado todas las atracciones turísticas de Londres. Pero habían reservado lo mejor para el final. Moira había oído decir que Vauxhall era un lugar mágico, especialmente por la noche cuando el pabellón estaba iluminado por numerosos faroles y velas, y unos farolillos de colores que se mecían en las ramas de los árboles que bordeaban los senderos por los que paseaba la gente. En el pabellón había unos palcos en los que uno podía sentarse y comer mientras escuchaba la música. Había baile. Y con frecuencia un espectáculo de fuegos artificiales.

Sólo el tiempo podía estropear la velada. Moira estuvo pendiente del tiempo durante toda una mañana encapotada y una tarde parcialmente nublada. Pero poco antes del atardecer el cielo se despejó y el aire se tornó más templado justo cuando parecía que iba a refrescar.

—Estáis muy guapa —le dijo su esposo cuando se reunió con él en el vestíbulo.

—Gracias —respondió ella sonriendo. Lucía el único traje de noche que había comprado en Londres, un precioso vestido de encaje y raso verde pálido que Catherine y Daphne la habían convencido de que adquiriera, aunque lo cierto era que no hizo falta que se esforzaran en convencerla.

—¿Es un vestido nuevo? —preguntó él, tomando el grueso chal de sus manos y colocándoselo sobre los hombros—. ¿Me han enviado ya la factura?

—Lo he pagado yo —respondió ella.

—En tal caso mañana me presentaréis la factura —dijo él, ayudándola a montarse en el coche y sentándose junto a ella—. La asignación que os doy es para vuestros gastos personales, Moira. Los gastos de vuestro vestuario corren de mi cuenta.

Ella no respondió. No tenía sentido discutir. Y era absurdo. Debía sentirse complacida, pues el vestido había sido muy caro. Pero detestaba depender de un hombre. *Los gastos de vuestro vestuario corren de mi cuenta*. Había algo humillante en esas palabras. Había dependido de un hombre toda su vida, por supuesto, primero de su padre y, recientemente, de sir Edwin Baillie. Pero esto era distinto.

—Siempre será así, señora —dijo él adivinándole el pensamiento, con un tono algo frío, como solía emplear a menudo—. No seáis tan testaruda. Aunque a partir de esta semana no volváis a verme, siempre seréis mi esposa.

—Siempre os perteneceré —dijo ella en voz baja—. Podéis decirlo en voz alta.

—Siempre me perteneceréis —contestó él secamente.

Discutían a cuento de la generosidad de él. ¿Se había vuelto loca?

Aunque a partir de esta semana no volváis a verme. Temió que el pánico hiciera presa en ella.

—Esta noche habrá baile —dijo él de improviso, cambiando de tema después de un breve y tenso silencio—. Todos querrán bailar con vos, Rex y su hermano, Baird, Nat y Eden. Pero deseo bailar el vals con vos, Moira. El primero después de la cena. Espero que me lo reservéis.

—¿Es una orden, milord? —preguntó ella.

—Sí, pardiez, es una orden —contestó él profundamente irritado, pero la miró de refilón mientras ella le observaba a él. Era algo que sucedía entre ellos de vez en cuando: saltaban unas chispas de irritación que rápidamente eran neutralizadas por el sentido del humor que compartían.

—Entonces no es preciso que acceda a reservároslo —replicó ella—. No tengo más remedio que hacerlo.

—Veo que vais aprendiendo —dijo él.

—Sí, milord —respondió ella con tono sumiso.

El siguió mirándola de refilón sin volverse hacia ella.

Vauxhall, al que llegaron por el río en compañía de los otros miembros de su grupo, era todo cuanto Moira había imaginado y más. Las luces de los farolillos de colores rielaban sobre la superficie del Támesis, y cuando entraron en el jardín recreativo tuvo la sensación de penetrar en un cuento de hadas, dejando el mundo real atrás.

—Oh, Kenneth —dijo, mirando a su alrededor y alzando la vista para contemplar las ramas de los árboles—, ¿habéis visto algo más maravilloso?

—Sí. —Él le cubrió la mano que tenía apoyada en su brazo con su mano libre—. La luz de la luna brillando sobre el mar en Tawmouth.

Una tarde, al anochecer, ella se había aventurado a reunirse con él en la hondonada sobre los acantilados y habían contemplado la escena que él acababa de describir, sentados uno junto al otro, mientras él le rodeaba los hombros con el brazo. La había besado, pero ella no había experimentado ninguna sensación de peligro. ¡Ah, la dulce inocencia de la juventud!

Era posible que él no volviera a ver Tawmouth. Era posible que ella viviera allí sola, con sus recuerdos.

Era una noche cálida y soplaba una ligera brisa. El parque recreativo de Vauxhall Gardens estaba repleto de gente charlando, riendo y bebiendo, quizá porque la temporada social había llegado a su fin y todos querían aprovechar las últimas celebraciones que quedaban. Habían hecho lo que hacía todo el mundo en Vauxhall: habían paseado por los sombreados senderos por parejas antes de la cena, aunque no con sus respectivos cónyuges; habían escuchado a la orquesta tocar obras de Händel; habían degustado las finas lonchas de jamón y las fresas y habían bebido el champán por el que Vauxhall era célebre; habían conversado y reído; habían bailado.

Gravitaba una sensación casi de desesperación sobre la velada, al menos por lo que respectaba a Kenneth. No era una perspectiva particularmente grata que dentro de dos días todos sus amigos se dispersaran por diversas zonas del país. No sabían cuándo volverían a verse. Pero esa tristeza no era nada comparada con la gran incertidumbre. ¿Se despedirían Moira y él para emprender cada cual su camino? No tardaría en saberlo. No podían aplazar por más tiempo su decisión. Mañana, tenían que tomarla mañana.

Ambos lo sabían. Ambos estaban decididos a disfrutar esta noche. No se habían sentado juntos en el palco que sir Clayton Baird había reservado. No habían paseado juntos ni bailado juntos. No se habían mirado una sola vez a los ojos. Pero la orquesta se disponía por fin a tocar un vals. Y ya habían cenado. Él se levantó y fijó la vista en ella por primera vez. Ella se reía de algo que le había dicho Eden, pero al mirar a Kenneth se puso seria de inmediato.

—Creo que éste es mi vals, Moira —dijo él, tendiéndole la mano.

—Sí.

Ella observó su mano durante unos momentos antes de apoyar la suya en ella. No sonrió al levantarse, como había sonreído durante toda la velada. El aire parecía vibrar de la tensión. Todos debieron de percibirlo, pensó Kenneth. De hecho, parecía como si todos los presentes enmudecieran y les observaran abandonar el palco para ir a bailar juntos el vals.

—Bien —dijo el señor Gascoigne—, ¿cuál es el veredicto sobre esos dos?

—Yo diría —respondió lord Pelham—, que la dama no se deja dominar fácilmente. Lo cual no debe de gustarle a nuestro amigo Ken.

—Estoy de acuerdo contigo, Eden —dijo el vizconde de Rawleigh—. No debe de gustarle en absoluto. Pero quizás haya sido eso lo que le ha atrapado de forma irrevocable.

—Yo diría que a ella no le gusta en absoluto que la dominen —apuntó lady Baird—, y que lord Haverford haría bien en suavizar su talante frío y dominante.

—Pero debes confesar, Daphne, que lo hace maravillosamente —terció lady Rawleigh riendo—. Y creo que Moira es más que capaz de resolver el problema. Además, se aman. Eso está tan claro como que tengo nariz.

—Ah, la respuesta de una mujer —dijo el señor Adams—. Se aman y punto.

Sonrió a su cuñada con afecto.

—No será un matrimonio tranquilo —observó el señor Gascoigne.

—Sinceramente, Nat —terció lord Rawleigh—, no creo que Ken soportara un matrimonio tranquilo.

—En cualquier caso, saben reírse juntos —dijo lady Rawleigh, cambiando una sonrisa divertida con su marido.

—En tal caso seguro que serán felices —dijo sir Clayton levantándose—. ¿Bailamos el vals, Daph?

Capítulo 22

Os divertís? —preguntó Kenneth a Moira cuando la condujo a la pista de baile situada ante el pabellón.

—Muchísimo —respondió ella—. Sabía que éste sería un lugar precioso y una velada maravillosa. No me ha decepcionado. Bailar al aire libre es una experiencia deliciosa. Ojalá pudiera bailar toda la noche. ¿Podemos bailar hasta el amanecer, milord?

Apoyó una mano ligeramente en el hombro de él y la otra en su mano.

—Espero que no —contestó él—. Tengo otros planes para el resto de la noche cuando lleguemos a casa.

La música comenzó a sonar y ambos empezaron a moverse con naturalidad al ritmo del vals. Habían bailado juntos pocas veces desde que ella había llegado a la ciudad. Éste era el primer vals que bailaban desde el baile de Dunbarton. Todas las dudas que algunos habían expresado sobre el carácter decoroso del vals eran fundadas, pensó él.

—Desde luego —dijo ella en respuesta a lo que él había dicho hacía unos minutos—. Eso será mucho más placentero que bailar.

Él la condujo girando al son de la música alrededor de la pista. No podía apartar los ojos de ella. Volvía a ser la joven vivaracha que se reía de las convenciones y decía sin rodeos lo que pensaba. Pero no daba crédito a lo que acababa de oír. Se dio cuenta de que ella flirteaba con él. Y no como lo hacían otras mujeres que él conocía, pestañeando y haciendo ojitos y entreabriendo los labios, sino como lo haría la cortesana más descocada. Pero ¿qué podía esperar de Moira?

—En muchos aspectos —dijo—, guarda un gran parecido con el baile. En este vals, os habéis adaptado perfectamente a mi ritmo.

—No es difícil —respondió ella— seguir a un hombre que se mueve con tal seguridad y destreza.

—No hay nada —dijo él agachando un poco la cabeza para acercarla a la suya— que proporcione más placer a dos personas que un baile en el que ambas se mueven como una sola.

—Excepto —contestó ella casi en un murmullo— eso que guarda un gran parecido con el baile.

¡La muy desvergonzada! De modo que no estaba dispuesta a cederle la última palabra. No estaba dispuesta a dejarse desconcertar por la conversación subida de tono. Le hacía descaradamente el amor con sus ojos y sus palabras. Él casi había olvidado dónde estaban. De pronto se acordó e impuso mayor distancia entre ambos. Sus cuerpos casi se habían tocado.

—Bailáis muy bien el vals, Moira —dijo—. Han ocurrido muchas cosas desde la primera vez que bailamos juntos un vals.

—En efecto —respondió ella, y él observó que el descaro desaparecía de sus ojos para dar paso a una expresión casi soñadora—. Era la primera vez que bailaba un vals. En Tawmouth tenía fama de ser un baile escandaloso.

—Una fama muy merecida —dijo él.

—Es el baile más maravilloso que se ha inventado —dijo ella—. Lo pensé entonces y sigo pensándolo ahora.

Bailaron el resto del vals en silencio, moviéndose simultáneamente con un instintivo sentido del ritmo compartido, conscientes del otro baile que ejecutarían juntos en la privacidad de su hogar antes de que terminara la noche. La fresca brisa nocturna abanicaba las acaloradas mejillas de ambos. Los farolillos que iluminaban el pabellón y los que colgaban de los árboles se mezclaban en un caleidoscopio de color en la periferia de sus respectivos campos visuales.

No debía faltar mucho para que amaneciera, pensó Moira más tarde cuando regresaban a casa en coche. Había sido la última celebración de la temporada social. Todos se habían mostrado remisos a poner fin a la misma. Tenía los ojos cerrados y se sentía gratamente somnolienta y gratamente excitada al pensar en lo que sucedería cuando llegaran a casa.

Estaba firmemente decidida a no pensar en mañana.

—No os habréis dormido, ¿eh? —preguntó su esposo.

Ella abrió los ojos para sonreírle.

—No —respondió—. Estaba descansando.

—Buena idea —dijo él con un tono cargado de significado.

Ella se preguntó de improviso por qué tenían que tomar una decisión. Se habían peleado durante las dos semanas que habían pasado juntos, pero no todo el tiempo. Había habido más ocasiones en que no se habían peleado. Ella calculaba que había muchos matrimonios en los que existían más tensiones entre los cónyuges que entre Kenneth y ella. Sin embargo, esas otras parejas casadas conseguían llevarse relativamente bien.

Al pensar en ello suspiró para sus adentros. Ése era el problema. A ella no le bastaba «llevarse relativamente bien» con su marido, y sospechaba que a Kenneth tampoco. Aunque en el caso de ella no era del todo cierto. Había estado dispuesta a casarse con sir Edwin Baillie, a sabiendas de que a lo sumo el matrimonio le resultaría tolerable. Pero ésa había sido una cuestión muy distinta. No amaba a sir Edwin.

Era una cuestión demasiado complicada para analizarla esta noche, pensó, y se había prometido no hacerlo. Mañana sería otro día. Deseaba que mañana no llegara nunca. Deseaba que esta noche durara eternamente.

—Ya hemos llegado —dijo una voz grave a su oído, y ella abrió los ojos rápidamente. Tenía la cabeza cómodamente apoyada en un hombro ancho y acogedor.

—Quizá —dijo él— debería acompañaros a vuestra alcoba y dejar que durmáis tranquilamente.

—No —respondió ella, incorporándose—. No deseo dormir..., todavía.

—Ah —dijo él—. ¿Deseáis volver a bailar, señora?

—Os dije que deseaba bailar toda la noche —declaró ella.

—Vuestros deseos son órdenes —contestó él.

Fue un baile en el que estuvieron de inmediato en armonía. Él dejó todas las velas encendidas, la despojó a ella de su camisón y se quitó el suyo, se arrodilló con ella sobre la cama, cara a cara, exploró su cuerpo deslizando sus manos suavemente sobre éste mientras ella le exploraba el suyo, la observó con ojos entornados al igual que ella a él, le acarició la cara con la boca abierta y la lengua mientras ella le hacía lo mismo a él.

Cuando le alzó los pechos con sus manos y agachó la cabeza para lamerle los pezones, succionándolos uno tras otro, ella le sostuvo la cabeza con ambas manos, introduciendo los dedos en su pelo, y agachó también la cabeza para murmurarle al oído y gemir de placer.

Él la deseó con una pasión febril casi desde el primer momento. Pensó que jamás la había deseado como la deseaba esta noche. Hasta este momento Moira había sido simplemente un cuerpo de mujer que le procuraba placer y al que él trataba de procurar placer. Esta noche, incluso más que durante las dos últimas semanas, era el cuerpo de Moira, y él sabía que durante toda su vida adulta había vivido este momento en su fantasía por más que se había negado a reconocerlo hasta ahora. Moira siempre había estado presente como una parte tan inconsciente de su vida como el aire que respiraba.

Ella se arrodilló, separó los muslos e inclinó la cabeza hacia atrás mientras él deslizaba una mano debajo de ella y la acariciaba con dedos expertos en suscitar deseo. Le acarició el cuello con su boca. El deseo era un dolor que pulsaba en su entrepierna, le martilleaba las sienes y retumbaba en sus oídos.

Sabía por experiencia que las mujeres obtenían su placer sexual más de los prolegómenos que de la penetración. Él se mostraría paciente si eso era lo que ella necesitaba. Esperaría toda la noche si era necesario a que ella alcanzara el orgasmo. Esta noche haría cuanto pudiera para lograr que ella experimentara todo el placer que cabía experimentar.

—¿Te gusta esto? —le preguntó con los labios oprimidos contra su boca—. ¿Quieres más? ¿Quieres que te penetre? Dime lo que quieres.

—Quiero sentirte dentro de mí —murmuró ella.

Él se colocó entre sus muslos, la alzó sobre él, se situó y la penetró firme y profundamente, esperando a que ella se colocara en una postura más cómoda y le rodeara los hombros con los brazos.

—Baila conmigo —dijo él—. Compartamos el ritmo y la melodía.

—Llévame tú —murmuró ella—, y yo te seguiré.

Ella permaneció inmóvil durante unos momentos, como solía hacer cuando él le hacía el amor, mientras él empezaba a ejecutar los movimientos del amor, penetrándola y retirándose una y otra vez, tras lo cual ella empezó tentativamente a imitar sus movimientos. Al cabo de un rato ella añadió el ritmo de sus músculos interiores, tensándose y relajándose en torno a su miembro viril, y él perdió toda noción del tiempo y el lugar. Todo devino en unas sensaciones: el sonido de una respiración trabajosa, casi sollozante, el olor a agua de colonia, a sudor, a mujer, el contacto de sus partes íntimas, ardientes, húmedas, tensas, la instintiva determinación de controlarse, de prolongar el dolor hasta que sintiera que su pareja alcanzaba el clímax. Moira. Su pareja. Ella formaba parte de esas sensaciones. Su cuerpo no perdió ni por un momento conciencia de que era Moira.

De pronto ella rompió el ritmo. Se oprimió con fuerza contra él, abrazándolo, sus músculos tensados al máximo.

—Sí —le murmuró él al oído, penetrándola hasta el fondo, moviendo las caderas contra las suyas—. Sí. Córrete. El baile está a punto de terminar.

Ella no alcanzó el orgasmo en un estallido, como había supuesto él, sino con suaves murmullos y suspiros y una relajación progresiva y total. Sucedió en paz y una increíble belleza. Él se retiró lentamente y la penetró de nuevo hasta el fondo, liberándose de su dolor, de su necesidad de ella, suspirando contra su pelo.

—Sí —dijo suavemente cuando hubo terminado.

—Tenías razón —dijo ella al cabo de largo rato. Seguían arrodillados, abrazados, unidos en lo más íntimo y profundo de sus cuerpos—. Esto es mucho más placentero. No me imaginaba hasta qué punto.

—Siempre es un placer complaceros, señora —dijo él, besándola en la nariz.

—El placer es agradable, al menos durante un rato —dijo ella.

—Muy agradable. —Él meditó en lo que ella acababa de decir: *al menos durante un rato*. Cuando uno realizaba el acto sexual era muy fácil creer que el sexo lo constituía todo. Por supuesto, no era así. Ni siquiera constituía *casi* todo. Y había sido Moira quien se lo había recordado. La alzó con cuidado de encima de él y la depositó sobre la cama, estirándole las piernas, que tenía entumecidas—. Y también es agradable dormir cuando el baile ha terminado.

Se levantó de la cama, la cubrió con las mantas, tomó su camisa de dormir sin molestarse en ponérsela y la miró sonriendo.

—Buenas noches, Moira. Ha sido un gran placer.

—Buenas noches, Kenneth —respondió ella. No le devolvió la sonrisa. Cerró los ojos antes de que él se marchara.

Hablaremos mañana. Ninguno de los dos había pronunciado esas palabras en voz alta. Pero ambos las habían oído con toda claridad.

Hablarían mañana.

Pese a lo tarde que se habían acostado, principalmente debido a una hora de vigorosa actividad sexual, se levantaron al mediodía y salieron. Se dirigieron andando a Rawleigh House para despedirse de los vizcondes. El cielo presentaba un brillante color celeste, sin que una sola nubecilla lo empañara, y el día, ya caluroso, prometía que al cabo de un rato haría un calor abrasador.

—Es un recordatorio —dijo Kenneth— de que ha llegado el momento de abandonar Londres para ir a los espacios más abiertos y gozar del aire más puro del campo o de la costa.

—Sí —respondió Moira.

Habían estado charlando amigablemente desde que ella se había reunido con él a la hora del desayuno. Y sin embargo estas palabras pronunciadas sin pensar habían bastado para que ambos guardaran silencio. Moira no dudaba de que él era tan consciente como ella de la diferencia entre lo que habían hecho en la cama la noche anterior y lo que habían hecho durante las dos semanas precedentes. Y por supuesto él era tan consciente como ella de la decisión que debían tomar durante las dos próximas horas. Una decisión que él había estado peligrosamente a punto de expresar en voz alta.

Siguieron andando el resto del camino en silencio.

El vizconde de Rawleigh y su esposa estaban de excelente humor. Les ilusionaba la perspectiva de regresar a su casa en Stratton Park. El señor Gascoigne había ido también a despedirse de ellos. Lord Pelham, no.

—Iba a venir, Rex —dijo el señor Gascoigne sonriendo—. Pero supongo que aún está en la cama, durmiendo como un tronco después de…, después la velada en Vauxhall.

Moira supuso que lord Pelham debía de estar muy enamorado de su amante.

—Gracias por venir a despediros de nosotros, querida —dijo lord Rawleigh tomando las manos de Moira en las suyas—. Echaremos de menos a nuestros amigos. He pedido a Ken que os traiga a Stratton a pasar unas semanas, pero me asegura que tenéis otros planes. En tal caso, os deseo un feliz verano. Ha sido un placer conoceros.

Tras estas palabras le besó la mano.

—Moira. —Catherine la abrazó con fuerza—. Es como si te conociera de toda la vida en lugar de hace sólo dos semanas. Me alegro mucho de que nuestra amistad continúe debido a que nuestros maridos son amigos. Te escribiré… ¿a Dunbarton? ¿Es ahí donde iréis lord Haverford y tú?

Moira sonrió y asintió con la cabeza.

—Debéis venir a vernos allí —dijo Kenneth desde detrás de Moira antes de tomar la mano de Catherine e inclinarse sobre ella—. ¿Verdad, Moira?

—Por supuesto. —Ella sonrió de nuevo—. Es uno de los lugares más bellos del mundo.

—Quizás el año que viene —dijo el vizconde emitiendo una afectuosa risita y mirando a Catherine con cariño—. Después de que cierto acontecimiento llegue a un feliz desenlace.

Ella le miró sonriendo y se sonrojó. Al observarlos, Moira sintió una punzada de envidia.

El señor Gascoigne besó la mano de Catherine.

—¿Y vos, señor? —dijo ella—. ¿Podemos confiar en que vendréis pronto a Stratton? Estaremos encantados de alojaros en nuestra casa. ¿O ha empeorado el estado de salud de vuestro padre?

—Sospecho —respondió el señor Gascoigne torciendo el gesto—, que la indisposición de mi padre se debe en gran parte al hecho de que tiene cinco hijas que casar y una sobrina díscola.

—Vaya por Dios —dijo Catherine.

—Creo —continuó el señor Gascoigne— que se deleita imaginando que conseguiré reunir a un buen número de candidatos para mis hermanas y enderezar a mi sobrina propinándole una buena azotaina. Se equivoca, por supuesto. Pero iré a verlo.

—Yo que tú, Nat —dijo Kenneth—, emigraría a América hoy mismo, o preferiblemente ayer.

—¿No se te ocurre un lugar más lejano? —preguntó Rex.

El señor Gascoigne sonrió casi con gesto de disculpa.

—Recordaréis que regresé a casa justo antes de Waterloo —dijo—. Permanecí cinco largos días y partí de nuevo apresuradamente... Demasiadas mujeres, todas ellas pisoteando la voluntad de mi pobre padre, a quien nada le complace más que pasar el día en su biblioteca. Pero ahora que me he recuperado de la impresión de ver que las chicas están ya muy crecidas, confieso que siento debilidad por ellas.

—Y el deseo de reunir a esos candidatos a su mano —apostilló el vizconde de Rawleigh dándole una palmada en el hombro—. Pues a ello, Nat, amigo mío. Llévate a Eden —dijo riendo—. Debemos irnos, mi amor.

Ayudó a Catherine a montarse en el carruaje y al cabo de unos minutos partieron, al tiempo que ambos agitaban la mano a través de la ventanilla abierta.

—Bien —dijo el señor Gascoigne observando cómo se alejaban—, ese matrimonio contraído precipitadamente parece haber dado excelente resultado.

Moira se tensó. Kenneth no dijo nada.

El señor Gascoigne se volvió hacia ellos, estremeciéndose y haciendo al mismo tiempo una mueca de disgusto.

—Vaya, lo siento... —dijo.

—No tiene importancia —respondió Kenneth—. Tienes razón. Moira y yo regresaremos dando un paseo a pie por el parque. ¿Quieres acompañarnos?

—Espero poder partir dentro de unas horas —contestó el señor Gascoigne—. Tengo que hacer un montón de cosas antes. Disculpadme, lady Haverford —dijo tomando la mano de Moira—. Ha sido un gran placer conoceros. Ken es un tunante con suerte, si disculpáis la expresión.

Estrechó la mano de Kenneth y los dos se abrazaron impulsivamente antes de que el señor Gascoigne se alejara, dejándolos en la acera frente a la casa de los Rawleigh.

—¿Quieres dar un paseo por el parque? —preguntó Kenneth.

Moira asintió y le tomó del brazo. Había supuesto que conversarían en el cuarto de estar, para decidir su futuro. Pero cuando echaron a andar se impuso entre ellos cierta tensión, un silencio claramente incómodo. Ocurriría en el parque, dedujo ella. Se encaminaban hacia el momento más crucial de sus vidas.

—Esperaremos a entrar en el parque —dijo él con tono quedo, como si le hubiera leído el pensamiento—. Podemos dar un paseo por el Serpentine.

—Sí —dijo ella.

No habían dicho palabra desde hacía quince minutos o más. Pero habían paseado a través de los céspedes, debajo de los árboles, por el Serpentine. Habían observado a un grupo de niños jugando con un barquito que se deslizaba por el agua, guiándolo con un palo para que no se les escapara. Una nodriza les había advertido, con escaso resultado, que tuvieran cuidado.

—Bien, Moira.

Kenneth oyó a su esposa suspirar lentamente.

—Hace tres meses —dijo—, nos casamos porque las circunstancias nos obligaron a hacerlo. A la mañana siguiente y de nuevo al cabo de una semana me dijiste que lamentabas haberme vuelto a ver. Hace poco más de dos semanas te reuniste aquí conmigo porque yo... te pedí que lo hicieras. Accediste a gozar conmigo de lo que quedaba de la temporada social. ¿Lo has pasado bien?

—Sí —respondió ella.

—Y decidir si pensabas lo mismo que hace tres meses. ¿Sigues pensando lo mismo?

Se produjo un largo silencio.

—Los dos debíamos decidirlo —respondió ella por fin—. Tú tenías tantas dudas sobre nuestro matrimonio como yo. Deseabas alejarte de mí tanto como yo deseaba no volver a verte. ¿Por qué decidiste que debíamos replantearnos esa decisión? Ignoro el motivo, pero era una decisión que debíamos tomar los dos. ¿Sigues pensando lo mismo?

Resultaba tan difícil como él había imaginado. Una decisión mutua requería que uno de los dos se pronunciara en primer lugar. No podían hacerlo de forma simultánea. Y luego el otro debía reaccionar. Pero ¿y si el otro había tomado la decisión contraria?

No obstante, si ella seguía pensando lo mismo que en Dunbarton, ¿no se lo habría comunicado sin vacilar?

Pero ella habló de nuevo antes de que él hubiera formulado una respuesta a su pregunta.

—Cuando le contaste al señor Gascoigne que yo había sufrido un aborto, ¿por qué rompiste a llorar?

—¡Maldita sea! —exclamó él horrorizado—. ¿Te lo ha dicho él?

—No —respondió ella—. Me lo contó Catherine.

¡Santo cielo!

—¿Por qué rompiste a llorar? —insistió ella.

—Había perdido un hijo —respondió él—. De cuya existencia me había enterado hacía poco; mi mente apenas había tenido tiempo de hacerse a la idea. Y de pronto lo perdimos, en medio de un gran dolor y angustia. Tú perdiste un hijo, mi hijo. Esa noche murió un niño y se llevó con él dos vidas. O mejor dicho, la posibilidad de una vida, una..., no sé muy bien lo que trato de decir. Creo que durante los días siguientes deseé haber muerto en el campo de batalla. No tenía... deseos de seguir viviendo. Quizá seguía sintiéndome así cuando hablé con Nat. Quizá pensé que habría deseado seguir viviendo si eso no hubiera ocurrido. Quizá pensé que esa noche había muerto la persona equivocada. No sé lo que digo. ¿Crees que tiene sentido lo que digo?

—¿Por qué me pediste que viniera? —preguntó ella.

—Quizá para averiguar si existía algo por lo que mereciera la pena seguir viviendo —respondió él—. Aunque no me lo había planteado de esa forma hasta este momento.

—¿Y la has hallado? —inquirió ella—. ¿Has hallado una razón para seguir viviendo?

¿La había hallado?, se preguntó él. De alguna forma, uno soñaba con... No, debía expresarlo en voz alta.

—Uno sueña con la perfección —dijo—, con vivir felices y contentos el resto de nuestros días. Con un amor romántico que define el tiempo y la muerte y abarca toda la eternidad. Es duro aceptar la realidad de la vida real. Jamás alcanzaremos la perfección, Moira. No podemos vivir siempre felices y contentos. Nunca llegaremos a amarnos verdaderamente. ¿Estoy dispuesto a conformarme con algo menos de un sueño? ¿Y tú?

—No lo sé —respondió ella—. Traté de imaginarme la vida sin ti. Traté de imaginarme regresando a Dunbarton sola, sabiendo que no volvería a verte jamás.

—¿Y?

—Es una imagen de paz —dijo ella.

Ah. Él no había caído en la cuenta de cuánto deseaba que ella contradijera todo lo que él acababa de decir. De pronto se sintió hundido. Pero no podía culparla. Era una decisión mutua.

—Es una imagen de un profundo vacío —dijo.

Un niño y su padre trataban de hacer volar una cometa con escaso éxito. Soplaba poco viento. Pero el padre lo intentaba una y otra vez con paciencia, inclinándose sobre su hijo y colocándole las manos correctamente sobre la cuerda. Kenneth sintió una punzada de envidia y nostalgia.

—Moira —dijo—, ¿cuándo tiene que venirte la menstruación?

—Ahora —respondió ella—. Hoy, ayer, mañana. Pronto.

—¿Cómo te sentirías —le preguntó él— si averiguaras que estabas de nuevo encinta?

—Aterrorizada —respondió ella—. Emocionada.

—Sabes —dijo él—, que yo no permitiría que un hijo mío creciera sin un padre.

—En efecto —contestó ella.

—¿Confías en que no sea así? —preguntó él.

Se produjo un largo silencio.

—No —respondió ella suavemente.

—Yo tampoco —dijo él—. Pero aunque no ocurra ahora, podría ocurrir el mes que viene o el otro.

—Sí —dijo ella. Él esperó a que ella tomara una decisión definitiva. Él había expresado sus deseos con toda claridad—. Regresa a casa conmigo, Kenneth.

—¿Para pasar el verano? —preguntó él—. ¿Para siempre?

—No es preciso que lo decidamos ahora —respondió ella—. Podemos decir que es para pasar el verano o hasta Navidad o... hasta cuando sea. ¿Deseas venir?

—Sí —respondió él.

—Entonces ven. —Ella apoyó la mano que tenía libre junto a la otra que tenía sobre el brazo de él e inclinó la cabeza para apoyarla brevemente en su hombro—. Verás la fuente y los macizos de flores y los demás cambios que he hecho. Podemos pasear por los acantilados y sentarnos en la hondonada; correr por la playa. Podemos...

—Hacer el amor en el baptisterio —dijo él, interrumpiéndola. Sonrió. Ella se había expresado con tono animado, alegre.

—Sí —dijo ella bajito.

—Entonces lo intentaremos —dijo él— durante el verano. Y si pasado el verano comprobamos que no da resultado, si no te quedas encinta, haremos otros planes.

—Sí.

—Pero de momento no pensaremos en eso —dijo él.

—Falta mucho para el otoño —dijo ella—. Los árboles del parque están espléndidos en otoño, Kenneth.

—Casi he olvidado el aspecto que tienen —contestó él—. Este año volveré a verlos.

—Sí —dijo ella—. ¿Cuándo partimos? Estoy impaciente por regresar a casa.

—¿Mañana? —sugirió él—. ¿Tendrás tiempo de hacer los preparativos pertinentes?

—Sí, mañana —respondió ella—. Dentro de una semana estaremos de regreso en nuestra casa en Dunbarton.

Juntos. Estarían en casa juntos, para pasar el verano y quizás el otoño. Quizás hasta Navidad. Quizá, si ella se quedaba en estado, para siempre.

Sería doloroso volver a soñar. Pero él había vuelto a soñar. Y era doloroso.

Capítulo 23

*L*a vida parecía casi inquietantemente tranquila cuando regresaron a su casa en Cornualles. Dejaron de discutir. En Dunbarton retomaron sus respectivos quehaceres, los cuales les mantenían ocupados durante buena parte del día. Visitaban y recibían a sus vecinos, a menudo juntos. Pasaban parte de la noche juntos en el lecho de Moira antes de dormir separados. Todo indicaba que habían alcanzado un estado semejante a «felices para siempre», o al menos «satisfechos para siempre».

Salvo que Moira tenía la sensación de vivir conteniendo constantemente el aliento. No habían decidido nada. Simplemente habían acordado ampliar el período de prueba de su matrimonio, nada más. Como era de prever, ella estaba de nuevo embarazada. Al cabo de tres semanas no había ninguna duda al respecto. Pero era posible que el resultado de ese embarazo no fuera distinto del anterior, aunque no se sentía indispuesta como la otra vez y comía y dormía bien. Si perdía esta vez al hijo que esperaba, ¿diría a Kenneth que no deseaba volver a verlo jamás? ¿Se apresuraría él a tomarle la palabra?

No, ella sabía que jamás volvería a decirle eso, a menos que él la provocara gravemente. Pero ¿decidiría él marcharse de todos modos? ¿Había sugerido venir a Cornualles simplemente porque las respuestas de ella a sus preguntas le habían indicado una posibilidad muy real de que ella había vuelto a quedarse en estado? A veces ella pensaba que había algo más. Lo pensaba casi siempre, pero temía convencerse de ello. Trataba de proteger su corazón contra un futuro dolor.

Si lograba llevar su gestación a término y el niño sobrevivía, él permanecería a su lado. Pero ella no quería que él se quedara dependiendo sólo de esos hechos. No quería que se quedara sólo por el niño. Quería que se quedara por ella.

A veces se despreciaba por haber llegado a depender de él hasta ese punto, por haber llegado a amarlo de forma tan incondicional, sin el menor sentido crítico. A veces luchaba contra esa dependencia, a menudo de forma irracional.

Una tarde decidieron ir a visitar a la madre de Moira. Lo decidieron durante el desayuno. Puesto que hacía un día espléndido después de casi una semana de un tiempo nublado y lluvioso, habían decidido ir andando a Penwith Manor y aprovechar la visita para pasar la tarde al aire libre. Asimismo, parecía haberse establecido una comunicación silenciosa entre ellos. Ocurría a menudo y Moira se preguntaba si era fruto de su imaginación o si sus pensamientos coincidían a veces realmente. En esta ocasión ambos habían pensado en la cabaña del ermitaño poco después de enfilar la carretera que descendía hacia el valle. Ambos habían pensado en detenerse allí cuando regresaran de Penwith. Era una de las cosas que él había mencionado durante el paseo que habían dado por el Serpentine. Había dicho que harían el amor en el baptisterio.

Nunca habían hecho el amor de día. Aparte de la primera vez, nunca habían hecho el amor en otro lugar que no fuera el lecho de Moira. La perspectiva de hacer el amor una tarde estival en la cabaña, con la puerta abierta al sol y a la brisa, resultaba tremendamente excitante. Podrían contemplar la vista del valle, el río y la cascada.

Pero la intensidad de los sentimientos que experimentaba hacia él asustaba a Moira.

—Quizá —le dijo durante el almuerzo— tengas cosas más importantes que hacer que ir de visita, Kenneth. No es necesario que me acompañes a casa de mamá.

—¿Ah, no? —Los ojos de él la observaron con una expresión un tanto lánguida. ¿Habían cambiado sus ojos?, pensó ella. ¿Se habían tornado de un tiempo a esta parte más dulces, más soñadores? ¿O era cosa de su imaginación?—. ¿Prefieres conversar con ella a solas,

Moira? ¿Quejarte de mis pecados cuando no estoy presente para defenderme? Supongo que tus quejas caerán en terreno abonado.

Ella se sulfuró.

—Supuse que Penwith era uno de los últimos lugares que te apetecería visitar —replicó—, y que mamá era una de las últimas personas con la que deseabas conversar.

De repente se percató, sorprendida, de lo que estaba haciendo. Trataba de provocar una disputa con él. Era casi como si se sintiera más segura cuando se peleaban, como si así pudiera proteger mejor su corazón.

Él arqueó las cejas y ella comprendió por su expresión altiva que había mordido el anzuelo.

—¿De veras? —contestó él—. ¿Crees que ambos albergamos idénticos sentimientos con respecto a la madre del otro, Moira?

—Con la diferencia —dijo ella— que tu madre se ha mostrado abiertamente desagradable conmigo.

—No lo creo —respondió él con un ademán de irritación—. A mi madre le gusta controlarlo todo. Tiene unas ideas muy precisas sobre lo que se espera de una condesa. Simplemente quiso tomarte bajo su protección. Confiaba, en vano, hacer de ti el tipo de condesa que ella ha sido siempre. No pretendía ser desagradable.

—No estoy de acuerdo —replicó ella—. ¿Dices que era una vana esperanza porque soy incapaz de comportarme como una auténtica condesa?

—Una auténtica condesa —contestó él secamente— no contradice a su marido en todo y tergiversa sus palabras dándoles un sentido que no tienen simplemente porque goza enojándolo.

—¿De modo que te he enojado? —preguntó ella—. Sólo pretendía librarte de una tarde posiblemente aburrida proponiendo ir sola a Penwith.

—Puedes hacerlo si lo deseas —dijo él—. Como has dicho, tengo cosas más importantes que hacer que conversar con una madre y una hija que prefieren que no esté presente. Ordenaré que te preparen el coche para trasladarte a Penwith.

—Iré andando —respondió ella.

—De luego, puedes hacer lo que gustes —dijo él—. Llévate a tu doncella.

Ella no pensaba hacerlo y estuvo a punto de decírselo, pero comprendió que le había provocado en exceso. Si volvía a contradecirle, él insistiría. Qué aburrido sería ir y volver caminando de Penwith seguida por su doncella. Qué aburrido sería ir caminando *sola*. ¿Por qué lo había hecho? Le complacía la perspectiva de pasar la tarde con él, y ahora lo había estropeado todo.

—¿Qué harás tú? —preguntó.

Los ojos de él ya no traslucían una expresión dulce y soñadora cuando los fijó en los suyos.

—Algo que me apetece mucho más de lo que había planeado hacer, te lo aseguro, señora mía —respondió él.

Ella detestaba que la llamara «señora mía». Era ridículo cuando ella era su esposa y ambos gozaban cada noche con unas intimidades increíblemente intensas, cuando ella esperaba un hijo de él. Pero no le diría cuánto lo detestaba, pues si lo hacía, no dejaría de llamarla así.

—En tal caso me alegro de haberme anticipado en sugeríroslo, milord —respondió sonriendo alegremente.

Se comportaba como una niña tonta. Le había provocado hasta conseguir que se enojara y ahora se lamentaba de ello. Había estropeado su tarde y ahora se regodeaba en la autocompasión y le culpaba a él.

Y todo para nada. De pronto comprendió, con angustiosa claridad, que le era imposible proteger su corazón.

Él fue a caminar por la parte elevada del valle hasta que llegó a los acantilados. Dio la vuelta para avanzar por la cima de éstos, con los ojos fijos en las abruptas rocas y el verde desteñido de la áspera hierba en lugar de admirar el mar que se extendía a sus pies y relucía bajo el sol. Estaba profundamente irritado e irritable. *Nelson*, al que no parecía afectar el malhumor de su amo, corría frente a él, retrocedía para trotar a su lado durante unos metros y echaba a correr de nuevo.

Kenneth se había aclimatado con facilidad al bienestar doméstico. Se alegraba de haber regresado, de haber reanudado el trabajo, de sentirse de nuevo útil. Se alegraba de ver que su esposa era una mujer competente y celosa en el cumplimiento de sus deberes. Disfrutaba con la vida social de la vecindad, pese a ser un tanto limitada. Le satisfacía saber que no tendría que tomar más decisiones, que permanecería en Dunbarton. Había visitado el lecho de su esposa cada noche, incluyendo las noches que habían pasado de viaje. Era más que evidente que Moira estaba encinta.

Aunque el único contacto personal real entre ambos se producía en el lecho de ella y tenía un carácter puramente sexual, él había sentido que existía una compenetración entre ambos, la armonía que esperaba en su matrimonio. Había supuesto que ambos se sentían satisfechos con la situación y dejarían que los factores que les habían mantenido separados se desvanecieran en el pasado. Había confiado en que hubieran desaparecido para siempre y no volvieran a turbar la paz familiar.

Había sido una suposición estúpida y una esperanza no menos estúpida. ¿Cómo podía confiar en gozar de paz y tranquilidad con Moira? Durante el almuerzo ella había provocado una disputa a partir de un hecho insignificante y él, como un pelele que se dejaba manipular, había discutido con ella. Nadie le había manipulado jamás. De niño era testarudo y de adulto denotaba una voluntad de hierro. Le enfurecía que una mujer fuera capaz de hacer lo que nadie había logrado nunca, y con toda facilidad.

A veces la odiaba. Y esta tarde, la odiaba.

Dos de las señoritas Grimshaw se dirigían hacia él paseando del brazo de dos de los jóvenes Meeson. Kenneth dio a *Nelson* una orden a voz en cuello para que se sentara cuando la hermana mayor chilló al oír sus exuberantes ladridos, pero al hacerlo comprendió que el chillido había sido propiciado por la dorada oportunidad que el perro había ofrecido a la joven de apretujarse contra su acompañante y fingir airosamente sentirse mareada.

Se detuvo unos minutos para charlar con las dos parejas sobre el tiempo, la salud de lady Haverford y de los padres de las Grimshaw y de los Meeson. Cuando reanudó su caminata se sentía aún más irritado. La mayoría de personas sentían un miedo reverencial hacia él, pensó enojado. No podía obedecer sólo a su título, sus tierras y su fortuna. Debía de ser su talante, algo que él había cultivado deliberadamente durante sus ocho años como oficial de caballería. Ver a soldados curtidos casi echarse a temblar cada vez que se topaban con él tenía ciertas ventajas. Pero era desconcertante provocar esa reacción en sus vecinos.

Moira era una de las pocas personas que no le temían. Kenneth torció el gesto. Quizá debería hacer que desarrollara un saludable temor hacia él. Pero esa idea tan estúpida le irritó aún más. Para empezar, era imposible. Segundo, no soportaría convivir con una Moira dócil y sumisa.

De pronto soltó una carcajada y recuperó inopinadamente su buen humor. Una Moira dócil: una montaña llana, un iceberg caliente, un océano seco, un cerdo que vuela. Se divirtió pensando en otras combinaciones tan imposibles como una Moira dócil mientras regresaba a Dunbar a través de los campos.

Cuando entró en casa vio a la doncella de su esposa en el vestíbulo. Había más de una razón por la que no tenía que estar allí. Él sospechaba que la explicación residía en la presencia del apuesto lacayo que estaba de servicio. Miró arqueando las cejas a la turbada joven, que se apresuró a hacerle una reverencia.

—¿Su señoría ha vuelto ya? —le preguntó.

Aún antes de que la chica le respondiera dedujo que su señoría no había regresado.

—No, milord —respondió la doncella—. Su señoría ha ido a Penwith, milord.

—Ah —dijo él—. ¿Y a quién se ha llevado?

—Su señoría se fue sola, milord —contestó la joven.

Lo había comprendido en cuanto había visto a la chica, por supuesto. Debió suponerlo incluso antes de verla. ¿No había ordenado a Moira que se llevara a su doncella? Pero ¿esperaba realmente que le obedeciera? ¿Tan ingenuo era? Ella siempre había ido a pasear sola, cuando era una niña y a principios de este año. Pero ahora era su esposa, y no debía ser tan imprudente y descuidar su seguridad simplemente para desafiarle.

—Gracias —dijo secamente, tras lo cual dio media vuelta para salir de nuevo de la casa. Observó que el lacayo estaba junto a la puerta abierta con aspecto de un soldado de madera. De no estar tan furioso, habría sonreído divertido. Regresó al establo en busca de *Nelson*, que le saludó con la misma euforia que habría demostrado si hubieran estado separados un mes.

Moira regresaba a pie por el valle. Pese al soleado día y el calor, pese al intenso verdor de los árboles y la hierba y los helechos y el resplandeciente azul del río, y pese al hecho de que la visita a su madre había sido muy agradable, se sentía deprimida. Esta noche se produciría un ambiente extraño, incómodo y frío entre Kenneth y ella, y no sabía cómo disiparlo. Esta noche no tenían ningún compromiso. Estarían solos. ¿Debía disculparse ante él? Pero era contrario a su forma de ser disculparse con Kenneth. Además, él había hecho un comentario muy desagradable con respecto a que las quejas que ella le hiciera a su madre caerían en terreno abonado. Como si ella fuera capaz de hacer el menor comentario negativo sobre él a su madre. Era demasiado orgullosa para eso.

De pronto se detuvo en seco. Pero la momentánea y habitual sensación de pánico dio paso de inmediato a una sonrisa mientras extendía los brazos hacia *Nelson*, casi invitándole a echar a galopar hacia ella, saltar sobre ella y casi derribarla. Moira se rió y le abrazó al tiempo que volvía la cara.

—*Nelson* —dijo, no por primera vez—, no tienes un aliento precisamente perfumado, ¿sabes?

De repente se sintió contenta y animada. Donde estuviera *Nelson*, Kenneth no andaría muy lejos. Había venido a encontrarse con ella. Moira miró a su alrededor y lo vio a lo lejos, de pie en el centro del puente. Era justamente el lugar donde lo había visto esa otra tarde de enero, cuando él le había preguntado si estaba encinta y ella lo había negado. Parecía como si hubiera transcurrido un siglo. Ella avanzó con paso apresurado, sonriendo alegremente. Casi avanzaba a la carrera cuando llegó al puente y subió a él.

Unos ojos grises y fríos la observaron desde un rostro frío y adusto.

—Habéis caminado tan deprisa que sin duda vuestra doncella no ha podido seguiros —dijo él—. ¿Os parece que la esperemos, señora?

Estaba claro que él sabía muy bien que había venido sola. Y no menos claro que no había venido para reunirse con ella, sino para regañarla. Estaba furioso. Bastaba con que ella quisiera para que se enzarzaran en una disputa gloriosa. Era una oportunidad casi demasiado apetecible para desperdiciarla.

Ella no dejó de sonreír.

—No me riñas —dijo—. Te pido humildemente disculpas. No volveré a desobedecerte.

Las fosas nasales de Kenneth se dilataron y sus ojos perdieron varios grados de frialdad.

—¿Os burláis de mí, señora? —preguntó en un tono tan quedo que Moira sintió una breve punzada de temor.

Ladeó la cabeza y calculó el peligro físico que corría. Su sonrisa se suavizó y avanzó tres pasos hacia él. Apoyó los dedos de una mano en la solapa de su chaqueta.

—No me riñas —repitió—. No me riñas.

Él no estaba acostumbrado a ceder con facilidad.

—¿Podéis darme una buena razón por la que no debo hacerlo, señora? —preguntó.

Ella meneó la cabeza.

—Ninguna —respondió—. No se me ocurre una razón ni justificada ni injustificada. No me riñas, Kenneth.

Observó que lo había desconcertado. Ella misma se sentía desconcertada. Nunca había dejado de aprovechar la ocasión para discutir con él. Pero antes había tenido que reconocer que no podía proteger su corazón. Y en estos momentos su corazón rebosaba de alegría... y tristeza.

—No te ordeno que hagas una cosa simplemente para ejercer mi potestad sobre ti, Moira —dijo él—. Tu seguridad me preocupa y soy responsable de ella.

—¿De veras? —preguntó ella sonriendo.

—Estás muy rara —dijo él, arrugando el ceño—. Cuando los cañones guardaban silencio en una batalla, se nos ponía la carne de gallina porque sabíamos que no tardaría en comenzar el verdadero ataque.

—¿Se te ha puesto la carne de gallina? —preguntó ella.

Pero él se limitó a observarla con el ceño fruncido.

De pronto a ella se le ocurrió algo y sonrió.

—Ay, Kenneth —dijo—. Tengo que contarte una cosa. Te parecerá de lo más cómico.

Se echó a reír al pensar en ello.

Él tenía un codo apoyado en el pretil del puente. Pero ella observó que tenía la otra mano apoyada sobre la suya, sosteniéndola contra su solapa.

—Mamá ha recibido una carta de sir Edwin —dijo—. Asómbrate, Kenneth. Cuando estuvo en Londres conoció a una encantadora y rica heredera, según dijo, que necesita a un caballero inteligente y experimentado y un hombre de sólidos principios y humilde valía..., lamento no acordarme de sus palabras exactas. No es lo mismo parafrasear simplemente las palabras de sir Edwin. En cualquier caso, necesita a un caballero de esas características, supongo que como esposo, cuando haya concluido su año de duelo por su padre, que casualmente terminará casi en la misma fecha en que sir Edwin se quite el luto por su madre. Al parecer, Kenneth, y eso es lo más asombroso, sir Edwin considera que él es justamente el hombre idóneo y ha convencido a la encantadora y rica heredera de esa feliz circunstancia explicándole que el conde de Haverford, dueño y señor de Dunbar, una de las mejores propiedades de Cornualles, es pariente suyo por matrimonio y un estimado amigo, y que su madre era una Grafton de Hugglesbury, por ese orden, Kenneth. ¿No te sientes enormemente aliviado?

—Enormemente —respondió él—. De haberlo expresado sir Edwin de otra forma, la humillación me habría obligado a arrojarme del puente.

—Por tanto —dijo Moira—, no es probable que sir Edwin decida establecer su residencia permanente en Penwith en un futuro previsible. Dijo que se sentiría honrado de que mamá siguiera viviendo allí —escucha esto, Kenneth— como viuda del llorado sir Basil Hayes y suegra del conde de Haverford, dueño y señor de... ¿Es preciso que continúe?

—¿De modo que no lo tendremos de vecino? —preguntó Kenneth, sonriendo.

—¿Crees que podrás superar tu decepción? —inquirió Moira.

—No será fácil. —Él echó la cabeza hacia atrás y soltó una carcajada—. Pero la vida consiste en una serie de decepciones que es preciso superar. Lo intentaré con todas mis fuerzas.

Ambos se rieron durante unos momentos hasta que sus carcajadas remitieron y se miraron, turbados.

—¿He logrado hacer que te olvides de tu rabieta? —le preguntó ella.

—No era una rabieta, Moira —replicó él—. ¡Qué ocurrencia! Tenía motivos fundados para estar enojado. Lo que has logrado es que me olvide de mi enojo. Muy hábil por tu parte.

Ella le sonrió.

—¿Por qué has venido? —le preguntó.

—Para echarte una buena reprimenda —contestó él—. Para manifestarte mi disgusto.

Ella meneó la cabeza.

—No —dijo bajito—. ¿Por qué has venido?

Moira había comprobado en Londres, en Vauxhall, que poseía una habilidad que ni siquiera había sospechado hasta entonces: la habilidad de flirtear de la forma más descarada. Y había comprobado que flirtear podía ser muy divertido cuando conseguías el resultado que perseguías, además de maravillosamente excitante desde el punto de vista sexual. Avanzó un paso y apoyó su otra mano en la solapa de él. Le miró a los ojos y murmuró:

—Dime por qué has venido.

—Desvergonzada —dijo él—. ¿Crees que no sé qué te propones? De acuerdo, no te regañaré. ¿Estás satisfecha? Mi ira ha desaparecido. —Contuvo el aliento y añadió—: Será mejor que no inicies lo que no estás dispuesta a terminar, señora mía.

Ella había localizado un punto en el centro del cuello de Kenneth que no quedaba cubierto por su corbatín y había oprimido sus labios contra él. Le parecía increíble comportarse de forma tan descarada, a plena luz del día, al aire libre, cuando él no había tomado la iniciativa.

—Siempre estoy dispuesta a terminar todo lo que inicio —respondió, besándole en el punto sensible entre la barbilla y el lóbulo de la oreja—. Y a emplearme a fondo en cada fase de la tarea entre el comienzo y el fin. Todo lo que merece la pena conviene hacerlo bien. ¿No te parece un consejo muy sabio?

—Moira —dijo él bajando también la voz—, ¿me estás haciendo el amor?

—¿Tan mal lo hago que tienes que preguntármelo? —contestó ella. Le acarició el lóbulo de la oreja con la punta de su lengua y él se estremeció.

—¡Desvergonzada! —repitió—. Supongo que no te propones llevar esto a su conclusión natural en medio del puente. ¿Me permites que sugiera el baptisterio?

—¡Por supuesto! —Ella inclinó la cabeza hacia atrás y sonrió—. Por eso has venido a encontrarte conmigo, ¿no?

—Tú lo has iniciado —replicó él.

—No —dijo ella meneando la cabeza—. Si tú no hubieras estado aquí en el puente, yo no habría podido iniciar nada. Dime que ésta es la razón por la que has venido.

—¿No para reprenderte sino para hacerte el amor? —preguntó él—. De acuerdo, siempre tienes que salirte con la tuya.

—En efecto —respondió ella—. Siempre. Durante el resto de mi vida.

Ése debía de ser el significado del dicho «quemar las naves», pensó. Se exponía al rechazo y al dolor. Pero no le importaba. En cualquier caso, había comprendido que no podía protegerse.

—En tal caso tendrás que batallar —dijo él— durante el resto de tu vida. Pero esta tarde no. Esta tarde estoy de acuerdo contigo. Vamos.

La tomó con firmeza por la cintura de forma que ella no tuvo más remedio que hacerle lo mismo a él. Moira se quitó el sombrero y lo sostuvo por las cintas para apoyar la cabeza en el hombro de él. Echaron a andar abrazados por la empinada cuesta hacia la cima de la colina a la sombra de los árboles, hasta que poco antes de alcanzarla la abandonaron para dirigirse hacia la cabaña del ermitaño.

Él se detuvo frente a la puerta junto a ella antes de entrar. La atrajo hacia sí y la besó profundamente. Ella se percató de que era la primera vez en nueve años que se besaban fuera de su lecho, excepto debajo del muérdago y en su boda. Sentía el calor del sol en su cabeza.

—Sí —dijo él, alzando la cabeza y mirándola—. Por esto he venido, Moira. Para hacerte el amor donde te lo hice por primera vez. Para enmendar todo lo que salió mal en esa ocasión. Pero para decirte con mi cuerpo que no lamento lo ocurrido. Para decirte que me alegro de que sucediera. Entremos y hagamos el amor.

—Sí —respondió ella, expresándole con sus ojos y con esa palabra que lo que él había dicho lo había dicho en nombre de los dos.

—Y luego —dijo él, alargando la mano hacia atrás para asir la manija de la puerta—, hablaremos, Moira. Acerca de todo. Es preciso que hablemos.

—Sí —dijo ella mientras él abría la puerta y la conducía dentro.

Capítulo 24

*H*icieron el amor bajo un cálido rayo de sol que penetraba por la puerta abierta de la cabaña. No temían ser descubiertos por un paseante que se acercara por esos parajes, pues *Nelson* estaba sentado a la puerta, contemplando el valle. Sus sonoros ladridos les advertirían de la presencia de un curioso, aseguró Kenneth a Moira mientras la sentaba sobre el estrecho camastro, se desabrochaba el pantalón, le arremangaba la falda y la tomaba sentada a horcajadas sobre él. Además, añadió apoyando las manos sobre sus caderas para colocarla bien y encajarla con firmeza sobre él, nadie solía venir a pasear por estas colinas.

—Vamos —dijo, tomándola por los hombros y estrechándola contra sí. Le quitó las horquillas del pelo y éste cayó como una cascada sobre los hombros de ella y el rostro de él. Luego se agachó para dejar las horquillas en el suelo—. Ah, mi bella *madonna*, móntame.

No era una posición novedosa para ella. Le encantaba, al igual que todas las posturas que él le había enseñado. Le encantaba la libertad de movimientos que le permitía, fijar el ritmo y la intensidad, deleitarse imaginando que ella dominaba la situación. Sabía que no era cierto. Había aprendido —él se lo había enseñado y quizás ella también se lo había enseñado a él— que en una experiencia sexual auténticamente satisfactoria ninguno dominaba al otro, sino que consistía en un dar y recibir mutuo.

Empezó a moverse sentada a horcajadas sobre él, pero él no yacía de forma pasiva debajo e ella. Se movía junto con ella, con los pulgares insertados en el profundo escote de su vestido debajo de sus pechos, para poder acariciarle los pezones con exquisita destreza.

La forma de hacer el amor siempre representaba una novedad. Aunque a estas alturas había algunos aspectos que a ella le resultaban familiares. Sabía que la excitación iría en aumento hasta alcanzar el punto de placer desenfrenado y el dolor, más allá del cual no existía nada y todo, y el perfecto éxtasis. Había aprendido a intuir el momento en que empezaría el rápido ascenso hacia el clímax. Y al cabo de unos minutos, después de un prolongado e intenso aumento de puro placer, sintió que se aproximaba. Pronto experimentaría la tensión y el frenesí. Pero todavía no. Y él también lo sabía, aunque ella sabía que el progreso físico hacia el clímax era distinto para él. Kenneth sabía interpretar las reacciones del cuerpo de Moira tan bien como ella misma.

Antes del momento culminante él le habló, alzando las manos para tomarle el rostro, sujetándolo para que ella le mirara a los ojos.

—Te amo —le dijo—. Te amo tanto que me produce dolor.

Ella oscilaba entre el pensamiento y la sensación física. Él la miró sonriendo.

—Yo también te amo —dijo ella—. Siempre te he amado —añadió sonriéndole.

Pero él no había pretendido interrumpir la cópula, sólo aumentar e intensificar la excitación de ambos. Apoyó las manos en las caderas de ella y las sujetó con firmeza, deteniendo sus movimientos mientras él la penetraba profundamente. El ascenso, la coronación de la cima y el descenso ocurrieron simultáneamente en un violento, aterrador y glorioso estallido de luz y calor y desahogo físico y amor. Ella era consciente de haber gritado, pero también de oírle a él emitir un grito que se mezcló con el suyo. Sintió un torrente de calor dentro de ella. Oyó a *Nelson* ladrar junto al camastro antes de retirarse de nuevo hacia la puerta y tumbarse junto a ella.

Al cabo de un rato, ella volvió la cabeza para instalarse más cómodamente sobre el hombro de Kenneth mientras él le colocaba las piernas a cada lado de las suyas. A ella le agradaba que no se separara de inmediato de ella. Le encantaba sentirse unida a él. Suspiró, sintiéndose relajado desde la cabeza hasta los dedos de los pies.

No durmió. La sensación de profundo bienestar era demasiado preciosa para desperdiciarla durmiendo. Kenneth durmió un rato. Ella se deleitó con el relajado calor que emitía él, con su respiración serena y acompasada. Pensó que él no lo había dicho como una cosa sexual. No lo había dicho sólo porque acababa de gozar con una buena cópula. Solía hablar mientras hacían el amor, a veces haciéndole una pregunta o una petición, a veces un comentario elogioso sobre lo que ella hacía, a veces unas palabras eróticas que formaban parte del proceso de excitación. Nunca había hablado de amor. Hasta esta tarde. Y esta tarde había pronunciado las palabras de forma deliberada y planeada. Había elegido el último momento antes de que ambos se perdieran en las sensaciones que les embargaban. Había elegido ese momento para que lo que compartieran inmediatamente después no fuera sólo sexo sino también amor. Ambas cosas armonizaban perfectamente en una unión marital.

Ella se alegraba de haber respondido que también le amaba. De jovencita nunca había podido decírselo. Siempre había temido comprometerse, desnudar su alma ante él. Aún temía hacerlo, pero empezaba a aprender que no debía dejar que el temor gobernara su vida. Alguien se lo había dicho hacía poco. No recordaba quién.

—¿Dormías?

El la besó en la frente.

—No —respondió ella.

Se produjo un amigable silencio mientras él le masajeaba la cabeza con los dedos.

—¿Te encuentras bien esta vez? —le preguntó por fin.

—Sí —contestó ella—. Me siento rebosante de salud y vitalidad. Muy distinta de la última vez.

Era la primera vez que ambos se referían a su estado.

—¿Tienes miedo? —le preguntó él oprimiendo los labios de nuevo contra su frente.

—Sí —contestó ella.

—Ojalá pudiera ofrecerte algún consuelo —dijo él—. Ojalá pudiera asegurarte que todo irá bien. Pero no puedo. Yo también estoy aterrorizado.

—Pero no me rendiré al temor —dijo ella—. Viviré mi vida con valentía. Si tengo un hijo, me consideraré la mujer más afortunada. Si tengo hijos, me preguntaré qué he hecho para merecer semejante dicha. Si no tengo ninguno, recordaré las otras bendiciones que tengo en la vida, y, por supuesto, también sufriré. Pero no me rendiré al temor.

Él se rió.

—Esa frase me resulta familiar —dijo—. Era el lema de Rex, Nat, Eden y yo. Teníamos fama de locos y temerarios. Alguien nos puso una vez el apodo de los Cuatro Jinetes del Apocalipsis, y nos quedamos con él. Pero no éramos osados porque estuviéramos locos, porque poseyéramos un valor superior al de los demás o una insensibilidad. Éramos osados porque nos negábamos a rendirnos al temor. Solíamos decirlo juntos a coro.

—En tal caso —dijo ella—, no debemos temer porque yo esté encinta.

—Excepto —dijo él suspirando—, que no puedo pelear en el campo de batalla por ti. Tengo que esperar y verte sufrir sola, por un niño que yo he engendrado en ti. Haces que me sienta humilde, Moira, e impotente. Eso debería complacerte.

Ella sonrió pero guardó silencio durante un rato. No quería adquirir un dominio sobre él del mismo modo que no quería que él la dominara a ella.

—Pero yo te necesito —dijo—. Cuando sientes dolor, y más aún cuando estás triste, experimentas una tremenda soledad. Pero si tienes a alguien a tu lado... Kenneth, cuando sufrí el aborto, tú permaneciste junto a mí aunque el señor Ryder te dijo que salieras de la habitación. Estabas pálido y tenías lágrimas en los ojos. Me suplicaste que no me muriera, que no te dejara. Me llamaste «amor mío». No fue cosa de mi imaginación, ¿verdad?

—No —respondió él. Ella le oyó emitir un prolongado suspiro—. Habría sacrificado mi vida por ti si con eso te hubiera ayudado. Lo habría hecho sin pestañear.

Ella tragó saliva. No había sido fruto de su imaginación, y sin embargo a la mañana siguiente ella le había dicho que no quería volver a verlo. Él se había mostrado muy frío. ¿Porque se sentía desgraciado, porque tenía dudas, porque esperaba que ella le marcara la pauta? ¿Podría haberlo retenido ella a su lado para que la consolara durante esa espantosa semana y las semanas que siguieron a su partida? La comunicación humana era algo terrible; a menudo transmitía unos mensajes falsos o cesaba por completo.

Se levantó de encima de él sin mirarle a la cara. Sintió una breve sensación de tristeza, como ocurría siempre cuando sentía que su cuerpo se separaba del suyo, pero no se detuvo. Se subió el corpiño, se alisó la falda, se calzó los zapatos, se echó la melena hacia atrás y salió al soleado y cálido exterior. Alzó la cara al sol y cerró los ojos. Luego se alejó del sendero un tanto trillado para sentarse en la hierba de la ladera y contemplar el valle, rodeando sus rodillas con los brazos. *Nelson* se tumbó junto a ella con un suspiro de satisfacción, colocando la cabeza entre las patas.

Comprendió que debía aprender otra lección. Tenía que aprender a ser dependiente. Un matrimonio se basaba en una dependencia mutua, no en una doble independencia. Tenía que aprender a aceptar el amor que él le ofrecía, sus cuidados, su necesidad de protegerla, aunque supusiera llevarse a una doncella cuando saliera sin el. Tenía que aprender a intuir los temores de él y su sentimiento ocasional de impotencia, y observar sus lágrimas. Tenía que aprender a aceptar su amor. El amor no era sólo algo que uno daba. Debía aprender también a recibirlo, incluso a expensas de sacrificar en parte su independencia.

Pero ella lo amaba. Y él la amaba a ella. ¡Dios, lo amaba con locura! Inclinó la cabeza y apoyó la frente sobre sus rodillas.

Él no sabía si había dicho o hecho algo que la hubiera ofendido. Salió detrás de ella sintiendo cierto temor. Pero la vio sentada en la hierba, cerca de la cabaña, y cuando él se sentó a su lado ella alzó la cabeza y le sonrió. Era una sonrisa dulce, cálida. Él apoyó una mano en su nuca. Su pelo tenía un tacto tibio y sedoso entre la palma de su mano y la piel de ella.

—Entonces, ¿está decidido, Moira? —preguntó él. Ya no temía su respuesta ni dudaba sobre la suya—. ¿Permaneceremos juntos pase lo que pase? ¿Porque lo deseamos? ¿Porque nos amamos?

—Y porque estamos casados —dijo ella—. Porque el matrimonio representa un nuevo reto en nuestras vidas. Supongo que es imposible que vivamos siempre felices y contentos, ¿verdad?

—Afortunadamente —respondió él—. Sería muy aburrido, Moira. Sin pelearnos nunca. Creo que ninguno de los dos lo soportaría.

Ella se rió suavemente.

—Cierto —dijo—. Suena horroroso. *Sí, milord* y *no, milord,* o *sí, señora* y *no, señora.*

Él se rió también,

—Seguiremos juntos y afrontaremos los retos que se presenten —dijo—. Pero prométeme que no volverás a intentar matarme.

—No seas tonto —contestó ella—. Debiste suponer que la pistola no estaba cargada. Sabes lo que opino sobre las armas de fuego. Ni siquiera sé cargar una. Es asombroso que la sostuviera correctamente. ¿La sostenía correctamente?

—Yo me refería a los cuatro matones que enviaste por mí tres días más tarde —dijo él—. Me propinaron una paliza de muerte. Menos mal que el administrador de mi padre apareció a tiempo para evitar que me liquidaran. Pero no tiene importancia. Sin duda te sentías profundamente agraviada por mí. Es agua pasada.

—Kenneth. —Ella se volvió hacia él y clavó sus ojos muy abiertos en los suyos—. ¿Unos matones? ¿Una paliza? ¿A qué te refieres?

Él sintió de repente que la duda se apoderaba de él, una duda que no había tenido hasta este momento, quizá porque nunca había querido dudarlo.

—El matón al que conseguí abatir lo confesó —dijo—, cuando le reanimamos arrojándole un cubo de agua sobre la cabeza. Dijo que tú les habías enviado para castigarme por lo que yo había hecho a Sean.

—Pero ¿qué te indujo a creer que yo tenía algún poder sobre ellos? —preguntó ella con evidente estupor.

—Eran hombres de tu hermano —respondió él. *Vuestros* hombres.

—¿Nuestros hombres? —Moira frunció el entrecejo—. Yo no..., ni siquiera sé quiénes eran —dijo—. Dudo que Sean lo supiera. Esa noche todos iban disfrazados o se habían tiznado la cara. Sean fue con ellos en esa ocasión porque le divertía, porque nunca había sido capaz de resistirse a una aventura. Yo me enteré por uno de los sirvientes y le seguí para tratar de detenerle antes de que lo atraparan. Me llevé la pistola. Kenneth, no tuve nada que ver con esos hombres. Sean apenas los conocía. Era la primera vez que los acompañaba, con consecuencias desastrosas para él. Porque tú no esperaste a hablar con nosotros al día siguiente, cuando nos hubiérmos calmado y podido hablar de forma racional.

—Me dijeron que tú formabas parte de la banda —dijo él—. Me lo dijo el propio Sean.

—No te creo —replicó ella. Pero alzó una mano para silenciarlo—. No, te creo. Pero sin duda lo interpretaste mal. Sean no pudo haberte dicho eso. No era cierto.

Él lo comprendió todo con repentina y meridiana claridad. Se levantó y contempló la cascada, de espaldas a ella.

—Fue una venganza —dijo en voz baja—. Maldita sea, fue una venganza. Yo le había denunciado a mi padre y había destruido sus planes de fugarse con Helen y apropiarse de su fortuna. De modo que destruyó lo más valioso que yo tenía en mi vida. Destruyó mi amor por ti. —Kenneth respiró hondo—. Debió de convencerles para que me dijeran que tú les habías enviado.

—No, Kenneth —dijo ella—. Fue otra persona, alguien que tenía algo contra todos nosotros. No fue Sean. Es verdad que era un joven alocado e imprudente, pero no había maldad en él. Me quería, era tu amigo, estaba enamorado de Helen.

Él se volvió para mirarla. Pardiez, estaba convencida de lo que decía. Quizás habría sido mejor no remover el pasado. De alguna forma lo habían superado y habían aprendido a amar de nuevo. Ella habría conservado los recuerdos de su hermano intactos. Pero era demasiado tarde. El renovado amor que se profesaban quedaría seriamente dañado si él no proseguía. Y quizá si lo hacía.

—Moira —dijo—, Sean era el líder de esa banda de contrabandistas. Había reunido a los asesinos más despiadados de esta zona de Cornualles y los había convertido en una peligrosa y sanguinaria banda de contrabandistas. Debí denunciarle antes. Pero me lo impedía el recuerdo de nuestra amistad, y el temor a perderte. —Emitió una amarga carcajada—. Sean no amaba a Helen. Deseaba su dinero. Hay varios niños en esta zona de Inglaterra que son hijos de Sean. No todas las madres de esos niños se entregaron a él voluntariamente. Tengo entendido que tu padre había reservado una generosa porción de su fortuna para ti y tu madre. También tengo entendido que la empleó toda en saldar las deudas de tu hermano. Recibí esta información directamente de Sean cuando aún estábamos a tiempo, cuando aún existía cierta amistad entre nosotros. Yo le traicioné, Moira. Jamás lo he negado. Pero él nos traicionó a todos. Y se vengó de mí asegurando tu perenne desdicha.

Ella había vuelto a apoyar la frente en sus rodillas. ¿Le creía? ¿Había quedado de nuevo todo destruido entre ellos? Él lamentaba en parte haber sacado el tema. Pero por otra sabía que había sido inevitable. Si no hubiera ocurrido ahora, habría ocurrido más adelante.

—Fue un valeroso oficial —dijo—. Fue uno de esos soldados cuya fama se había extendido más allá de su regimiento. Nunca pidió a sus hombres un acto de valentía o que se expusieran a un peligro que él no estuviera dispuesto a compartir con ellos. Me sorprende que no me enterara de su muerte hasta que tú me lo dijiste. No me cabe duda de que murió en el campo de batalla, cumpliendo con su deber.

Ella seguía cabizbaja.

—Lo lamento —dijo él—. Sé que me crees. Debí dejar que conservaras tus recuerdos de él intactos.

Ella meneó la cabeza y la alzó. Parecía cansada.

—No —dijo—. No dejaré de quererle. Una no deja de querer a un hermano. Y murió con valentía. Avanzó hacia el fuego enemigo para rescatar a un joven soldado que había caído herido. Consiguió su propósito antes de morir. El soldado sobrevivió. A veces las personas consiguen redimirse.

—¿Y nosotros? —preguntó él temeroso después de una pausa—. ¿Lo ha estropeado todo esta conversación, Moira?

—No —respondió ella moviendo la cabeza—. Ahora sabes que yo no formaba parte de esa banda de contrabandistas. ¿Es posible que lo pensaras durante todos esos años? Y sabes que, aparte de amenazarte con una pistola que no estaba cargada, lo cual reconozco que no estuvo bien, jamás traté de lastimarte. Dije todo cuanto tenía que decirte durante esa breve pelea a gritos que mantuvimos el día después de que Sean fuera arrestado.

—Y tú sabes, quizá —dijo él—, que hice lo que debía hacer, por muchas personas anónimas, por mi hermana e incluso por ti. Quería librarte de esa banda de contrabandistas antes de que te detuvieran y deportaran. Es cierto que traicioné tu confianza, Moira, pues si tú no me lo hubieras dicho, no habría sabido lo de Sean y Helen y no habría descubierto por mí mismo que sus planes incluían fugarse juntos. Nunca me he perdonado haberte traicionado, pero hice lo que creí que debía hacer, aun a sabiendas de que te perdería. Hice una elección, y creo que en caso necesario volvería a hacerla, por más que posteriormente me sintiera culpable.

—Debiste decírmelo —dijo ella.

—En esos momentos no sentía la menor simpatía hacia ti, Moira —contestó él—. Además, durante ese encuentro que tuvimos no nos hablamos. Nos gritamos. Gritamos los dos. Ninguno de nosotros escuchó al otro.

Ella se levantó y se acercó a él. Le tomó la mano, enlazando sus dedos con los suyos, y apoyó la cabeza en su hombro.

—Qué maravillosa sensación de liberación —dijo—. Desde mi viaje a Londres, desde que volví a enamorarme de ti, he dejado que mis pensamientos analizaran nuestra relación desde el comienzo, remontándome incluso a mi infancia, cuando te adoraba y tú ni siquiera sabías que yo existía. Pero mi mente siempre tenía que sortear esos acontecimientos, los cuales estaban siempre presentes, y siempre tenía que reprimir el pensamiento de que de alguna forma tú eras el culpable de la muerte de Sean.

Él restregó su mejilla contra la parte superior de la cabeza de ella.

—Ahora podré aceptar mejor su muerte —dijo Moira—. Tuvo la oportunidad de redimirse cuando pudo haber sido deportado, merecidamente. Se le concedió esa oportunidad, y supo aprovecharla. ¿Fuiste tú quien propusiste a tu padre que lo reclutaran en lugar de deportarlo?

—Sí —respondió él.

Ella alzó la cabeza y sonrió.

—Gracias —dijo—. Te amo.

—Cuánto anhelaba oír estas palabras cuando éramos jóvenes —respondió él apretándole la mano—. Es lo más maravilloso que uno puede oír, Moira.

—Y es lo más aterrador que una puede decir —contestó ella—. Es como si renunciara a una parte de mí, exponiéndome al dolor y al rechazo.

—Y a la felicidad —dijo él, sonriendo—. Jamás te lastimaré adrede, amor mío, y jamás te rechazaré. Discutiré contigo, te regañaré y me pelearé contigo..., y te amaré toda la vida.

—¿De veras? —preguntó ella—. ¿Me lo prometes?

—¿En todos los aspectos? —Él la miró sonriendo—. Te lo prometo. Solemnemente.

—Y yo —dijo ella—, prometo amarte siempre.

—¿Y pelearte conmigo? —preguntó el.

—Eso también —respondió ella riendo.

—Perfecto —dijo él—. Entonces será sin duda una vida interesante.

La enlazó por la cintura con un brazo y la atrajo hacia sí. Contemplaron sobre las copas de los árboles cargados de hojas el puente, el río y la cascada, azul y resplandeciente bajo el sol. Él no imaginaba que existiese en la Tierra un lugar más bello donde vivir..., con su primero y único amor.

Se volvieron al mismo tiempo, sonriéndose uno al otro, y cerraron la breve distancia entre sus bocas. *Nelson* emitió un suspiro de profunda satisfacción y se echó a dormir.

www.titania.org

Visite nuestro sitio web y descubra cómo ganar
premios leyendo fabulosas historias.

Además, sin salir de su casa, podrá conocer
las últimas novedades de
Susan King, Jo Beverley o Mary Jo Putney,
entre otras excelentes escritoras.

Escoja, sin compromiso y con tranquilidad,
la historia que más le seduzca
leyendo el primer capítulo de cualquier libro
de Titania.

Vote por su libro preferido y envíe su opinión
para informar a otros lectores.

Y mucho más…